Bescherelle
école

GRAMMAIRE

ORTHOGRAPHE
GRAMMATICALE

ORTHOGRAPHE
D'USAGE

VOCABULAIRE

CONJUGAISON

HATIER

Alphabet phonétique international (A.P.I.)

VOYELLES		CONSONNES	
[i]	nid	[p]	pain
[e]	fée	[b]	bain
[ɛ]	fête	[t]	toit
[ə]	fenêtre	[d]	doigt
[ɑ]	pâte	[f]	fois
[a]	patte	[v]	voix
[u]	roue	[s]	sous
[y]	rue	[z]	zoo
[o]	beau	[ʃ]	chou
[ɔ]	bol	[ʒ]	joue
[ø]	jeu	[k]	camp
[œ]	jeune	[g]	gant
[ɑ̃]	banc	[m]	main
[ɛ̃]	bain	[n]	nain
[ɔ̃]	bon	[l]	long
[œ̃]	brun	[ʀ]	rond
		[ɲ]	agneau
		[ŋ]	jogging

SEMI-CONSONNES

[j]	paille
[w]	oui
[ɥ]	nuit

Coordination éditoriale : Claire Dupuis
Correction : Nathalie Rachline
Illustrations : Ségolène Robin
Conception graphique : Frédéric Jély
Réalisation : Alinéa

© Hatier, avril 2007 – ISBN : 978-2-218-92559-7

avant-propos

■ Un Bescherelle pour l'école primaire

Dans *Bescherelle École*, les élèves du **CE2 au CM2** trouveront **toutes les règles de français** (plus de 500) qu'ils doivent apprendre à maîtriser. *Bescherelle École* traite le **nouveau programme** de l'école primaire (2002) en quatre grandes parties (Grammaire, Orthographe, Vocabulaire et Conjugaison).

■ Un Bescherelle pour maîtriser la langue

Au primaire, la priorité est donnée à l'apprentissage de l'**écriture** et de la **lecture**. Pour aider les élèves à maîtriser ces compétences, les auteurs ont structuré cet ouvrage en **séquences courtes**, qui développent chacune une seule notion. Les règles sont volontairement simples et brèves. Elles sont rédigées dans un **langage accessible** aux enfants. Les encadrés *à retenir* en début de chapitre, les tableaux et les listes aident à la mémorisation.

■ Un Bescherelle pour donner envie de lire

Afin d'éveiller chez l'enfant le goût de la lecture, *Bescherelle École* illustre les règles, de façon originale, par des **exemples** amusants puisés dans la **littérature** de jeunesse.
Bescherelle École « privilégie la lecture sous toutes ses formes ». L'élève se trouve ainsi confronté à deux types de lecture : la « lecture critique » et la « lecture plaisir ». Il est encouragé à développer toutes les attitudes de lecture qui lui seront demandées au collège.
Enfin, grâce à la grande variété des extraits tirés de la littérature, l'élève se familiarise avec les différents registres de langue, **augmente son capital lexical** et améliore sa compréhension de l'écrit.

■ Bescherelle École, le premier outil de référence

À la fin de l'école primaire, un élève doit pouvoir **consulter un ouvrage de référence** (dictionnaire, encyclopédie...). Par la **simplicité** de sa structure et de sa présentation, les utilisateurs du *Bescherelle École* **apprennent** à se servir d'un sommaire ou d'un index.

mode d'emploi

Comment utiliser Bescherelle École ?

■ À partir du sommaire

Un sommaire figure au début du livre (pages 7 à 11). Le sommaire donne les **titres de tous les chapitres** du livre et les **pages** où ces chapitres se trouvent.

Exemple :

On te demande d'apprendre ou de réviser tout ce qu'il faut savoir sur le **COD**. Regarde dans le **sommaire**. Tu y verras le chapitre : *Reconnaître le complément d'objet direct (COD).*

Ouvre alors le livre à la page indiquée ; tu peux lire toute la leçon sur le COD ou seulement les paragraphes consacrés à ce que tu ne sais pas.

■ À partir de l'index

Un index figure à la fin du livre (pages 407 à 415). L'index répertorie tous les **mots** que l'on peut avoir besoin de chercher et qui sont **expliqués** dans le livre ; les numéros qui suivent chaque mot renvoient aux **numéros des paragraphes** où les mots apparaissent.

L'index est signalé par un bandeau violet.

Exemples :

▶ Tu fais tes devoirs. On te demande de souligner le **COS** dans la phrase : *Le chat apporte une souris à son maître.*

Tu ne sais plus bien ce qu'est un complément d'objet second.

Regarde dans l'**index** : tu y trouves, à la **lettre C**, le mot que tu cherches (complément d'objet second) et un **numéro** qui te renvoie aux **paragraphes** où le COS est défini.

▶ Tu ne sais plus si *appeler* prend un ou deux **p**. Tu regardes dans l'**index**, à **orthographe**, et l'index te renvoie au paragraphe où l'on t'explique quand un mot prend un ou deux **p**.

Comment se compose un chapitre de grammaire, d'orthographe grammaticale, de vocabulaire ou de conjugaison ?

... Un onglet d'une couleur différente signale chaque partie.

... Chaque chapitre commence par un encadré illustré **À retenir** que l'on peut apprendre par cœur.

... Une leçon est divisée en plusieurs **paragraphes**. Chaque paragraphe est numéroté et pose une question à laquelle on répond dans la règle.

... Les **règles** sont encadrées. On les repère tout de suite.

... Chaque règle est suivie d'un **exemple** tiré de la littérature et souvent commenté.

Le **renvoi** à d'autres paragraphes permet de compléter ses connaissances ou de vérifier le sens d'un mot.

Les rubriques **Attention** ou **Exception(s)** mettent en garde contre les erreurs les plus fréquentes ou signalent les exceptions à la règle donnée.

Comment se compose un chapitre d'orthographe d'usage?

Chaque chapitre commence par proposer des **listes de mots illustrés** qui comprennent les différentes manières d'écrire un son.

Le tableau des **graphies** donne les différentes manières d'écrire un son et la place des lettres. Certaines lettres en effet apparaissent seulement au début d'un mot ou à la fin...

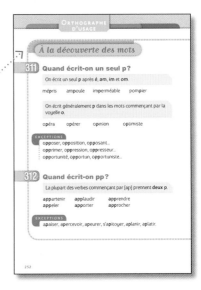

À la découverte des mots apparaît à la fin de la plupart des chapitres de cette partie. On y trouve des **règles** d'orthographe, des remarques en liaison avec le **vocabulaire**, un peu d'histoire de la langue.

sommaire

Les numéros renvoient aux numéros des pages.

GRAMMAIRE

sommaire

ORTHOGRAPHE GRAMMATICALE

sommaire

ORTHOGRAPHE D'USAGE

sommaire

sommaire

VOCABULAIRE

CONJUGAISON

INDEX

GRAMMAIRE

On appelle grammaire l'ensemble des règles qu'il faut respecter pour parler et écrire correctement le français et formuler clairement ce que l'on souhaite exprimer. À l'école, l'étude de la grammaire comprend deux grandes parties :

■ l'étude de la nature des éléments qui constituent la langue (noms, adjectifs, prépositions...) ;

■ l'étude de leur fonction dans la phrase : un nom peut être sujet, complément...

Reconnaître une phrase

À RETENIR

■ Pour qu'une phrase ait un sens, il faut :
– indiquer **de qui** ou **de quoi** l'on parle ;
– dire **quelque chose** à propos de cette personne, de cet objet ou de cette idée.

■ La plupart des phrases ont un verbe, mais une phrase peut être complète sans verbe.

1 Qu'est-ce qu'une phrase ?

Une phrase répond aux deux questions suivantes :
– **de qui** ou **de quoi parle-t-on ?**
– **qu'est-ce qu'on en dit ?**

la truite avant d'enjamber
le pont enlève sa chemise
et plonge dans la Tamise

■ LES ANIMAUX DE TOUT LE MONDE

De quoi parle-t-on ?
De la truite.
Qu'est-ce qu'on en dit ?
On dit qu'elle *enlève sa chemise et plonge dans la Tamise.*

2 Quelles sont les deux parties de la phrase ?

Une première partie de la phrase nous dit **de quelle personne, de quel objet** ou **de quelle idée on parle.**

L'araignée à moustaches
Porte de belles lunettes

■ DESTINÉE ARBITRAIRE

> **De quoi parle-t-on ?** De l'araignée à moustaches.

La seconde partie de la phrase répond à la question :
qu'est-ce qu'on dit de la personne, de l'objet ou de l'idée
dont on parle ? Elle indique **comment ils sont**,
ou **ce qu'ils font**, ou **ce qui leur arrive**.

La fourmi n'est pas prêteuse :
c'est là son moindre défaut.

■ LA CIGALE ET LA FOURMI

> **Qu'est-ce qu'on dit de la fourmi ?**
> On dit comment elle est : elle *n'est pas prêteuse*.

Maître corbeau, sur un arbre perché,
Tenait en son bec un fromage.

■ LE CORBEAU ET LE RENARD

> **Qu'est-ce qu'on dit du corbeau ?**
> On dit ce qu'il fait : il *tenait en son bec un fromage*.

3 Dans quelle partie de la phrase se trouve le verbe ?

Le **verbe** se trouve dans la partie de la phrase qui répond
à la question : **qu'est-ce qu'on en dit ?**

Une méchante fée m'avait condamné à rester sous cette
figure jusqu'à ce qu'une belle fille consentît à m'épouser,
et elle m'avait défendu de faire paraître mon esprit.

■ LA BELLE ET LA BÊTE

> *Une méchante fée m'avait condamné à rester sous cette figure*
>
> verbe
>
> De qui parle-t-on ? Qu'en dit-on ?

4 Une phrase a-t-elle toujours un verbe ?

La plupart des phrases comprennent un verbe, qui exprime une action ou un état. Mais certaines phrases peuvent être complètes **sans verbe**.

▶ **Une publicité**

Sac à dos Cheyenne 50 : la commode à bretelles de Décathlon.

De quoi parle-t-on ?   Qu'en dit-on ?

▶ **Un titre**

Pas si fous,   ces Romains !

Qu'en dit-on ?   De qui parle-t-on ?

Utiliser la ponctuation

■ En parlant, la voix monte, descend, s'arrête. Lorsqu'on écrit, les **signes de ponctuation** indiquent les montées, les descentes et les **pauses** de la voix.

SIGNE	EMPLOI
le point	Marque une pause importante.
le point-virgule	Marque une pause intermédiaire.
la virgule	Marque une pause plus courte.
les deux-points	Introduisent une citation, une énumération ou une explication.
le point d'interrogation	Marque la fin d'une question.
le point d'exclamation	Termine une phrase exclamative.
les points de suspension	Indiquent qu'une phrase est inachevée.
les guillemets	Encadrent un dialogue, une citation.
le tiret	Signale, dans un dialogue, qu'un nouveau personnage prend la parole.
les parenthèses	Introduisent une indication supplémentaire.

5 À quoi sert la ponctuation ?

● La ponctuation permet de lire et de comprendre un texte. Elle délimite les phrases à l'intérieur de ce texte.
● La ponctuation du dialogue indique la présence d'un discours rapporté.

▶ Dialogue non ponctué

Chaque soir quand il revenait de l'école son père lui demandait qu'est-ce que tu as fait aujourd'hui je suis allé à l'école petit imbécile tu avais fait tes devoirs oui papa petit crétin tu savais tes leçons oui papa petit malheureux au moins j'espère que tu t'es dissipé ben

▶ Dialogue ponctué

Chaque soir, quand il revenait de l'école,
son père lui demandait [:]
deux-points

[«] Qu'est-ce que tu as fait aujourd'hui [?]
guillemets   point d'interrogation

[–] Je suis allé à l'école [.]
tiret   point

– Petit imbécile [!] Tu avais fait tes devoirs ?
point d'exclamation

– Oui [,] Papa.
virgule

– Petit crétin ! Tu savais tes leçons ?

– Oui, Papa.

– Petit malheureux ! Au moins j'espère que tu t'es dissipé ?

– Ben [...] »
points de suspension   ■ LE GENTIL PETIT DIABLE

6 Un signe de ponctuation peut-il changer le sens d'une phrase?

Oui! En remplaçant un signe de ponctuation par un autre signe ou en changeant un signe de place, on peut **transformer** complètement **le sens d'une phrase**.

▸ **Première version**
Tu admires les fleurs de la terrasse [.]

| = Tu es en train d'admirer les fleurs qui se trouvent sur la terrasse.

▸ **Deuxième version**
Tu admires les fleurs [,] de la terrasse.

| = Tu es sur la terrasse et, de là, tu admires les fleurs, qui se trouvent ailleurs.

▸ **Troisième version**
Tu admires les fleurs de la terrasse [?]

| = On te demande si tu es en train d'admirer les fleurs.

7 À quoi sert le point?

Le point indique qu'une phrase déclarative **se termine**. Le premier mot de la phrase suivante commence par une majuscule. À l'oral, lorsqu'on rencontre un point, la **voix descend** et marque une **pause importante**.

Grenouille ne se fit pas prier [,] et bientôt tout le mil fut mangé [.] Grenouille se frotta la panse [,] s'étira [,] s'allongea sur un coude [,] bâilla [.] Bien au chaud [,] l'estomac plein [,] il ne restait plus qu'à dormir [.]

■ CONTES D'AFRIQUE NOIRE

| À chaque virgule, à chaque point, la voix doit marquer une pause.

8 À quoi sert le point-virgule ?

- Le point-virgule marque une pause moins importante que le point. Il permet de **séparer des propositions indépendantes**. On ne met pas de majuscule après un point-virgule.
- Dans la plupart des cas, le point-virgule indique une **relation logique** entre deux événements.

Nous sommes allés en classe, pendant que M. Mouchabière raccompagnait Rufus chez lui. Il a de la chance, Rufus [;] on avait classe de grammaire. ■ LE PETIT NICOLAS ET LES COPAINS

> Ici, le point-virgule introduit une explication :
> Rufus *a de la chance* **parce qu'**on *avait classe de grammaire*.

9 À quoi sert la virgule ?

La virgule marque une pause plus courte que le point et le point-virgule ; elle permet de **séparer différents éléments de la phrase**.

Mais le lendemain matin tout le monde a vu [,] derrière les grilles [,] dans le jardin de la sorcière [,] une belle citrouille toute bleue [,] et tout près d'elle un gros rat rouge [,] assis sur son derrière [,] avec une belle casquette [,] bien coquette [,] posée sur sa tête [.] ■ CONTES DE LA FOLIE-MÉRICOURT

Virgule et énumération
- Dans une énumération, les mots séparés par une virgule sont **de même fonction**.

As-tu jamais vu un chat qui ait des besoins d'argent ? La preuve, c'est qu'il y a des chats de toutes les couleurs [,]

des chats gris [,] bleus [,] noirs [,] verts [,] roux [,] qu'il y
a des chats à poils longs et des chats à poils courts [,] des
chats avec une queue et des qui n'en ont pas, mais que je
te défie de trouver un chat avec des poches.

■ LE CHAT QUI PARLAIT MALGRÉ LUI

> *des chats de toutes les couleurs, des chats gris... roux,*
> *des chats à poils longs et des chats à poils courts, des chats*
> *avec une queue et des qui n'en ont pas :*
> les virgules séparent des GN qui sont tous sujets réels de
> *il y a.*
>
> *des chats gris, bleus, noirs, verts, roux :*
> les virgules séparent des adjectifs qualificatifs qui sont tous
> épithètes du nom *chat.*

● Pour introduire le dernier terme de l'énumération,
on remplace la virgule par la conjonction de coordination **et**.

La dernière bouteille de l'étagère était remplie de pilules
vert pâle : « *Pour cochons. Contre les démangeaisons, les pieds trop*
*sensibles, les queues sans tire-bouchon **et** autres cochonneries.* »

■ LA POTION MAGIQUE DE GEORGES BOUILLON

Virgule et mise en relief
La virgule permet de **faire ressortir** un groupe de mots
(souvent un complément circonstanciel) en le séparant
du reste de la phrase.

Contemplant les tortues et les fleurs [,] les yeux
levés au ciel [,] il réfléchissait à diverses questions
mystérieuses, comme celle-ci, par exemple : « Si on a
embarqué dans un bateau dix sacs de pommes de terre,
que chaque sac contient dix demi-boisseaux de pommes
de terre et qu'il y a dix pommes de terre dans chaque
demi-boisseau, comment s'appelle le timonier ? »

■ LE CHAT CHINOIS ET AUTRES CONTES

Dans la rue [,] **en marchant** [,] je voyais mon têtard dans le bocal, et il était très chouette : il bougeait beaucoup et j'étais sûr qu'il deviendrait une grenouille terrible, qui allait gagner toutes les courses. ◼ LES RÉCRÉS DU PETIT NICOLAS

> **Virgule et adjectif qualificatif en apposition**
> Dans la phrase, un adjectif qualificatif mis en apposition est isolé par une ou deux virgules.

Que voyait-il au fond du pré
Ce bœuf qui restait là [,] **figé** [,]
À regarder [,] **halluciné** [,]
Un buisson d'églantines ?   ◼ LE BŒUF

| Les adjectifs *figé* et *halluciné* sont au milieu de la phrase.

Grasse et onctueuse comme une méduse [,] tante Éponge accourut en se dandinant pour voir ce qui se passait.
                                          ◼ JAMES ET LA GROSSE PÊCHE

| Les adjectifs *grasse* et *onctueuse* sont au début de la phrase.

« Comment diable peut-elle tricoter avec un si grand nombre d'aiguilles ? se demanda la fillette [,] **intriguée**. Plus elle va, plus elle ressemble à un porc-épic ! »
                                          ◼ DE L'AUTRE CÔTÉ DU MIROIR

| L'adjectif *intriguée* est à la fin de la phrase.

10 À quoi servent les deux-points ?

> Les deux-points introduisent une **citation**,
> une **énumération** ou une **explication**.

▸ Une citation
Bientôt son regard tomba sur une petite boîte de verre placée sous la table ; elle l'ouvrit et y trouva un tout petit

gâteau sur lequel les mots $\boxed{:}$ « MANGE-MOI » étaient très joliment tracés avec des raisins de Corinthe.

■ ALICE AU PAYS DES MERVEILLES

▶ **Une énumération**

Le monstre avait des poils partout $\boxed{:}$ au nez, aux pieds, au dos, aux dents, aux yeux et ailleurs. ■ LE MONSTRE POILU

▶ **Une explication**

L'Enfer, ce n'est pas comme chez nous. C'est même le contraire $\boxed{:}$ tout ce qui est bien chez nous est mal en Enfer ; et tout ce qui est mal ici est considéré comme bien là-bas.

■ LE GENTIL PETIT DIABLE

11 À quoi sert le point d'interrogation ?

> Le point d'interrogation termine une phrase interrogative directe et indique que l'on **pose une question**.

À ce moment, Alice commença à se sentir toute somnolente, et elle se mit à répéter, comme si elle rêvait : « Est-ce que les chats mangent les chauves-souris $\boxed{?}$ Est-ce que les chats mangent les chauves-souris $\boxed{?}$ » et parfois : « Est-ce que les chauves-souris mangent les chats $\boxed{?}$ » car, voyez-vous, comme elle était incapable de répondre à aucune des deux questions, peu importait qu'elle posât l'une ou l'autre. ■ ALICE AU PAYS DES MERVEILLES

Pourquoi les crocodiles pleurent-ils $\boxed{?}$
Parce qu'on tire leur queue.
La chose les horripile. ■ ENFANTASQUES

12 À quoi sert le point d'exclamation ?

> Le point d'exclamation termine une phrase exclamative et indique la **colère**, la **surprise**, la **joie**...

« Triple chose-chouette de double machinmuche de cinquante mille millions de trucs d'oseille $\boxed{!}$ jure le marchand en recourant aux mots les plus corsés de son répertoire. J'ai encore raté mon coup $\boxed{!}$ »

■ CONTES DE LA FOLIE-MÉRICOURT

Le point d'exclamation indique ici la colère.

13 À quoi servent les points de suspension ?

> Les points de suspension indiquent qu'une phrase est **inachevée** soit parce que quelqu'un l'interrompt, soit parce que l'on sous-entend quelque chose.

– Nous recevions une excellente éducation ; en fait, nous allions à l'école tous les jours $\boxed{...}$
– Moi aussi, dit Alice. Vous n'avez pas besoin d'être si fière pour si peu.

■ ALICE AU PAYS DES MERVEILLES

Alice interrompt la Tortue et ne la laisse pas finir sa phrase : c'est ce qu'indiquent les points de suspension.

14 À quoi servent les guillemets et le tiret ?

> Les guillemets signalent le **début** et la **fin** d'un **dialogue**. Lorsqu'un nouveau personnage prend la parole, on doit **aller à la ligne** et mettre un tiret.

$\boxed{«}$ Vous voyez ce dé, a dit Maixent. À part qu'il est très gros, il est comme tous les dés...
$\boxed{-}$ Non, a dit Geoffroy, il est creux, et à l'intérieur il y a un autre dé. $\boxed{»}$
Maixent a ouvert la bouche et il a regardé Geoffroy.
$\boxed{«}$ Qu'est-ce que tu en sais ? a demandé Maixent.

— Je le sais parce que j'ai la même boîte de magie à la maison, a répondu Geoffroy ; c'est mon papa qui me l'a donnée quand j'ai fait douzième en orthographe. »

■ Le petit Nicolas et les copains

On encadre par des guillemets des **paroles que l'on cite**.

Voilà le roi qui se met en colère, en colère tant et tant, qu'il était hors de lui. « Ha ! ha ! dit-il, ce joli mignon se moque de mon malheur, et il se prise plus que moi. Allons, qu'on le mette dans ma grosse tour, et qu'il y meure de faim ! »

■ La belle aux cheveux d'or

15 Comment utiliser les majuscules ?

On met une majuscule en **début de phrase**, **après un point**, un point d'interrogation ou un point d'exclamation.

Je suis la mer ! Je bats les rochers. Je m'amuse à jongler avec les bateaux. Je suis la mer, qui recouvre les trois quarts du globe, qui dit mieux ? Les vagues de dix-huit mètres de haut, c'est moi, la mer !

■ Bulle ou la voix de l'océan

16 À quoi servent les parenthèses ?

Les parenthèses introduisent une **indication complémentaire**.

Cependant, ce flacon ne portant décidément pas l'étiquette : *poison*, Alice se hasarda à en goûter le contenu ; comme il lui parut fort agréable (en fait, cela rappelait à la fois la tarte aux cerises, la crème renversée, l'ananas, la dinde rôtie, le caramel, et les rôties chaudes bien beurrées), elle l'avala jusqu'à la dernière goutte.

■ Alice au pays des merveilles

17 Qu'est-ce qu'un paragraphe ?

Un texte est constitué de paragraphes. Un paragraphe est formé d'une ou de **plusieurs phrases** qui développent une **idée**. Pour présenter un paragraphe, on va **à la ligne** et on laisse un **blanc** devant le premier mot.

Qu'est-ce qui allait lui arriver maintenant ? Dès qu'on s'apercevrait dans son entourage que Gaspard était le premier chat au monde capable de parler, il était sûr et certain qu'il n'aurait plus une minute de tranquillité.

Or Gaspard, raisonnable comme presque tous les chats, n'aimait rien davantage que d'être tranquille dans la vie.

■ LE CHAT QUI PARLAIT MALGRÉ LUI

Reconnaître les types de phrases

La phrase déclarative

18 À quoi sert la phrase déclarative ?

La phrase déclarative permet de **raconter un événement**.

Nous sommes montés dans la voiture et nous sommes partis. Deux fois, parce que la première, nous avons oublié la valise à la maison. ■Les vacances du petit Nicolas

La phrase déclarative permet aussi de **donner une opinion**.

Ce qui est embêtant, quand il pleut, c'est que les grands ne savent pas nous tenir et nous on est insupportables et ça fait des histoires. ■Le petit Nicolas et les copains

19 Comment reconnaître une phrase déclarative?

La phrase déclarative se termine par un **point**.
Elle comprend **un** ou **plusieurs verbes conjugués**.

Le mistouflon **était** poète à ses heures $\boxed{.}$ Bien sûr, il ne **savait** pas écrire, mais dans son cœur, parfois, il **avait** comme de grands frissons et il **se disait** que le monde **était** beau $\boxed{.}$
∎ L'année du mistouflon

Dans ce texte, les verbes conjugués sont en gras ; ils sont à la forme affirmative ou à la forme négative.

La phrase interrogative

20 À quoi sert la phrase interrogative?

Une phrase interrogative sert à poser une question à quelqu'un.

La fée dit alors à Cendrillon :
« Eh bien, voilà de quoi aller au bal, **n'es-tu pas bien aise ?**
– Oui, mais **est-ce que j'irai comme cela avec mes vilains habits ?** »
Sa marraine ne fit que la toucher avec sa baguette, et en même temps ses habits furent changés en des habits de drap d'or et d'argent tout chamarrés de pierreries.
∎ Cendrillon

21 Comment reconnaître une phrase interrogative directe?

Une phrase interrogative directe se termine par un **point d'interrogation**.

Mais comment a-t-il fait pour cracher de l'eau par les oreilles ?

■ L'ANNÉE DU MISTOUFLON

> On pose une question sur le moyen utilisé.

Pourquoi le tapis fait-il en tapinois des croche-pieds d'un air benoît ?

■ LES COUPS EN DESSOUS

> On pose une question sur la raison de ce comportement.

22 Comment construire les phrases interrogatives?

● Parfois, on ajoute simplement un **point d'interrogation** à une phrase déclarative : l'intonation suffit à se faire comprendre à l'oral.

« Ce genre de conférence est plutôt épuisant, marmonna Oscar l'éléphant. Crénom ! **Vous savez** de combien j'ai maigri ? De deux cents kilos ! »

■ LA CONFÉRENCE DES ANIMAUX

> <u>Vous</u>   <u>savez?</u>
> sujet   verbe

● On peut construire une phrase interrogative en plaçant **le sujet après le verbe**.

Avez-vous remarqué à quel point les gens et les bêtes ont en commun un petit air de famille ?

■ RÉPONSES BÊTES À DES QUESTIONS IDIOTES

> <u>Avez-</u>   <u>vous</u>   <u>remarqué?</u>
> auxiliaire *avoir*   sujet   participe passé

Passepartout **devait-il** raconter ces choses à son maître ? **Convenait-il** de lui apprendre le rôle joué par Fix dans cette affaire ?

■ LE TOUR DU MONDE EN QUATRE-VINGTS JOURS

Parfois, le sujet est repris par un **pronom placé après le verbe**.

Comment **les poissons** lavent-**ils** leur linge ?

■ RÉPONSES BÊTES À DES QUESTIONS IDIOTES

> Comment les poissons lavent-ils ?
>   sujet   pronom

● On peut enfin commencer la phrase interrogative par **est-ce que** ou par un **mot interrogatif**.

– Quelle drôle de montre ! Elle indique le jour du mois et elle n'indique pas l'heure !
– **Pourquoi** indiquerait-elle l'heure ? murmura le Chapelier.
Est-ce que ta montre à toi t'indique l'année où l'on est ?

■ ALICE AU PAYS DES MERVEILLES

ATTENTION

N'oubliez pas d'**accorder le verbe avec son sujet**, même lorsque celui-ci se trouve **après le verbe**.

Mais **peut-on** me dire pourquoi
Il ne pousse pas de feuilles sur les jambes de bois ?

■ INNOCENTINES

> Le verbe *(peut)* s'accorde à la 3e personne du singulier avec le sujet *(on)*.

– Vent ! Toi qui vas partout, **peux-tu** me dire où est le tombeau de la Cinq fois belle ? ■ CONTES DE LA FOLIE-MÉRICOURT

> Le verbe *(peux)* s'accorde à la 2e personne du singulier avec le sujet *(tu)*.

23 Comment choisir parmi les trois constructions interrogatives?

> L'inversion verbe-sujet est utilisée **à l'écrit** ou à l'oral, si l'on s'adresse à quelqu'un que l'on ne connaît pas ou peu.

– Pardonnez-moi, si je vous dérange,
Monsieur le Goéland,
Mais ne **seriez-vous** pas un ange ?

■ Le goéland

> Les deux autres constructions sont **plus courantes à l'oral**, lorsqu'on s'adresse à quelqu'un que l'on connaît bien.

Jojo-la-Malice pâlit et frémit de la tête aux pieds.
« **Tu n'as pas** réellement l'intention d'engloutir un enfant, non ? s'effraya-t-il.
– Bien sûr que si, assura le Crocodile. Les vêtements et tout. C'est meilleur avec les vêtements. »

■ L'énorme crocodile

– Pour commencer, **est-ce que** tu m'accordes qu'un chien n'est pas fou ?
– Sans doute.
– Eh bien, vois-tu, un chien gronde lorsqu'il est en colère, et remue la queue lorsqu'il est content. Or, moi, je gronde quand je suis content, et je remue la queue quand je suis en colère. Donc, je suis fou.

■ Alice au pays des merveilles

– Et ce bocal ? a demandé Maman, **qu'est-ce qu'**il y a dans ce bocal ?
– C'est King, j'ai dit à Maman en lui montrant mon têtard. Il va devenir grenouille, il viendra quand je le sifflerai, il nous dira le temps qu'il fait et il va gagner des courses !

■ Les récrés du petit Nicolas

24 Qu'appelle-t-on interrogative totale et interrogative partielle?

● Certaines phrases interrogatives permettent une réponse par **oui** ou par **non**: on les appelle **interrogatives totales**.
● D'autres phrases interrogatives ne permettent pas une réponse par *oui* ou par *non*: on les appelle **interrogatives partielles**. Elles commencent par un mot interrogatif.

QUESTION	RÉPONSE OUI OU NON	RÉPONSE AUTRE QUE OUI OU NON
– Êtes-vous déjà allés à l'étranger?	– Oui.	
– Avez-vous déjà pris l'avion?	– Non.	
– Quels pays connaissez-vous?		– Tous les pays d'Europe.
– Quand préférez-vous voyager?		– En été.
– Où aimeriez-vous partir?		– À la montagne.

25 Sur quoi porte l'interrogation partielle: sujet, COD...?

Dans une phrase interrogative partielle, l'interrogation peut porter sur le groupe occupant la fonction **sujet**, **COD**, **COI** ou **CC**. On utilise alors des mots interrogatifs: **qui? que? à qui? où? quand? pourquoi? comment?**

Que veut le rhinocéros?
Il veut **une boule en os**.

Ce n'est pas qu'il soit coquet:
c'est pour jouer au bilboquet.

■ ENFANTASQUES

> On interroge sur ce que veut le rhinocéros *(que ?)* et on répond par un complément d'objet direct *(une boule en os)*.

– Et **à quoi** cela te sert-il de posséder les étoiles ?
– Ça me sert **à être riche**.
– Et **à quoi** cela te sert-il d'être riche ?
– **À acheter d'autres étoiles**, si quelqu'un en trouve.

■ LE PETIT PRINCE

> On interroge sur à quoi cela sert de posséder des étoiles et d'être riche *(à quoi ?)* et on répond par un complément d'objet indirect *(à être riche, À acheter d'autres étoiles)*.

Où allez-vous ? **Où** allez-vous ?

Nous allons pisser **dans les trèfles**
Et cracher **dans les sainfoins**.

■ FORTUNES

> On interroge sur le lieu *(où ?)* et on répond par un complément circonstanciel de lieu *(dans les trèfles, dans les sainfoins)*.

– **Quand** cela sera-t-il ? s'informa le petit prince.
– Hem ! hem ! lui répondit le roi, qui consulta d'abord un gros calendrier, hem ! hem ! ce sera, vers... vers... ce sera **ce soir vers sept heures quarante** ! Et tu verras comme je suis bien obéi.

■ LE PETIT PRINCE

> On interroge sur le temps *(quand ?)* et on répond par des compléments circonstanciels de temps *(ce soir, vers sept heures quarante)*.

– **Pourquoi** le tapis fait-il en tapinois des croche-pieds d'un air benoît ?
– Peut-être **parce qu'il en a assez** qu'on lui marche dessus sans avoir essuyé ses pieds.

■ LES COUPS EN DESSOUS

> On interroge sur la cause d'une action *(pourquoi ?)* et on répond par un complément circonstanciel de cause *(parce qu'il en a assez qu'on lui marche dessus)*.

26 Faut-il toujours un point d'interrogation quand on pose une question?

Non! **Seules les interrogatives directes** se terminent par un point d'interrogation.

Est-ce que le temps est beau ?
Se demandait l'escargot
Car pour moi s'il faisait beau
C'est qu'il ferait vilain temps. ■ CHANTEFABLES ET CHANTEFLEURS

Les propositions subordonnées interrogatives **indirectes** ne se terminent **pas** par un **point d'interrogation**.
Elles sont introduites par des conjonctions de subordination (*pourquoi, si, où...*), des pronoms (*qui, lequel, laquelle*), des adjectifs indéfinis (*quel*), des adverbes (*comment*).
On les trouve après des verbes comme *se demander, vouloir, savoir, dire...*

– Tu vas voir **si j'ai les mains pleines de gras**, a dit Alceste, et il les a mises sur la figure de Clotaire, et ça, ça m'a étonné, parce que d'habitude Alceste n'aime pas se battre pendant la récré: ça l'empêche de manger.
■ LES RÉCRÉS DU PETIT NICOLAS

27 Où placer le sujet dans l'interrogative indirecte?

Le sujet est le plus souvent placé **avant le verbe**.

Ce matin, on ne va pas à l'école, mais ce n'est pas chouette, parce qu'on doit aller au dispensaire se faire examiner, pour voir si **on** n'<u>est</u> pas malades et si **on** n'<u>est</u> pas fous.
■ LES RÉCRÉS DU PETIT NICOLAS

Le sujet *on* se trouve avant le verbe *être (est)*.

Toutes les sorcières enlevèrent leurs gants. Je guettai les mains de celles du dernier rang. Je voulais vérifier à quoi <u>ressemblaient</u> **leurs doigts**, et si **Grand-mère** <u>avait</u> raison. Mais oui ! Des griffes brunes se recourbaient au bout de leurs doigts.

■ Sacrées sorcières

> *à quoi ressemblaient leurs doigts* : le sujet *leurs doigts* se trouve ici après le verbe *ressembler (ressemblaient)*.

> *si Grand-mère avait raison* : le sujet *Grand-mère* se trouve avant le verbe *avoir (avait)*.

La phrase impérative

28 À quoi sert la phrase impérative ?

Les phrases impératives cherchent à faire agir ou réagir. On peut exprimer, grâce à elles, **différentes nuances** : donner un **ordre**, un **conseil**, ou exprimer un **souhait**.

ON PEUT EXPRIMER	SENS
souhait	Faites bon voyage.
demande	Passez-moi le sel, s'il vous plaît.
invitation	Venez dîner jeudi.
ordre	Rends-moi cela immédiatement.
interdiction	Ne traversez pas la rue./ Ne pas traverser hors des clous.
prescription (médicale)	Prenez deux comprimés le matin./ Prendre deux comprimés.
conseil	Relis attentivement ton énoncé.

Les verbes de ces phrases sont à l'impératif *(traversez, prenez)* sauf lorsque l'on s'adresse à tout le monde et pas à quelqu'un en particulier : on utilise alors l'infinitif *(traverser, prendre)*.

29 Les phrases impératives ont-elles toujours un verbe?

Non! On peut trouver des **impératives sans verbe**.
Il s'agit le plus souvent d'affiches, de panneaux ou d'ordres brefs. On parle de phrases nominales.

Stationnement
interdit

Attention,
école

Silence,
hôpital

La phrase exclamative

30 À quoi sert la phrase exclamative?

Lorsqu'on veut exprimer la **colère**, la **surprise**, la **joie**, on place à la fin des phrases impératives ou déclaratives un point d'exclamation.

▶ **La phrase exclamative déclarative**
Sans téléphone, ces pompiers étaient aussi sans eau.
Incapables de payer leurs factures, ils avaient reçu sept avertissements de la compagnie qui, finalement, leur avait coupé l'eau.

■ AUX FOUS LES POMPIERS

Pour exprimer la surprise, on pourrait ajouter un point d'exclamation aux phrases déclaratives ci-dessus:
Sans téléphone, ces pompiers étaient aussi sans eau ! Incapables de payer leurs factures, ils avaient reçu sept avertissements de la compagnie qui, finalement, leur avait coupé l'eau !

▶ **La phrase exclamative impérative**

Tout le monde se bousculait pour mieux voir et mieux entendre.

– Ne poussez pas ! criait le veau ou l'âne ou le mouton ou n'importe qui. Ne poussez pas. Silence. Ne marchez donc pas sur les pieds... les plus grands derrière... Allons, desserrez-vous... Silence, on vous dit... Et si je vous flanquais une correction...

– Chut ! faisait le paon, calmons-nous un peu...

■ LES CONTES ROUGES DU CHAT PERCHÉ

Pour insister sur la colère ou l'impatience des animaux, on peut ajouter des points d'exclamation aux phrases impératives ci-dessus :

Ne poussez pas ! Ne marchez donc pas sur les pieds !...
Allons, desserrez-vous !... calmons-nous un peu !

Utiliser la forme négative

- Tous les types de phrases peuvent être soit à la **forme affirmative**, soit à la **forme négative**.

- Retenez différentes **négations** composées de deux mots : *ne... pas, ne... plus, ne... jamais, ne... rien...*

- Aux **formes simples** du verbe (présent, imparfait, futur...), la négation **encadre le verbe**.

- Aux **formes composées** du verbe (passé composé, plus-que-parfait...), la négation **encadre l'auxiliaire**.

- Lorsque le verbe est à l'**impératif**, la négation **encadre le verbe**.

- Lorsque le verbe est à l'**infinitif**, la négation tout entière (*ne... pas, ne... jamais*, etc.) se place **avant le verbe**.

31 À quoi sert la négation ?

Lorsqu'on veut indiquer qu'un événement **n'a pas lieu**, ou quand on **ne partage pas l'avis** de quelqu'un, on utilise **ne... pas**, qui encadre le verbe de la phrase.

– Bonjour, dit le loup. Il **ne** <u>fait</u> **pas** chaud dehors.
Ça pince, vous savez. ■ LES CONTES BLEUS DU CHAT PERCHÉ

– Je peux éteindre la lumière ? je lui ai demandé.
– Éteindre la lumière ? Ça **ne** va **pas**, Nicolas ?
– Ben, c'est pour jouer avec la lampe, j'ai expliqué.
– Il **n'**en est **pas** question, a dit Papa. Et puis je **ne peux
pas** lire mon journal dans l'obscurité, figure-toi.

■ LE PETIT NICOLAS A DES ENNUIS

● Les locutions adverbiales **ne... jamais**, **ne... plus**, **ne... rien**,
ne... personne (ou *jamais ne...*, *personne ne...*, *rien ne...*)
servent aussi à donner une **réponse négative**.
● Devant **personne**, **jamais**, **rien**, on évite d'utiliser **pas**.

– Ah non ! disait le loup. Les parents, c'est trop
raisonnable. Ils **ne** comprendraient **jamais** que le loup
ait pu devenir bon. Les parents, je les connais.

■ LES CONTES BLEUS DU CHAT PERCHÉ

Et en effet, dès le lendemain, le petit diable **n'**alla **plus** à
l'école.

■ LE GENTIL PETIT DIABLE

– Je ne veux pas de piqûre ! hurla Antoine. Si on me pique,
je **ne** mangerai **plus rien**.

■ LE MOUTON NOIR ET LE LOUP BLANC

– Avant tout, pour pêcher, a dit notre chef, il faut du
silence, sinon, les poissons ont peur et ils s'écartent !
Pas d'imprudences, je **ne** veux voir **personne** tomber
dans l'eau !

■ LES VACANCES DU PETIT NICOLAS

Malheureusement, **personne** à Lourmarin **ne** possède
de cage à mistouflon à cornes (ou même de cage à
mistouflon sans cornes).

■ L'ANNÉE DU MISTOUFLON

Le régal fut fort honnête :
Rien ne manquait au festin ;
Mais quelqu'un troubla la fête
Pendant qu'ils étaient en train.

■ LE RAT DE VILLE ET LE RAT DES CHAMPS

32 Comment construire la forme négative aux temps simples et composés?

La négation **encadre les formes simples** du verbe (présent, imparfait, futur...).

– Je **ne** <u>suis</u> **pas** un enfant, mais un mistouflon, répond ce coquin d'animal. Et si vous **ne** me <u>donnez</u> **pas** ma boisson préférée, je cracherai tout par les oreilles.

■ L'ANNÉE DU MISTOUFLON

Je ne suis pas un enfant :
la négation *ne... pas* encadre le verbe *être* au présent de l'indicatif *(suis).*

Et si vous ne me donnez pas ma boisson préférée :
la négation *ne... pas* encadre le verbe *donner* au présent de l'indicatif *(donnez).*

La négation **encadre l'auxiliaire** dans les **formes composées** du verbe (passé composé, plus-que-parfait...).

– Tu sais, maman, les choses **ne** se <u>sont</u> **pas** du tout passées comme tu crois. Le loup **n'<u>a</u> jamais** mangé la grand-mère. Tu penses bien qu'il n'allait pas se charger l'estomac juste avant de déjeuner d'une petite fille bien fraîche.

■ LES CONTES BLEUS DU CHAT PERCHÉ

les choses ne se sont pas du tout passées :
le verbe *se passer* est au passé composé *(se sont passées)* ;
la négation *ne... pas* encadre l'auxiliaire *être (sont).*

Le loup n'a jamais mangé la grand-mère :
le verbe *manger* est au passé composé *(a mangé)* ;
la négation *ne... jamais* encadre l'auxiliaire *avoir (a).*

33 Comment construire les phrases impératives à la forme négative?

À **l'oral**, pour exprimer une **interdiction**, on utilise l'impératif. La négation **encadre** le verbe.

– Et **ne** <u>mange</u> **plus** de chocolat. Mange plutôt du chou.
– Du chou? Oh, non! protesta Georges, je n'aime pas le chou. ■LA POTION MAGIQUE DE GEORGES BOUILLON

À **l'écrit**, on utilise le plus souvent l'infinitif. La **négation** se place **avant le verbe**.

Attention! **ne jamais** <u>dépasser</u> cette dose, sinon le cochon sautera au plafond! ■LA POTION MAGIQUE DE GEORGES BOUILLON

34 Comment employer ni?

On peut coordonner deux mots ou deux propositions négatives par **ni**. La négation **ne... pas** est remplacée par **ne**.

– Quand on est rien que deux, on ne s'amuse pas bien. On ne peut pas jouer à la ronde.
– C'est vrai, on **ne** peut jouer **ni** à la ronde, **ni** à la paume glacée. ■LES CONTES BLEUS DU CHAT PERCHÉ

35 Que signifie la locution ne... que?

ne... que a le même sens restrictif que l'adverbe **seulement**.

Les fées et les chats qui parlent, ça **n'**existe **que** dans les contes. ■LE CHAT QUI PARLAIT MALGRÉ LUI

| = Les fées et les chats existent **seulement** dans les contes.

Distinguer la nature et la fonction d'un mot

À RETENIR

- Un mot se définit par sa **nature** (sa classe grammaticale) et sa **fonction** dans la phrase.

- La **nature** d'un mot est sa classe grammaticale. Le dictionnaire nous indique si tel mot est un **nom**, un **verbe**, un **adjectif qualificatif**, un **pronom**, un **adverbe**... La nature d'un mot ne change jamais.

- Un mot peut occuper dans la phrase des **fonctions variées** (sujet, COD, CC...).

36 Où trouver la nature des mots?

Le dictionnaire, avant de donner le sens de chaque mot, indique sa nature. Il utilise pour cela des **abréviations**: **n.** = nom; **v.** = verbe; **adj.** = adjectif qualificatif; **adv.** = adverbe; **pron.** = pronom.

pomme: n.   écrire: v.
arbre: n.   souvent: adv.
rouge: adj.   je: pron.

37 Un mot peut-il changer de nature?

> Quelle que soit sa position dans la phrase, qu'il soit au singulier ou au pluriel, **un mot appartient toujours à la même classe grammaticale**.

Il y a des millions d'années que les **fleurs** fabriquent des épines. Il y a des millions d'années que les moutons mangent quand même les **fleurs**. [...] Ce n'est pas important la guerre des moutons et des **fleurs**?

■ LE PETIT PRINCE

Dans ces trois phrases, le mot *fleurs* est toujours un **nom**.

Ce qui **est est**, ce qui **a été** n'**est** plus, ce qui **sera** n'**est** pas encore.

■ HISTOIRE DU PRINCE PIPO

Dans cette phrase, le mot *être*, conjugué au présent, au passé composé et au futur, est toujours un **verbe**.

38 Un mot peut-il avoir des fonctions différentes?

> Un mot a toujours la même nature. Cependant, il peut occuper **différentes fonctions** dans la phrase.

Parfois, des crabes viennent habiter le **coquillage** vide, mais ce n'est pas très gai non plus. Un **coquillage** n'est pas né pour mener une vie de crabe.

■ BULLE OU LA VOIX DE L'OCÉAN

Dans ces phrases, le nom *coquillage* occupe deux fonctions différentes:

Des crabes viennent habiter le coquillage vide.
COD

Un coquillage n'est pas né pour mener une vie de crabe.
sujet

39 Comment identifier la nature et la fonction d'un groupe de mots?

- Un groupe grammatical est toujours constitué de plusieurs mots qui se rassemblent autour d'un **noyau**.
- Lorsque le **noyau** du groupe est un **nom**, on appelle ce groupe **groupe nominal** (ou **GN**). La fonction du nom noyau définit la fonction du groupe tout entier.

Il était une fois <u>un joli petit **diable**, tout rouge, avec deux cornes noires et deux ailes de chauve-souris</u>.

■ LE GENTIL PETIT DIABLE

> Le nom *diable* est le nom noyau; il occupe une fonction de sujet réel de *était*. Tout le groupe nominal (souligné) qui se constitue autour du nom *diable* est sujet réel.

- Lorsque le **noyau** du groupe est un **adjectif qualificatif**, le groupe est un **groupe adjectival**. La fonction de l'adjectif détermine la fonction du groupe tout entier.

Il vécut avec la princesse plus de deux ans entiers, et en eut deux enfants, dont le premier, qui fut une fille, fut nommé l'Aurore, et le second un fils, qu'on nomma le Jour, parce qu'il paraissait <u>encore plus **beau**</u> que sa sœur.

■ LA BELLE AU BOIS DORMANT

> L'adjectif qualificatif *beau* est l'adjectif noyau; il occupe une fonction attribut du sujet *il*. Tout le groupe adjectival (souligné) qui se constitue autour de l'adjectif *beau* est attribut.

Reconnaître un nom

VIENS COURIR AVEC MOI !

À RETENIR

On appelle **nom** la nature des mots qui désignent des **personnes**, des **animaux**, des **objets** concrets ou des **idées** abstraites.

JE NE PEUX PAS. JE NE SUIS PAS ANIMÉ.

- Les noms ont un **genre** et un **nombre**.
  Le genre d'un nom est le masculin ou le féminin.
  Le nombre d'un nom est le singulier ou le pluriel.

- Les noms se répartissent en **différentes catégories**.

NOMS PROPRES	NOMS COMMUNS		
Pierre	animés	non animés	
Toulouse	le lapin	concrets	abstraits
les Français	le médecin	un crayon	la liberté

- Le **groupe nominal** (GN) est formé d'un nom noyau, d'adjectifs qualificatifs et de déterminants.

40 À quoi sert un nom?

Un nom désigne une **personne** *(un enfant, une sorcière)*, un **animal** *(un chien)*, un **objet concret** *(une boîte, un vélo)* ou une **notion abstraite** *(la liberté, l'égalité)*.

Marinette ayant achevé son **portrait**, l'**âne** fut convié à le venir voir et s'empressa. Ce qu'il vit ne manqua pas de le surprendre.

– Comme on se connaît mal, dit-il avec un peu de **mélancolie**. Je n'aurais jamais cru que j'avais une **tête** de **bouledogue.**

■ Les contes rouges du chat perché

Le nom *Marinette* désigne une personne.
Les noms *âne, bouledogue* désignent des animaux.
Les noms *portrait, tête* désignent des objets concrets.
Le nom *mélancolie* désigne une notion abstraite (un sentiment).

41 Qu'est-ce qu'un groupe nominal ?

Un groupe nominal est constitué d'un **nom noyau** auquel se rattachent des **déterminants** et parfois des **adjectifs qualificatifs**.

Tous les dragons crachent du feu, mais comme c'était **un dragon ordinaire**, il ne parvint qu'à éternuer, comme tout le monde, et cela le mit en colère.

■ Dragon l'ordinaire

un	*dragon*	*ordinaire*
déterminant	nom noyau	adjectif qualificatif

groupe nominal

42 Qu'appelle-t-on le genre et le nombre d'un nom ?

Un nom peut être de **genre masculin** *(un lit)* ou de **genre féminin** *(une maison)*. C'est le dictionnaire qui nous indique le genre d'un nom.

Je n'avais rien d'**un animal** de palais ; je n'étais ni **un cheval** de parade ni **un chat** angora, mais **une vache**, une simple vache, un vulgaire animal, laid, très laid, stupide, méprisé.
■ MÉMOIRES D'UNE VACHE

> Les noms *animal, cheval, chat* sont masculins.
> Le nom *vache* est féminin.

Un nom peut être utilisé au **singulier** *(le lit)* ou au **pluriel** *(les lits)* : c'est ce que l'on appelle le **nombre**. Le *-s* ou le *-x* sont la marque du pluriel des noms. ▷ PARAGRAPHE 180

En effet, être **une vache** ne m'a jamais semblé la huitième merveille du monde. Selon moi, nous, **les vaches**, nous traversons cette vie sans péril et sans gloire.
■ MÉMOIRES D'UNE VACHE

> *Une vache* est au singulier. *Les vaches* est au pluriel.

43 Qu'est-ce qu'un nom propre ?

Les noms propres désignent des personnes, des animaux, des lieux (villes, pays, régions...).

▶ Des personnes
Comme le nouveau ne disait rien, la maîtresse nous a dit qu'il s'appelait **Georges Mac Intosh**. « Yes, a dit le nouveau, **Dgeorges**. »
■ LE PETIT NICOLAS

> *Georges* est le prénom du nouvel élève. *Mac Intosh* est son nom de famille.

▶ Des villes, des pays
– Où habite la femelle du hamster ? En **Hollande** !
Pourquoi ? Parce que **Amsterdam**... ah ! ah !
■ RÉPONSES BÊTES À DES QUESTIONS IDIOTES

> *Hollande* est un nom de pays. *Amsterdam* est un nom de ville.

▶ **Les habitants d'un pays**

Ces **Gaulois**, ils avaient bien inventé un genre d'écriture, mais si eux savaient la lire, nous, on ne sait pas. Ce sont des espèces de gribouillis qui racontent sûrement des histoires de **Gaulois**. ▪ Chichois et la rigolade

| Les *Gaulois* étaient les habitants de la Gaule.

Les noms propres commencent par une **majuscule**.

Tristram **M**ac **K**itycat, treizième duc de **G**arth (une vieille famille d'**É**cosse), avait eu le coup de foudre pour une adorable [...] chatte grise des **C**hartreux nommée **M**ouflette de **V**aneau, baronne **F**lon. ▪ Le chat qui parlait malgré lui

ATTENTION

L'**adjectif qualificatif** correspondant à un nom propre ou à un nom commun de nationalité ne prend **pas de majuscule**.
Paris, un journal parisien
un Français, un enfant français

44 Les noms propres prennent-ils la marque du pluriel?

Les noms propres restent au **singulier** s'ils désignent des personnes, des œuvres ou des marques.

▶ **Des personnes**

Mais **les MacParlan** avaient un fantôme qui était dans la famille depuis le roi Kenneth, et ils possédaient des papiers pour le prouver. ▪ Histoires de fantômes et de revenants

▶ **Des marques**

Le plus content de l'histoire, c'était Frédéric. On allait pouvoir lancer les petits suisses sur les minus du Cépé (Cours préparatoire), à la cantine, dès que la surveillante tournerait le dos. Il m'apprendrait la technique. La même chose avec les « **Vache-qui-Rit** » qu'on lance au plafond du préau, qui collent et qui retombent au moment où on s'y attend le moins.

■Toufdepoil

> Les noms propres se mettent au **pluriel** s'ils désignent des lieux ou des habitants de villes, de régions ou de pays. Dans ce cas, ils varient aussi en genre.

▶ Des lieux géographiques

Où la Seine se jetterait-elle si elle prenait sa source dans **les Pyrénées** ?

■Le professeur Froeppel

> Les *Pyrénées* sont des montagnes ; ce nom prend la marque du pluriel.

▶ Des habitants

Grand-mère était norvégienne, et **les Norvégiens** connaissent bien les sorcières. Avec ses sombres forêts et ses montagnes enneigées, la Norvège est le pays natal des premières sorcières.

■Sacrées sorcières

> Les *Norvégiens* sont les habitants de la Norvège ; ce nom prend la marque du pluriel et du genre.

45 Qu'est-ce qu'un être animé ?

> Certains noms désignent des êtres vivants : ce sont des êtres **animés**, humains ou animaux.

un enfant   un aviateur   un chien   un papillon

> D'autres noms désignent des objets, des phénomènes, des idées : ce sont des **non-animés**.

une table   un accident   la justice   le bonheur

46 Qu'est-ce qu'un nom composé?

> Un nom composé désigne **un seul être** ou **une seule chose**, mais il forme un **ensemble de deux ou plusieurs mots**. Ceux-ci peuvent être reliés par un trait d'union.

Je ne suis ABSOLUMENT pas **Petit-Charmant**!
Je déteste qu'on m'appelle comme ça, ça m'irrite,
ça m'énerve, ça me tortillonne les oreilles de rage
et puis ça me torturonge les orteils de fureur.
Bref, je n'aime pas ça!
Car je suis **Petit-Féroce**, le seul, l'unique, le vrai de vrai,
le terrible!
■ PETIT-FÉROCE EST UN CHAMPION

47 Un nom commun est-il toujours précédé d'un déterminant?

> Les noms communs sont **le plus souvent** précédés d'un déterminant.

Un zèbre pourtant pas très bête
s'en fut au bureau de tabac
pour acheter **des** allumettes.
■ NOUVELLES ENFANTASQUES

un	zèbre
article indéfini	nom commun
des	allumettes
article indéfini	nom commun

La fée partit aussitôt, et on la vit au bout d'**une** heure arriver dans **un** chariot tout de feu, traîné par **des** dragons.
■ LA BELLE AU BOIS DORMANT

la	fée		un	chariot
article défini	nom commun		article indéfini	nom commun
une	heure		des	dragons
article indéfini	nom commun		article indéfini	nom commun

Certains noms communs sont souvent utilisés **sans déterminant** lorsqu'ils sont compléments circonstanciels de **manière** *(comment?)* ou compléments du nom.

Delphine regarda le loup bien en face.
– Dites donc, Loup, j'avais oublié le Petit Chaperon Rouge. Parlons-en un peu du Petit Chaperon Rouge, voulez-vous?
Le loup baissa la tête **avec humilité**. Il ne s'attendait pas à celle-là.

■ LES CONTES BLEUS DU CHAT PERCHÉ

avec — *humilité*
préposition — nom commun
CC de manière

Elle mêlait des fleurs et des diamants dans ses beaux cheveux avec un art admirable; et souvent elle soupirait de n'avoir pour témoins de sa beauté que ses moutons et ses dindons, qui l'aimaient autant avec son horrible peau **d'âne**, dont on lui avait donné le nom dans cette ferme.

■ PEAU D'ÂNE

son horrible peau d'âne
complément
du nom *peau*

On emploie un déterminant quand ces noms sont accompagnés d'un adjectif qualificatif ou d'un complément.
– Je t'ordonne de m'interroger, se hâta de dire le roi.
– Sire... sur quoi régnez-vous?
– Sur tout, répondit le roi, **avec une grande simplicité**.

■ LE PETIT PRINCE

avec — *une* — *grande* — *simplicité*
préposition — déterminant — adj. qualificatif — nom commun
CC de manière

48 Un nom propre est-il précédé d'un déterminant?

> Les noms propres désignant des **personnes** ou des **animaux** sont **rarement** précédés d'un déterminant.

Il y avait des chats qui s'appelaient **Gaston**
Et même un *cat* anglais dénommé **Sir Ronron**.

■ NOUVELLES ENFANTASQUES

> Les noms propres désignant des **pays**, des **habitants** ou des **fleuves** sont **souvent** accompagnés d'un déterminant.

Moi, j'ai demandé si **l'Atlantique** c'était loin de là où nous allions, mais Papa m'a dit que si j'étudiais un peu mieux à l'école, je ne poserais pas de questions comme ça.

■ LES VACANCES DU PETIT NICOLAS

l'	*Atlantique*
déterminant	nom propre

Reconnaître un verbe

- On appelle **verbe** une catégorie de mots qui permettent de désigner des **actions** *(courir, manger...)* ou des **états** *(être, devenir...)*.
  On distingue donc les **verbes d'action** et les **verbes d'état**. Parmi les verbes d'action, il existe des verbes **transitifs** et des verbes **intransitifs**.

  - Le verbe change de forme selon le temps, la personne, le nombre.
  - Le verbe est le **noyau** de la phrase : c'est à lui que sont reliés les différents groupes de la phrase.

L'identification du verbe

49 Qu'exprime le verbe dans la phrase ?

Le verbe sert le plus souvent à exprimer une **action**.

Un jour, un roi **chassait** dans la forêt, et il **se perdit** entre les arbres. Il **s'approcha** par mégarde de la caverne du monstre poilu.
Deux longs bras **surgirent** d'un coin sombre pour attraper le roi.
– Ha ! **s'écria** la vilaine bête, enfin quelque chose de meilleur à manger que les souris. ■ Le monstre poilu

Les verbes *chassait, se perdit, s'approcha, surgirent, s'écria* expriment les actions racontées.

50 Le verbe désigne-t-il toujours une action ?

Non ! Les verbes comme *être, devenir, sembler, paraître, rester...* n'expriment pas une action ; ils permettent d'**attribuer une caractéristique** (qualité ou défaut) à un être animé ou à un objet. Ces verbes sont appelés **verbes d'état**.

Geoffroy s'est approché du photographe : « C'est quoi votre appareil ? [...] Il **est** vieux votre engin, a dit Geoffroy, mon papa il m'en a donné un avec parasoleil, objectif à courte focale, téléobjectif, et, bien sûr, des écrans... » Le photographe **a paru** surpris, il a cessé de sourire et il a dit à Geoffroy de retourner à sa place. ■ LE PETIT NICOLAS

Il	*est*	*vieux*.
pronom	verbe d'état	qualité

Le photographe	*a paru*	*surpris*.
nom	verbe d'état	qualité

51 Comment reconnaître le verbe ?

Le verbe est le seul élément de la phrase qui porte les **marques de la personne**. Il **change de forme** en changeant de **personne**.

Vous me copierez deux cents fois le verbe : *Je n'écoute pas. Je bats la campagne.*

Je bats la campagne, **tu bats** la campagne, **Il bat** la campagne à coups de bâton. ■ ENFANTASQUES

Je bats : 1ʳᵉ personne du singulier du verbe *battre*

Tu bats : 2ᵉ personne du singulier du verbe *battre*

Il bat : 3ᵉ personne du singulier du verbe *battre*

Le verbe est le seul élément de la phrase qui porte les **marques du temps**. Il **change de forme** aux différents temps (**présent, passé, futur**).

Conjugaison de l'oiseau

J'écris
(à la pie)

J'écrivais
(au geai)

J'écrivis
(au courlis)   ■ LA POÉSIE COMME ELLE S'ÉCRIT

> *J'écris* : présent de l'indicatif
>
> *J'écrivais* : imparfait de l'indicatif
>
> *J'écrivis* : passé simple de l'indicatif

Seul le verbe peut être encadré par la négation : **ne... pas, ne... plus, ne... jamais**.

Quand on est chat on n'**est** pas vache
on ne **regarde** pas passer les trains
en mâchant les pâquerettes avec entrain
on reste derrière ses moustaches   ■ LES ANIMAUX DE TOUT LE MONDE

Il regarda par la fenêtre et ne **vit** plus de neige, mais des berceaux de fleurs qui enchantaient la vue. Il entra dans la grande salle où il avait soupé la veille et vit une petite table où il y avait du chocolat.   ■ LA BELLE ET LA BÊTE

Les formes du verbe

52 Quels éléments comprend un verbe?

- Le verbe se compose de deux parties : un **radical** et une **terminaison**.
- Le **radical** porte le **sens** du verbe ; la **terminaison** indique la **personne** et le **temps** auxquels il est conjugué.

je <u>cour-ais</u> nous <u>chant-erons</u>
radical terminaison radical terminaison

je courais : verbe *courir* à la 1re personne du singulier de l'imparfait de l'indicatif

nous chanterons : verbe *chanter* à la 1re personne du pluriel du futur de l'indicatif

53 Qu'est-ce que la conjugaison?

On appelle **conjugaison** d'un verbe l'ensemble des formes que peut prendre ce verbe. Les terminaisons varient en fonction de la personne et du temps. ▷ TABLEAUX 505 À 522

j'aime j'aimerais
nous aimons nous aimerions

54 Qu'est-ce que l'infinitif?

L'infinitif est la **forme non conjuguée du verbe**. C'est à l'infinitif que les verbes sont présentés dans les dictionnaires.

▶ **1er groupe**
<u>aim-</u> <u>er</u>
radical terminaison

▶ **2ᵉ groupe**

<u>fin-</u>   <u>ir</u>
radical terminaison

▶ **3ᵉ groupe**

<u>recev-</u>   <u>oir</u>
radical   terminaison
<u>rend-</u>   <u>re</u>
radical   terminaison

55 Quels sont les groupes de verbes?

Selon leurs terminaisons, les infinitifs se répartissent en **trois groupes**.

● Le **premier groupe** est constitué par des **infinitifs en -er** ; ce sont les plus fréquents.

aim**er**
détach**er**
navigu**er**

● Le **deuxième groupe** est constitué par des **infinitifs en -ir**. Leur participe présent se termine par **-issant**.

fin**ir**, fin**issant**
obé**ir**, obé**issant**
grand**ir**, grand**issant**

● Le **troisième groupe** réunit les **infinitifs en -ir** dont le participe présent se termine par **-ant**, les **infinitifs en -oir** et en **-re**.

ten**ir**, ten**ant**
val**oir**, val**ant**
vend**re**, vend**ant**

56 Quand doit-on utiliser l'infinitif?

On utilise l'infinitif **après une préposition**.

« Et les problèmes, alors ? » a demandé Agnan, qui n'avait pas l'air content, mais nous, on n'a pas fait attention et on a commencé à **se faire** des passes et c'est drôlement chouette de **jouer** entre les bancs. Quand je serai grand, je m'achèterai une classe, rien que pour **jouer** dedans.

■ LE PETIT NICOLAS

à	se faire		pour	jouer
préposition	verbe à l'infinitif		préposition	verbe à l'infinitif

de	jouer
préposition	verbe à l'infinitif

On utilise aussi l'infinitif **après un verbe conjugué**.

Comme **il** regardait du côté du pré, il vit **arriver** dans la cour une petite poule blanche. ■ LES CONTES ROUGES DU CHAT PERCHÉ

il	vit	arriver
	verbe conjugué	verbe à l'infinitif

ATTENTION

Après l'auxiliaire **avoir** ou **être**, on utilise le **participe passé**.
Quand tonton Scipion est **entré** dans la salle à manger, elle a **rétréci** tellement il tenait de place.
J'avais **oublié** comme il était grand et bien plein.

■ CHICHOIS ET LA RIGOLADE

tonton Scipion	est	entré
	auxiliaire être	participe passé de entrer

elle	a	rétréci
	auxiliaire avoir	participe passé de rétrécir

Les constructions du verbe

57 Quel rôle le verbe joue-t-il?

> Le verbe est le **noyau de la phrase verbale**; c'est à lui que sont reliés les autres mots ou groupes de mots de la phrase.

Une jeune fille de quatre-vingt-dix-ans,
En croquant des pommes,
En croquant des pommes,
Une jeune fille de quatre-vingt-dix ans,
En croquant des pommes,
S'est cassé trois dents.

Une jeune fille de quatre-vingt-dix ans	_s'est cassé_	_trois dents._
sujet	verbe noyau	COD

58 Qu'appelle-t-on verbe transitif et verbe intransitif?

> Certains verbes **refusent tout complément d'objet direct**: on les appelle **verbes intransitifs**.

arriver mourir tomber
défiler   partir

> Certains verbes **acceptent un complément d'objet direct**: on les appelle **verbes transitifs**.

battre   manger rencontrer
écouter regarder

> Certains verbes transitifs **acceptent un COD** mais ils **ne l'exigent pas**.

Alors, Alceste m'a demandé de tenir son croissant, et il a commencé à se battre avec Maixent. Et ça, ça m'a étonné, parce qu'Alceste, d'habitude, il n'aime pas se battre, surtout quand il est en train de **manger un croissant**.

■ LES RÉCRÉS DU PETIT NICOLAS

Ici, le verbe transitif *manger* a un COD *(un croissant)*.

Quand on parle de **manger**, ça donne faim à Alceste, qui est un copain qui mange tout le temps.

■ LES RÉCRÉS DU PETIT NICOLAS

Ici, le verbe transitif *manger* est employé sans COD.

Certains verbes transitifs ne peuvent pas se construire sans COD ; ils **exigent un COD**, sinon la phrase est incomplète.

L'histoire de la pièce est très compliquée et je n'ai pas très bien compris quand la maîtresse nous l'a racontée. Je sais qu'il y a le Petit Poucet qui **cherche** ses frères et il **rencontre** le Chat Botté et il y a le marquis de Carabas et un ogre qui veut manger les frères du Petit Poucet et le Chat Botté **aide** le Petit Poucet et l'ogre est vaincu et il devient gentil et je crois qu'à la fin il ne mange pas les frères du Petit Poucet et tout le monde est content et ils mangent autre chose.

■ LE PETIT NICOLAS

Le verbe *chercher* a pour COD *ses frères*.
Le verbe *rencontrer* a pour COD *le Chat Botté*.
Le verbe *aider* a pour COD *le Petit Poucet*.
Ces verbes exigent un COD.

Reconnaître un adjectif qualificatif

- L'**adjectif qualificatif** sert à préciser une qualité ou un défaut : *beau, laid, méchant, blanc, noir...*
- Il faut bien distinguer les adjectifs qualificatifs des adjectifs **possessifs**, **démonstratifs** ou **indéfinis**, qui font partie de la catégorie des **déterminants**.

▷ PARAGRAPHES 72, 76 À 80

- L'adjectif qualificatif peut occuper la fonction **épithète** (il fait alors partie du groupe nominal), **attribut** (il appartient au groupe verbal) ou la fonction **mis en apposition**.

- L'adjectif qualificatif **s'accorde** en genre et en nombre avec le nom qu'il qualifie.

59 À quoi servent les adjectifs qualificatifs ?

Les adjectifs qualificatifs permettent de **décrire** une personne, un animal ou un objet en précisant une ou plusieurs de ses caractéristiques. Ils **qualifient** un **nom** et précisent son sens.

Il était une fois une **petite** <u>fille</u> de village, la plus **jolie** qu'on eût su voir ; sa mère en était folle, et sa mère-grand plus folle encore. Cette bonne femme lui fit faire un **petit** <u>chaperon</u> **rouge**, qui lui seyait si bien, que partout on l'appelait le **Petit** <u>Chaperon</u> **rouge**. ■ Le petit chaperon rouge

> Les adjectifs *petite* et *jolie* utilisés pour caractériser l'apparence de la fille sont des adjectifs qualificatifs.
>
> De même, *petit* et *rouge* sont des adjectifs qualificatifs utilisés pour qualifier le nom *chaperon*.

> L'emploi des adjectifs qualificatifs permet au lecteur de **se représenter avec plus de précision** ce qui est raconté, décrit ou expliqué.

▸ Version 1 (sans adjectifs qualificatifs)

Au milieu d'une forêt, dans une caverne, vivait un monstre. Il était laid ; il avait une tête directement posée sur deux pieds, ce qui l'empêchait de courir.

▸ Version 2 (avec adjectifs qualificatifs)

Au milieu d'une **sombre** forêt, dans une caverne **humide** et **grise**, vivait un monstre **poilu**. Il était laid ; il avait une tête **énorme**, directement posée sur deux **petits** pieds **ridicules**, ce qui l'empêchait de courir. ■ Le monstre poilu

60 Peut-on supprimer l'adjectif qualificatif ?

> Oui ! L'adjectif qualificatif peut être supprimé : on supprime une information mais la phrase reste grammaticalement correcte.

En me promenant au bord de l'eau, j'ai vu un **magnifique** cygne **blanc**.

> → *En me promenant au bord de l'eau, j'ai vu un cygne.*

61 Comment reconnaître l'adjectif qualificatif épithète ?

Lorsque l'adjectif qualificatif se rapporte **directement** à un nom, il fait partie du **groupe nominal** auquel ce nom appartient. Il occupe la fonction **épithète**.

Qui a volé la clef des champs ?
La pie **voleuse** ou le geai **bleu** ?

■ Enfantasques

la pie	*voleuse*
nom	adj. qualificatif
noyau	épithète

groupe nominal

le geai	*bleu*
nom	adj. qualificatif
noyau	épithète

groupe nominal

62 Quelle est la place de l'adjectif qualificatif épithète ?

La plupart des adjectifs qualificatifs en fonction épithète se placent **après le nom** qu'ils qualifient. Quelques adjectifs courts et très utilisés *(grand, gros, petit, beau...)* se placent normalement **avant le nom**.

J'ai vu un **gros** rat
Un **gros gros** radar
Qui courait dare-dare
Après un cobra.

■ Innocentines

Lorsqu'un nom est accompagné de deux adjectifs ou plus, ceux-ci se placent **après** le nom, s'ils sont **coordonnés**.

Il y avait une fois trois petits pois vêtus de vert qui dormaient gentiment dans leur cosse. Leur visage bien rond respirait par les trous de leurs narines et l'on entendait leur ronflement **doux** et **harmonieux**.

■ Contes et propos

> Ils **encadrent** le nom, s'ils ne sont pas coordonnés.

un **petit** <u>oiseau</u> **gris**
avec des manchettes
chante
miaou miaou   ■ LE CHIEN À LA MANDOLINE

> Un adjectif de **couleur** se place **après** le nom.

J'ai croisé dimanche
tout près de Saint-Leu
une <u>souris</u> **blanche**
portant un <u>sac</u> **bleu**.   ■ ENFANTASQUES

63 Un adjectif épithète change-t-il de sens si on le change de place ?

> Oui ! Un même adjectif peut **changer de sens** lorsqu'on le change de **place**.

Maixent court très vite, il a des jambes très longues et
toutes maigres, avec de gros <u>genoux</u> **sales**.   ■ LE PETIT NICOLAS

| L'adjectif *sales* placé après le nom signifie « pas propres ».

Et puis, je ne mange pas TOUS les écureuils. Seulement
ceux qui ont une **sale** <u>tête</u>.   ■ JANUS, LE CHAT DES BOIS

| L'adjectif *sale* placé avant le nom signifie « antipathique ».

64 Comment reconnaître l'adjectif qualificatif attribut?

Lorsque l'adjectif qualificatif est relié au sujet de la phrase par **un verbe d'état** *(être, sembler...)*, il fait partie du **groupe verbal**. Il occupe la fonction **attribut**.

que la <u>pluie</u> est **humide** et que l'eau mouille et mouille !

■ LES ZIAUX

que la pluie	*est*	*humide*
	verbe	adj. qualificatif attribut
groupe nominal		groupe verbal

65 Comment reconnaître l'adjectif qualificatif mis en apposition?

Un adjectif qualificatif **mis en apposition** est **séparé du nom** (ou du pronom) qu'il qualifie par une **virgule**.

Il y avait une fois trois petits pois qui roulaient leur bosse sur les grands chemins. Le soir venu, **fatigués** et **las** ,
<u>ils</u> s'endormaient très rapidement.

■ CONTES ET PROPOS

Les adjectifs *fatigués* et *las* sont séparés du pronom *ils* par une virgule.
On peut les déplacer dans la phrase :
Fatigués et las, *le soir venu, ils s'endormaient très rapidement.*
Le soir venu, ils s'endormaient très rapidement, **fatigués et las**.

L'apposition donne souvent une explication : c'est parce qu'ils étaient fatigués et las qu'ils s'endormaient rapidement.

66 Comment accorder l'adjectif qualificatif?

L'adjectif qualificatif, quelle que soit sa fonction, s'accorde en **genre** (masculin ou féminin) et en **nombre** (singulier ou pluriel) avec le nom qu'il qualifie.

L'enchanteur, tout **surpris**, regardait de tous côtés sans rien voir: «Je suis Oiseau Bleu», dit le roi d'une voix **faible** et **languissante**. À ces mots, l'enchanteur le trouva sans peine dans son **petit** nid. ■L'OISEAU BLEU

l'enchanteur	tout surpris
nom	adjectif
masculin	masculin
singulier	singulier

une voix	faible	et languissante
nom	adjectif	adjectif
féminin	féminin	féminin
singulier	singulier	singulier

son petit	nid
adjectif	nom
masculin	masculin
singulier	singulier

Lorsqu'un adjectif qualifie plusieurs noms **singuliers**, il se met au **pluriel**.

Le roi et son frère, qui étaient **prisonniers**, et qui savaient que leur sœur devait arriver, s'étaient habillés de beau pour la recevoir. ■LA PRINCESSE ROSETTE

Le roi	et son frère	qui étaient prisonniers
nom	nom	adjectif
singulier	singulier	pluriel

Lorsqu'un adjectif qualifie plusieurs noms, l'un **masculin**, l'autre **féminin**, il se met au **masculin pluriel**.

Il était une fois un <u>roi</u> et une <u>reine</u> qui étaient si **fâchés** de n'avoir point d'enfants, si fâchés qu'on ne saurait dire. Ils allèrent à toutes les eaux du monde, vœux, pèlerinages, menues dévotions, tout fut mis en œuvre, et rien n'y faisait.

■ La Belle au bois dormant

un <u>roi</u>	et une <u>reine</u>	qui étaient si <u>fâchés</u>
nom	nom	adjectif
masculin	féminin	masculin
singulier	singulier	pluriel

ATTENTION

Les noms de **fleurs** ou de **fruits** employés comme adjectifs ne s'accordent ni en genre ni en nombre, sauf *rose* et *mauve*.

▷ PARAGRAPHE 191

Elle a des taches de rousseur
Des <u>yeux</u> **pistache** et de grands pieds

■ Innocentines

La pistache est un fruit de couleur verte. Employé ici comme adjectif, *pistache* ne s'accorde pas.

Tout à coup l'orage accourt
avec ses grosses <u>bottes</u> **mauves**

■ Battre la campagne

La mauve est une plante à fleurs roses. Employé ici comme adjectif, *mauve* s'accorde : c'est une exception.

Reconnaître les degrés de l'adjectif qualificatif

À RETENIR

N'OUBLIE PAS: JE SUIS PLUS GROS QUE TOI.

■ Le **comparatif** et le **superlatif** d'un adjectif qualificatif permettent de **comparer** deux qualités ou deux défauts.

■ Le comparatif et le superlatif suivent les règles d'accord de l'adjectif qualificatif.

■ *Bon* et *mauvais* ont un comparatif et un superlatif de supériorité **irréguliers**.

67 Qu'est-ce que le comparatif?

● Un adjectif qualificatif précise les caractéristiques, qualités ou défauts, d'un être animé ou d'un objet. Pour établir des **comparaisons** entre deux êtres animés ou deux objets possédant la **même caractéristique**, on utilise les degrés de l'adjectif.

● Le **comparatif de supériorité** indique qu'un être animé ou un objet possède **plus** une caractéristique qu'un autre.

Le cheval, qui était alors occupé de son portrait, jeta un coup d'œil sur celui du coq et fit une découverte qui l'emplit aussitôt d'amertume.

– À ce que je vois, dit-il, le coq serait **plus** gros **que** moi?

■ LES CONTES ROUGES DU CHAT PERCHÉ

> ● Le **comparatif d'infériorité** indique qu'un être animé
> ou un objet possède **moins** une caractéristique qu'un autre.

Nous sommes allés chercher des planches dans le grenier
et papa a apporté ses outils. Rex, lui, il s'est mis à manger
les bégonias, mais c'est **moins** <u>grave</u> **que** pour le fauteuil
du salon, parce que nous avons plus de bégonias que de
fauteuils.   ■ LE PETIT NICOLAS

> ● Le **comparatif d'égalité** indique qu'un être animé ou un
> objet possède **autant** une caractéristique qu'un autre.

Alors, le professeur a jeté son sifflet par terre et il a donné
des tas de coups de pied dessus. La dernière fois que j'ai
vu quelqu'un d'**aussi fâché que** ça, c'est à l'école, quand
Agnan, qui est le premier de la classe et le chouchou de
la maîtresse, a su qu'il était second à la composition
d'arithmétique.   ■ LES VACANCES DU PETIT NICOLAS

68 Qu'est-ce que le superlatif?

> Pour indiquer que, parmi un ensemble d'êtres animés ou
> d'objets, certains possèdent **plus que tous les autres**
> ou **moins que tous les autres** une qualité ou un défaut,
> on emploie le **superlatif de supériorité** (le plus..., la plus...,
> les plus...) et le **superlatif d'infériorité** (le moins..., la moins...,
> les moins...).

Le cochon regarda le coq et l'oie avec un air peiné et soupira:
– Je comprends... oui, je comprends. Vous êtes jaloux, tous
les deux. Et pourtant, est-ce qu'on a jamais rien vu de plus
beau que moi? Tenez, les parents me le disaient encore
tout à l'heure. Allons, soyez sincères. Dites-le, que je suis
le plus beau.   ■ LES CONTES ROUGES DU CHAT PERCHÉ

Oiseau, bel oiseau joli,
Qui te prêtera sa cage ?
La plus sage,
La moins sage
Ou le roi d'Astragolie ?

■ LA POÈMERAIE

69 Qu'appelle-t-on comparatif et superlatif irréguliers ?

Les adjectifs **bon** et **mauvais** ne construisent pas leur comparatif de supériorité et leur superlatif avec le mot **plus**. Ils ont un **comparatif** et un **superlatif de supériorité irréguliers**.

	COMPARATIF DE SUPÉRIORITÉ	SUPERLATIF DE SUPÉRIORITÉ
bon	meilleur que	le meilleur
mauvais	pire que	le pire

ATTENTION

Les comparatifs d'infériorité et d'égalité de **bon** et **mauvais** sont **réguliers** : *moins bon que, moins mauvais que, aussi bon que, aussi mauvais que*. On ne doit pas dire : *moins pire que, aussi pire que*.

Reconnaître les déterminants

À RETENIR

QUELLE MONTRE !

C'EST <u>MA</u> MONTRE.

- Le plus souvent, les noms sont **précédés** d'un **déterminant**.
- Les déterminants se répartissent en **deux** grandes **catégories**.

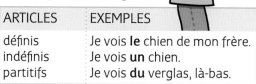

ARTICLES	EXEMPLES
définis	Je vois **le** chien de mon frère.
indéfinis	Je vois **un** chien.
partitifs	Je vois **du** verglas, là-bas.

ADJECTIFS	EXEMPLES
possessifs	**ma** voiture
démonstratifs	**cette** voiture
numéraux	**deux** voitures
indéfinis	**quelques** voitures
exclamatifs	**quelle** voiture !
interrogatifs	**quelle** voiture ?

Les différents déterminants

70 Quelle est la place du déterminant dans le groupe nominal?

Le déterminant se place presque toujours **devant** le nom commun. Il permet de savoir où commence le GN.

Aucune bête n'est aussi vile
Que Croquemi-Croque **le** crocodile.
Chaque samedi, il lui faut dévorer
Six petits enfants pour **son** déjeuner.

■ SALES BÊTES

aucune	*bête*
déterminant	nom

groupe nominal

le	*crocodile*
déterminant	nom

groupe nominal

chaque	*samedi*
déterminant	nom

groupe nominal

six	*petits*	*enfants*
déterminant	adj. qualificatif	nom

groupe nominal

son	*déjeuner*
déterminant	nom

groupe nominal

71 Un nom est-il toujours précédé d'un déterminant?

● Non! Il arrive parfois que le nom ne soit pas précédé d'un déterminant. ▷ PARAGRAPHE 47

● Il n'y a pas de déterminant devant certains **noms propres** comme *Pierre, Paris...* Mais il y en a devant des mots comme **les** *Alpes,* **la** *Seine...* ▷ PARAGRAPHE 48

● Il n'y a pas de déterminant **après** certaines **prépositions** comme *avec, en, par...*

Il n'était pas rare de croiser sur la route, même très loin de la côte, une méduse **en promenade**, un poulpe baladeur, une sirène solitaire ou un couple d'ondins **en voyage de noces**.

■ CONTES DE LA FOLIE-MÉRICOURT

ATTENTION

Avec ces prépositions, le nom est précédé d'un **déterminant** s'il est accompagné d'un **complément** ou d'un **adjectif** qualificatif.

Puis Mr Wonka recommença. Cette fois les mots jaillirent à toute vitesse, **avec la** force et **la** violence <u>de boulets de canon</u>. « Zoonk-zoonk-zoonk-zoonk ! »

■ CHARLIE ET LE GRAND ASCENSEUR DE VERRE

| *de boulets de canon :* complément du nom

72 Les déterminants

Les déterminants se divisent en deux grandes catégories : les **articles** et les **adjectifs non qualificatifs**.

ARTICLES	SINGULIER	PLURIEL
définis	le, la, l'	les
indéfinis	un, une	des
partitifs	du, de la, de l'	des

ADJECTIFS NON QUALIFICATIFS	SINGULIER	PLURIEL
possessifs	mon, ton, son ma, ta, sa notre, votre, leur	mes, tes, ses nos, vos, leurs
démonstratifs	ce, cet, cette	ces
numéraux	un	deux, trois, quatre
indéfinis	aucun(e), chaque, nul(le), tout(e), quelque...	plusieurs, quelques, certains...
exclamatifs	quel, quelle	quels, quelles
interrogatifs	quel, quelle	quels, quelles

Les articles

73 À quoi servent les articles définis et indéfinis?

> Les **articles indéfinis** (**un**, **une**, **des**) indiquent que l'**on ne sait rien** de la personne, de l'animal ou de l'objet dont on parle.

Le bonhomme, après avoir pris son chocolat, sortit pour aller chercher son cheval et, comme il passait sous un berceau de roses, il se souvint que la Belle lui en avait demandé, et cueillit une branche où il y en avait plusieurs. À cet instant il entendit un grand bruit et vit venir à lui **une** <u>Bête</u> si horrible qu'il fut tout prêt de s'évanouir.

■ La Belle et la Bête

| *une* Bête : on ne dit pas de quelle bête il s'agit.

> Les **articles définis** (**le**, **la**, **l'**, **les**) indiquent que l'**on connaît** le personnage, l'animal ou l'objet dont il est question.

Au-dessus de la vallée, sur une colline, il y avait **un** <u>bois</u>.
Dans **le** <u>bois</u>, il y avait **un** gros <u>arbre</u>.
Sous **l'**<u>arbre</u>, il y avait **un** <u>trou</u>.
Dans **le** <u>trou</u> vivaient Maître Renard, Dame Renard et leurs quatre renardeaux.
■ Fantastique Maître Renard

| *un bois* : c'est la première fois que l'on parle de ce bois, on ne sait pas de quel bois il s'agit.
|
| *le bois* : c'est la deuxième fois que l'on en parle ; c'est le même bois que celui de la phrase précédente.

– Mais alors, de qui avais-tu fait la connaissance, si ce n'était pas d'un mistouflon ? dit un enfant qui commençait à s'impatienter.
– ... Eh bien... d'**une** <u>mistouflette</u>, avoua le mistouflon en baissant la tête.

– AHHHH ! dirent les enfants.

Puis, il se fit un grand silence.

Et on discuta, et pati et coufi… et comme le lendemain était un mercredi, on décida d'aller chercher **la mistouflette du mistouflon** dans le Luberon.

■ L'ANNÉE DU MISTOUFLON

> une mistouflette : c'est la première fois que le mistouflon en parle, on ne la connaît pas.
>
> la mistouflette du mistouflon : c'est la deuxième fois que l'on en parle, et elle est déterminée par un complément du nom (du mistouflon).

ATTENTION

Ne confondez pas *la, le, les* **articles**, qui se placent devant un nom, et *la, le, les* **pronoms**, qui se placent devant un verbe.

La contrebasse est toujours contre,
elle grogne et fait sa grosse voix.
La mélodie qu'elle rencontre
elle **la** sermonne et **la** rudoie.

■ ENFANTASQUES

la	contrebasse
déterminant	nom

la	mélodie
déterminant	nom

la	sermonne
pronom	verbe

la	rudoie
pronom	verbe

74 au, aux et du, des

> Les mots **au**, **aux**, **du** et **des** contiennent à la fois l'article défini et une préposition.

▶ à + le → au
Le chêne dit un jour **au** roseau :
« N'êtes-vous pas lassé d'écouter cette fable ? »   ■ FABLES

▶ à + les → aux
S'il y a des fils entre les poteaux électriques, c'est pour permettre **aux** oiseaux de disposer de plus de place.
■ RÉPONSES BÊTES À DES QUESTIONS IDIOTES

▶ de + le → du
Pendant qu'ils parlaient **du** cheval, le chat regardait les petites en hochant la tête, comme pour leur dire que toutes ses paroles ne servaient à rien.   ■ LES CONTES BLEUS DU CHAT PERCHÉ

▶ de + les → des
Bulle, bulle, jolie bulle
Où j'aperçois mon visage
Plus rond que la pleine lune.
Ah ! méfie-toi **des** branchages,
Du vent toujours capricieux,
Des oiseaux et **des** nuages !
[...]
■ BULLE DE SAVON

75 Qu'est-ce que l'article partitif ?

> **Du**, **de la**, **de l'**, **des** sont des articles **partitifs**. On les trouve devant des noms **non dénombrables**, c'est-à-dire qu'on ne peut pas compter.

Monstre blanc, voici **du** <u>flan</u>.
Monstre noir, voici des poires.   ■ JEAN-YVES À QUI RIEN N'ARRIVE

C'est l'Horrifiant Engoulesang Casse-Moloch Écrase-Roc !
Il va m'attraper, me sucer le sang, me casser le moloch,
m'écraser le roc et me tailler en petits morceaux, et puis
il me recrachera comme **de la** fumée et c'en sera fini de
moi !

■ LES MINUSCULES

> À la forme négative, on emploie **de** à la place de **du**, **de la**
> et **de l'**.

Cette fois, cependant, il n'arrivait pas seul : il amenait
avec lui une famille parisienne qui se composait de trois
personnes : M. Barbichou, qui avait de la barbe sur les
joues ; Mme Barbichou, qui avait aussi de la barbe, mais pas
beaucoup ; et le petit Paul Barbichou, qui n'avait que dix
ans et pas **de** barbe du tout.

■ CONTES D'AILLEURS ET D'AUTRE PART

ATTENTION

Ne confondez pas *de la*, **article** partitif, et *de la*, **préposition**
+ **article** défini.

De même au ras du sol, cette chose qui passe en
soulevant **de la** poussière, cette boule rapide de plumes
frissonnantes, ce n'est pas l'autruche, c'est le vent.

■ PETITS CONTES NÈGRES POUR LES ENFANTS DES BLANCS

│ *de la* poussière : article partitif *de la* + nom *poussière*

De tous les pays du monde, des friandises étonnantes
arrivaient par avion. Cerfs-volants-lunes du Japon, pâtes
fourrées d'ylang-ylang des îles Fidji, guna-pagunas frottés
de ramaro de Madagascar, petits fours glacés **de la** Terre
de Feu...

■ LA GIRAFE, LE PÉLICAN ET MOI

│ *de la* Terre de Feu : préposition *de* + GN *la Terre de Feu*

Les adjectifs non qualificatifs

76 À quoi servent les adjectifs possessifs?

L'**adjectif possessif** indique que la personne, l'animal ou l'objet dont il est question **appartient à quelqu'un**. Il marque donc une relation de **possession**.

Un escargot fumant **sa** pipe
portait **sa** maison sur **son** dos.   ■ ENFANTASQUES

| *sa pipe, sa maison, son dos* : tout cela appartient à l'escargot.

En même temps le roi change de figure : **ses** bras se couvrent de plumes et forment des ailes ; **ses** jambes et **ses** pieds deviennent noirs et menus ; il lui croît des ongles crochus ; son corps s'apetisse, il est tout garni de longues plumes fines et mêlées de bleu céleste. **Ses** yeux s'arrondissent et brillent comme des soleils.   ■ L'OISEAU BLEU

| *ses bras, ses jambes, ses pieds, ses yeux* : tout cela appartient au roi.

77 À quoi servent les adjectifs démonstratifs?

Les **adjectifs démonstratifs (ce, cet, cette, ces)** servent à désigner, à **montrer** une personne, un animal ou un objet.

Cas très intéressant d'hallucination : **ce** <u>ver</u> se prend pour une baguette.   ■ LE VER, CET INCONNU

Ils servent aussi à **attirer l'attention** sur quelqu'un ou quelque chose dont on a parlé.

Alors il se passa quelque chose d'étonnant : un poisson sauta hors de l'eau. Sa peau était grisâtre. **Ce** poisson retomba sur le dos de la baleine et il se mit à siffloter une petite chanson sans queue ni tête de poisson.

■ RÉPONSES BÊTES À DES QUESTIONS IDIOTES

78 Quelles sont les formes composées de l'adjectif démonstratif ?

En ajoutant **-ci** ou **-là**, on peut souligner la **proximité** *(-ci)* ou l'**éloignement** *(-là)* de ce dont on parle.

– Un bain par mois c'est bien suffisant pour un enfant. C'est à **ces** moments**-là** que j'aimais le plus Grand-mère.

■ SACRÉES SORCIÈRES

79 Comment utiliser les adjectifs numéraux ?

Les **adjectifs numéraux** (**un**, **deux**, **trois**...) servent à indiquer le **nombre** de personnes, d'animaux ou d'objets dont on parle. On les écrit **en chiffres**, mais on doit parfois les écrire **en lettres** (pour faire un chèque, par exemple).

50 : cinquante   2 000 : deux mille

Les adjectifs numéraux sont **invariables**, sauf **vingt** et **cent**.

ATTENTION

Les nombres **inférieurs à cent** s'écrivent avec un **trait d'union** : *quatre-vingt-dix-neuf.*

80 Quels sont les adjectifs indéfinis?

Les principaux adjectifs indéfinis sont **tout** *(toute, tous, toutes)*, **quelque** *(quelques)*, **aucun** *(aucune)*, **chaque**, **plusieurs**, **certain(e)s**.

L'infante, qui avait entendu les tambours et le cri des hérauts d'armes, s'était bien doutée que sa bague faisait ce tintamarre : elle aimait le prince ; et, comme le véritable amour est craintif et n'a point de vanité, elle était dans la crainte continuelle que **quelque** dame n'eût le doigt aussi menu que le sien.

▪PEAU D'ÂNE

Reconnaître les pronoms

À RETENIR

- On emploie un **pronom** pour **ne pas répéter** un nom ou un GN. Quel que soit le pronom utilisé, on doit être sûr que celui à qui l'on s'adresse pourra savoir de qui ou de quoi l'on parle.

- Les pronoms **personnels** représentent les personnes qui parlent *(je, nous)*, à qui on parle *(tu, vous)* ou dont on parle *(il, elle, ils, elles)*.

- Les pronoms **possessifs** désignent un être vivant ou un objet en indiquant en même temps à qui il appartient : *le mien, le sien...*

- Les pronoms **démonstratifs** désignent une personne ou un objet sans le nommer : *celui-ci, celle-ci...*

- Les pronoms **indéfinis** *(chacun, tous, aucun, rien, personne, certains, les uns, les autres, quelques-uns)* permettent de désigner tous les éléments, certains des éléments ou aucun des éléments d'un groupe.

- Les pronoms **relatifs** *(qui, que, où...)* permettent de ne pas répéter le nom antécédent qu'ils remplacent.

- Les pronoms **interrogatifs** *(qui ? que ?...)* permettent de s'interroger sur le responsable d'une action ou sur qui la subit.

Le rôle des pronoms

81 Quand peut-on utiliser les pronoms?

On utilise un pronom lorsque l'on ne veut pas répéter un nom ou un GN. Il faut qu'on soit certain que celui à qui l'on s'adresse peut sans difficulté **savoir quelle personne**, **quel animal** ou **quel objet** ce pronom **représente**.

Et tout à coup la pendule fit tressaillir Donald. On eût dit qu'**elle** cédait à une petite crise de nerfs, mais c'était toujours ainsi quand **elle** s'apprêtait à sonner l'heure, et **elle** sonna dix heures. Donald compta les coups et ferma les yeux avant le dernier.
Un grand bruit épouvantable **le** réveilla en sursaut.
Des pieds larges et pesants marchaient autour de **lui** et le fauteuil à bascule sous **lequel il** s'était tapi fut brusquement tiré de côté. À peine eut-**il** le temps de reculer que l'oncle Fitz se laissait tomber dans le fauteuil. **Celui-ci** se mit à plonger en avant, puis en arrière comme un cheval fou, mais une minute plus tard **tout** se calmait. Oncle Fitz et cousin Jo, assis **l'un** en face de **l'autre**, se mirent à parler très fort dans une bonne odeur de porto et de tabac.

■ LA NUIT DES FANTÔMES

Chaque pronom en gras correspond à un personnage dont on a **déjà** parlé.

PERSONNAGES	PRONOMS
la pendule	elle, elle, elle
Donald	le, lui, il, il
le fauteuil à bascule	lequel, celui-ci
[le bruit]	tout
Oncle Fitz	l'un
cousin Jo	l'autre

Les pronoms personnels

82 À quoi servent les pronoms personnels ?

Un pronom personnel permet à celui qui parle de **désigner** une personne **sans la nommer**.

Delphine, devenue un bel ânon, était beaucoup plus petite que sa sœur, un solide percheron qui la dépassait d'une bonne encolure.
– **Tu** as un beau poil, dit-**elle** à sa sœur, et si **tu** voyais ta crinière, **je** crois que **tu** serais contente.

■ LES CONTES BLEUS DU CHAT PERCHÉ

Le pronom *tu* désigne la sœur de Delphine.

Les pronoms *elle* et *je* désignent Delphine elle-même.

83 Quels sont les pronoms personnels ?

Les pronoms personnels changent selon la **personne** qu'ils désignent.

La Belle soupa de bon appétit. **Elle** n'avait presque plus peur du monstre, mais **elle** manqua mourir de frayeur lorsqu'**il** lui dit :
« La Belle, voulez-**vous** être ma femme ? »
Elle fut quelque temps sans répondre : **elle** avait peur d'exciter la colère du monstre en refusant sa proposition.
Elle lui dit enfin en tremblant :
« Non, la Bête. »

■ LA BELLE ET LA BÊTE

Le pronom *elle* désigne la Belle, c'est un pronom féminin de 3ᵉ personne du singulier.

Le pronom *il* désigne le monstre, c'est un pronom masculin de 3ᵉ personne du singulier.

Ils varient aussi selon la **fonction** qu'ils occupent.

<u>La mer</u>, vous commencez à **la** connaître, **elle** s'occupe de tant de choses à la fois qu'**elle** ne sait plus raconter les histoires.   ■ BULLE OU LA VOIX DE L'OCÉAN

> *la, elle, elle* désignent *la mer*; *la* est un pronom COD; *elle* est un pronom sujet.

Observez bien <u>un barbu</u> manger, et vous verrez que, même s'**il** ouvre grand la bouche, il **lui** est difficile d'avaler du ragoût, de la glace ou de la crème au chocolat sans en laisser des traces sur sa barbe.   ■ LES DEUX GREDINS

> *il, lui* désignent *un barbu*; *il* est un pronom sujet; *lui* est un pronom COI.

Et comment <u>le gros méchant lion</u> d'Afrique de la voisine du dessus a-t-**il** pu dévorer la pauvre gazelle d'Afrique avec de grands yeux du voisin du dessous?   ■ LES MEILLEURS CONTES D'ASTRAPI

> *il* désigne le lion; c'est un pronom sujet.

▸ **Les pronoms personnels**

		SUJET	COD	COI	CC DE LIEU
SINGULIER	1re pers.	je	me	me, moi	
	2e pers.	tu	te	te, toi	
	3e pers.	il, elle, on	le, la, en	lui, en, y	en, y
PLURIEL	1re pers.	nous	nous	nous	
	2e pers.	vous	vous	vous	
	3e pers.	ils, elles	les	leur, eux, en, y	en, y

84 Quelle est la forme renforcée des pronoms personnels?

Lorsqu'on veut **insister** sur la personne dont on parle, on utilise la forme renforcée des pronoms personnels: **moi**, **toi**, **lui**, **elle**, **nous**, **vous**, **eux**, **elles**.

Nous, on regardait partout, et le monsieur courait dans le magasin en criant: «Non, non, ne touchez pas! Ça casse!» **Moi**, il me faisait de la peine, le monsieur. Ça doit être énervant de travailler dans un magasin où tout casse.

■ LES RÉCRÉS DU PETIT NICOLAS

Corentin est venu, il a dit bonjour à Maman, à Papa et on s'est donné la main. Il a l'air assez chouette, pas aussi chouette que les copains de l'école, bien sûr, mais il faut dire que les copains de l'école, **eux**, ils sont terribles.

■ LE PETIT NICOLAS ET LES COPAINS

85 Dans quel ordre placer les pronoms le, la, les et lui, leur employés ensemble?

Les pronoms personnels COD **le**, **la**, **les** se placent **avant** les pronoms personnels COI **lui**, **leur** (le lui, le leur, la lui, la leur, les lui, les leur).

Le fauteuil s'avance au coin de la cheminée et commence son discours:
– Quand le chat Hector veut venir dormir sur mon siège, il me demande poliment la permission et me remercie quand je **la lui** donne.

■ LES COUPS EN DESSOUS

86 Quand remplacer un nom par en?

Le pronom personnel **en** permet de remplacer un nom **non dénombrable** précédé d'un article partitif *(herbe, soupe)* en fonction **COD**.   ▷ PARAGRAPHE 75

– Attends, j'en connais une qui va te faire sécher, dit le lièvre. Qu'est-ce que je peux battre à grands coups sans laisser de trace?
– J'habite à côté et j'**en** bois, dit la tortue. C'est l'eau.

■ CONTES D'AFRIQUE NOIRE

> *j'en bois* = je bois <u>de l'eau</u>
>   <u>COD</u>   COD

Le pronom personnel **en** permet aussi de remplacer un nom (objet, animal, idée) en fonction **COI** introduit par **de**.

– Oh! je t'**en** prie, excuse-moi! s'écria de nouveau Alice, car, cette fois-ci, la Souris était toute hérissée, et la petite fille était sûre de l'avoir offensée gravement. Nous ne parlerons plus <u>de ma chatte</u>, puisque ça te déplaît.
– Nous n'**en** parlerons plus! s'écria la Souris qui tremblait jusqu'au bout de la queue.   ■ ALICE AU PAYS DES MERVEILLES

> *nous n'en parlerons plus* = nous ne parlerons plus <u>de ma chatte</u>
>   <u>COI</u>   COI

ATTENTION

On emploie **de lui** *(de moi, de toi...)* pour remplacer les noms COI qui représentent des **êtres humains**.

<u>Agnan</u> s'est mis à crier et à pleurer, il a dit que personne ne l'aimait, que c'était injuste, que tout le monde profitait **de lui**, qu'il allait mourir et se plaindre à ses parents, et tout le monde était debout, et tout le monde criait; on rigolait bien.   ■ LE PETIT NICOLAS ET LES COPAINS

> *tout le monde profitait* <u>de lui</u> = tout le monde profitait <u>d'Agnan</u>
>   <u>COI</u>   COI

Le pronom personnel **en** permet enfin de remplacer un nom (objet, animal, idée) en fonction **complément circonstanciel de lieu**.

Paul l'ours blanc prit un bain dans un <u>geyser</u> fumant. Il trouva cela horrible mais il **en** ressortit aussi blanc que la neige, et sa famille le regarda avec une grande admiration.

■ LA CONFÉRENCE DES ANIMAUX

il en ressortit = il ressortit <u>du geyser</u>
CC de lieu   CC de lieu

87   Quand remplacer un nom par y?

Le pronom personnel **y** permet de remplacer un nom (objet ou idée) en fonction **COI** introduit par **à**.

La fermière eut beau mitonner <u>des pâtées délicieuses</u>, supplier Antoine d'**y** goûter, le jeune porc continua obstinément à réclamer des citrons pressés, des pamplemousses sans sucre, des biscottes sans sel et des yoghourts à zéro pour cent de matière grasse.

■ LE MOUTON NOIR ET LE LOUP BLANC

d'y goûter = de goûter <u>aux pâtées délicieuses</u>
COI   COI

ATTENTION

On emploie **à lui** *(à moi, à toi…)* pour remplacer les noms COI qui représentent des **êtres vivants**.

Autrefois, près du village au bord du fleuve vivait un <u>jaguar</u> très rusé. Quand un problème survenait dans la grande forêt, on faisait toujours appel **à lui**.

■ LE ROI DES PIRANHAS

on faisait toujours appel <u>à lui</u>
COI

= on faisait toujours appel <u>au jaguar</u>
COI

> Le pronom personnel **y** permet de remplacer un nom en
> fonction **complément circonstanciel de lieu**.

– J'ai traversé une <u>terre</u> jusqu'ici inconnue, révélait un
jour mon ami, le professeur Rouboroubo... Il **y** faisait
tellement chaud, tellement sec, que les vaches donnaient
du lait en poudre. ■ RÉPONSES BÊTES À DES QUESTIONS IDIOTES

> *Il y faisait tellement chaud*
> CC de lieu
> = il faisait tellement chaud <u>sur cette terre inconnue</u>
> CC de lieu

Les pronoms possessifs

88 ## À quoi servent les pronoms possessifs ?

> Les pronoms possessifs permettent de remplacer un nom
> en indiquant **celui qui possède** l'objet ou l'être animé
> désigné par le nom.

La maîtresse s'est mise à crier, elle nous a donné des
retenues, et Geoffroy a dit que si on ne retrouvait pas sa
montre, il faudrait que la maîtresse aille parler à son <u>père</u>,
et <u>Joachim</u> a dit qu'il faudrait qu'elle aille parler **au sien**
aussi, pour le coup du coupe-papier. ■ LE PETIT NICOLAS A DES ENNUIS

> *au sien* = au père de Joachim

Tout le monde le sait, un <u>visage</u> sans barbe, comme
le vôtre ou **le mien**, se salit si on ne le lave pas
régulièrement. ■ LES DEUX GREDINS

> *le vôtre* = votre visage
> *le mien* = mon visage

89 Quels sont les pronoms possessifs ?

Les pronoms possessifs **changent de forme** selon **la** ou **les personnes qui possèdent**.

C'est moi qui possède : *le mien, la mienne, les miens, les miennes.*
C'est lui/elle qui possède : *le sien, la sienne, les siens, les siennes.*
Ce sont eux/elles qui possèdent : *le leur, la leur, les leurs.*

Les pronoms possessifs varient en **genre** et en **nombre**.
Ils prennent le genre et le nombre de **ce qui est possédé**.

mon vélo   →   le mien
<u>masculin singulier</u>   masculin singulier

ma bicyclette → la mienne
féminin singulier   féminin singulier

▸ **Les pronoms possessifs**

	SINGULIER		PLURIEL	
	Un seul objet est possédé		Des objets sont possédés	
	Masculin	Féminin	Masculin	Féminin
c'est à moi	le mien	la mienne	les miens	les miennes
c'est à toi	le tien	la tienne	les tiens	les tiennes
c'est à lui/elle	le sien	la sienne	les siens	les siennes
c'est à nous	le nôtre	la nôtre	les nôtres	les nôtres
c'est à vous	le vôtre	la vôtre	les vôtres	les vôtres
c'est à eux/elles	le leur	la leur	les leurs	les leurs

ATTENTION

▸ Les pronoms **le nôtre** et **le vôtre** prennent un accent circonflexe, alors que les adjectifs **notre** et **votre** s'écrivent sans accent.

▸ **Leur** ne change pas de forme lorsqu'il est pronom : **le leur, la leur**.

Les pronoms démonstratifs

90 ## À quoi servent les pronoms démonstratifs?

Les pronoms démonstratifs permettent de désigner sans les nommer un objet, une personne ou un événement en les distinguant **comme si on les montrait** du doigt.

Une hirondelle en ses voyages
Avait beaucoup appris. Quiconque a beaucoup vu
Peut avoir beaucoup retenu.
Celle-ci prévoyait jusqu'aux moindres orages,
Et devant qu'ils fussent éclos,
Les annonçait aux matelots.　■ L'HIRONDELLE ET LES PETITS OISEAUX

celle-ci = l'hirondelle

« Oh ! dit le roi, je veux te donner un grand équipage.
– **Cela** n'est point nécessaire, répondit-il ; il ne me faut qu'un bon cheval, avec des lettres de votre part. »
■ LA BELLE AUX CHEVEUX D'OR

cela = me donner un grand équipage

91 ## Quels sont les pronoms démonstratifs?

Certains pronoms démonstratifs **changent de forme** selon le **genre** et le **nombre** du **nom qu'ils remplacent** *(celui, ceux, celle, celles, celui-ci, celle-ci...).*

As-tu déjà réuni en tas toutes les bulles de l'océan Indien pour affirmer que **celle-ci** est la plus belle ?
■ BULLE OU LA VOIX DE L'OCÉAN

celle-ci	=	cette bulle
féminin singulier		féminin singulier

D'autres pronoms démonstratifs *(ce, ceci, cela, ça)* ne remplacent pas un nom mais représentent un événement, une opinion... Ils **ne changent pas de forme** : ils sont invariables.

– Bien. Nous allons passer au jeu suivant. Tout le monde face à la mer. Au signal, vous allez tous à l'eau ! Prêts ? Partez ! **Ça**, **ça** nous plaisait bien, ce qu'il y a de mieux à la plage, avec le sable, c'est la mer.   ■ LES VACANCES DU PETIT NICOLAS

▸ Les pronoms démonstratifs

	SINGULIER		PLURIEL		INVARIABLE
	Masculin	Féminin	Masculin	Féminin	
FORMES SIMPLES	celui	celle	ceux	celles	ce/c'
FORMES COMPOSÉES	celui-ci celui-là	celle-ci celle-là	ceux-ci ceux-là	celles-ci celles-là	ceci cela, ça

92 À quoi servent les formes composées ?

Les formes composées *(celui-ci, celui-là...)* permettent de distinguer deux objets selon qu'ils sont **proches** *(celui-ci)* ou **éloignés** *(celui-là)*.

– Ce sont **ceux-là**, a dit le directeur, ceux dont je vous ai parlé.
– Ne vous inquiétez pas, Monsieur le Directeur, a dit le docteur, nous sommes habitués ; avec nous, ils marcheront droit. Tout va se passer dans le calme et le silence.
Et puis on a entendu des cris terribles ; c'était le Bouillon qui arrivait en traînant Agnan par le bras.
– Je crois, a dit le Bouillon, que vous devriez commencer par **celui-ci** ; il est un peu nerveux.   ■ LE PETIT NICOLAS ET LES COPAINS

Les pronoms indéfinis

93 Qu'appelle-t-on pronom indéfini ?

> Les pronoms indéfinis **aucun**, **rien**, **personne** permettent de ne considérer **aucun des éléments** d'un groupe.

Il était une fois une histoire, une très, très belle histoire, mais que **personne** n'avait jamais écrite ni racontée, parce que **personne** ne la connaissait. ■HISTOIRE DU PRINCE PIPO

– Eh ! les gars, nous a dit Joachim en sortant de l'école, si on allait camper demain ?
– C'est quoi, camper ? a demandé Clotaire, qui nous fait bien rigoler chaque fois parce qu'il ne sait **rien** de rien. ■LE PETIT NICOLAS ET LES COPAINS

> Les pronoms indéfinis **tous** *(toutes, tout)* et **chacun** *(chacune)* permettent de désigner **tous les éléments** d'un groupe.

Le Bouillon, c'est notre surveillant, et il se méfie quand il nous voit **tous** ensemble. ■LE PETIT NICOLAS ET LES COPAINS

Cependant tout le palais s'était réveillé avec la princesse ; **chacun** songeait à faire sa charge, et comme ils n'étaient pas tous amoureux, ils mouraient de faim ; la dame d'honneur, pressée comme les autres, s'impatienta, et dit tout haut à la princesse que la viande était servie. Le prince aida la princesse à se lever ; elle était tout habillée et fort magnifiquement. ■LA BELLE AU BOIS DORMANT

> Les pronoms indéfinis **certains** *(certaines)*, **les uns** *(les unes)*, **les autres**, **quelques-uns** *(quelqu'un, quelques-unes)*... permettent de désigner **certains éléments** d'un groupe.

Pendant des jours, pendant des semaines, la pauvre histoire chercha en vain **quelqu'un** qui pût l'écrire ou qui voulût la raconter. [...] **Les uns** la trouvaient trop ceci et pas assez cela. **Les autres**, au contraire, lui reprochaient d'être trop cela et pas assez ceci. ■Histoire du prince Pipo

Les pronoms relatifs

94 Qu'est-ce qu'un pronom relatif?

Un pronom relatif **introduit** une **proposition relative**.

Le premier orphelin **qui** monta sur l'estrade était un agneau **qui** fut aussitôt adopté par un gros mouton de l'assemblée. Suivit un marcassin **qu'**une famille de sangliers réclama, et le défilé des orphelins continua ainsi sans incident jusqu'au moment où un vieux renard prétendit adopter les deux canetons **que** les petites avaient rencontrés dans la matinée. ■Les contes bleus du chat perché

J'ai repéré un coin tranquille,
Où je me rends, hors de la ville.
Un endroit idéal, la clairière rêvée
Pour s'empiffrer en paix de chocolats fourrés. ■Sales bêtes

▸ **Les pronoms relatifs**

FORMES SIMPLES	qui, que, qu', dont, où
FORMES COMPOSÉES (article + *quel*)	lequel, laquelle, lesquels, lesquelles auquel, à laquelle, auxquels, auxquelles duquel, de laquelle, desquels, desquelles

95 Qu'est-ce que l'antécédent du pronom relatif?

Le mot que le pronom relatif **remplace** s'appelle **antécédent** du pronom relatif. Il est placé **avant** le pronom relatif.

1. Gaspard aimait beaucoup flairer-mordre-mâcher-mâchouiller-manger **les herbes**.
2. **Les herbes** poussent dans le fond du jardin.

→ Gaspard aimait beaucoup flairer-mordre-mâcher-mâchouiller-manger **les herbes** qui poussent dans le fond du jardin.

∎ LE CHAT QUI PARLAIT MALGRÉ LUI

Le pronom relatif *qui* évite de répéter le mot *herbes*. Le mot *herbes* est l'antécédent du pronom relatif *qui*.

On utilise **qui** lorsque le pronom relatif est **sujet** du verbe de la proposition relative.

J'ai acheté une voiture **qui** parle toute seule.

On utilise **que** lorsque le pronom relatif est **COD** du verbe de la proposition relative.

La voiture **que** j'ai achetée est jaune à pois verts.

On utilise **dont** lorsque le pronom relatif est **COI** du verbe de la proposition relative ou **complément du nom** de la proposition relative.

L'homme **dont** je t'ai parlé est venu dîner.

dont est COI du verbe *ai parlé*

La maison **dont** le toit est vert a brûlé.

dont est complément du nom *toit*

On utilise **où** lorsque le pronom relatif est **complément circonstanciel de lieu ou de temps** du verbe de la proposition relative.

Il a adoré l'endroit **où** je l'<u>ai amené</u>.

| *où* est CC de lieu du verbe *ai amené*

Je me souviens du temps **où** nous <u>vivions</u> ensemble.

| *où* est CC de temps du verbe *vivions*

Les pronoms interrogatifs

96 À quoi servent les pronoms interrogatifs ?

On utilise les pronoms interrogatifs **qui** et **que** pour demander **qui fait l'action** ou **ce qui la subit**.

Un agneau se désaltérait
Dans le courant d'une onde pure.
Un loup survient à jeun, qui cherchait aventure,
Et que la faim en ces lieux attirait.
« **Qui** te rend si hardi de troubler mon breuvage ?
Dit cet animal plein de rage :
Tu seras châtié de ta témérité. »   ∎ Le loup et l'agneau

L'inspecteur a fait un sourire et il a appuyé ses mains sur le banc. « Bien, il a dit, **que** faisiez-vous, avant que je n'arrive ? – On changeait le banc de place », a répondu Cyrille. « Ne parlons plus de ce banc ! a crié l'inspecteur, qui avait l'air d'être nerveux. Et d'abord, pourquoi changiez-vous ce banc de place ? – À cause de l'encre », a dit Joachim.   ∎ Le petit Nicolas

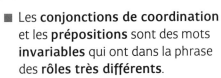

Distinguer les prépositions des conjonctions de coordination

À RETENIR

- Les **conjonctions de coordination** et les **prépositions** sont des mots **invariables** qui ont dans la phrase des **rôles très différents**.

- Les prépositions relient des mots qui ont des **fonctions différentes** et **introduisent des compléments**.

- Les conjonctions de coordination relient des mots ou des propositions de **même fonction**.

97 À quoi servent les prépositions ?

Les prépositions (**avec**, **pour**, **à**, **de**…) servent à relier un nom ou un groupe nominal au reste de la phrase.

Delphine, l'aînée, et Marinette, la plus blonde, jouaient **dans** <u>la cuisine</u> **à** <u>pigeon vole</u>, **aux** <u>osselets</u>, **au** <u>pendu</u>, **à** <u>la poupée</u> et **à** <u>loup-y-es-tu</u>. ■ LES CONTES ROUGES DU CHAT PERCHÉ

Une préposition peut changer le **sens** de la phrase.

– Et qu'est-ce qu'on va faire **avec** nos têtards ? a demandé Clotaire. ■ LES RÉCRÉS DU PETIT NICOLAS

| → *Et qu'est-ce qu'on va faire **sans** nos têtards ?*

> Les prépositions indiquent la **fonction** que le nom ou le groupe qu'elles introduisent occupe dans la phrase.

C'est l'anniversaire de ma maman et j'ai décidé de lui acheter un cadeau comme toutes les années **depuis** l'année dernière, parce qu'avant j'étais trop petit. J'ai pris les sous qu'il y avait **dans** ma tirelire et il y en avait beaucoup, heureusement, parce que, par hasard, maman m'a donné de l'argent hier. ▪LE PETIT NICOLAS

> *Depuis* indique **quand** se passe ce que Nicolas raconte, le GN *l'année dernière* a pour fonction **CC de temps** ; *dans* indique **où** est l'argent, le GN *ma tirelire* a pour fonction **CC de lieu**.

98 Quelles sont les principales prépositions ?

> Les prépositions peuvent contenir un ou plusieurs mots.

à – dans – de – pour – sans   à cause de – grâce à – loin de

▸ **Les prépositions**

PRÉPOSITION	INTRODUIT DES COMPLÉMENTS EXPRIMANT
à	la fonction : *une tasse à café* la qualité : *une veste à carreaux* le lieu : *à Montpellier, au café* le temps : *à dix heures*
à cause de	la cause : *à cause du mauvais temps*
à condition de	la condition : *à condition de vouloir*
afin de	le but : *afin de vous satisfaire*
à la manière de	la comparaison : *écrire une fable à la manière de La Fontaine*
après	le temps : *après le dîner*

PRÉPOSITION	INTRODUIT DES COMPLÉMENTS EXPRIMANT
à travers	le lieu: *à travers champs* le temps: *à travers les siècles*
au-delà de	le lieu: *au-delà de la vallée* le temps: *au-delà de l'été*
au-dessous de	le lieu: *au-dessous de l'arbre*
au-dessus de	le lieu: *au-dessus du garage*
avant	le temps: *avant midi*
avec	la manière: *avec douceur* le moyen: *avec un crayon de couleur* l'accompagnement: *avec Gabriel*
chez	le lieu: *chez le coiffeur*
dans	le lieu: *dans le salon* le temps: *dans trois jours*
dans l'intention de	le but: *dans l'intention de vous plaire*
de	la cause: *vert de peur* le contenu: *une tasse de café* la manière: *de bonne humeur* la matière: *une boule de cristal* le lieu: *de la plage, du village* la possession: *le camion de papa* le temps: *de cinq à six heures*
de manière à	le but, la conséquence: *de manière à éviter les embouteillages*
depuis	le temps: *depuis un mois*
derrière	le lieu: *derrière le lit*
dès	le temps: *dès le coucher du soleil*
devant	le lieu: *devant la fenêtre*
en	la manière: *en avion* la matière: *un sol en marbre*

PRÉPOSITION	INTRODUIT DES COMPLÉMENTS EXPRIMANT
en	le lieu : *en Bretagne* le temps : *en trois secondes*
en face de	le lieu : *en face de la boulangerie*
en raison de	la cause : *en raison de la tempête*
entre	le lieu : *entre les deux fauteuils* le temps : *entre cinq et six heures*
grâce à	la cause : *grâce à ton aide*
jusqu'à	le lieu : *jusqu'à la Lune* le temps : *jusqu'à notre retour*
loin de	le lieu : *loin de toi, loin des maisons*
malgré	la concession : *malgré ce malentendu*
par	l'agent : *Il a été surpris par la pluie.* le lieu : *par là-bas* la manière : *par hasard* le moyen : *par avion*
parmi	le lieu : *parmi les enfants*
pendant	le temps : *pendant les vacances*
pour	le but : *pour courir plus vite* le temps : *pour la semaine prochaine*
près de	le lieu : *près de toi, près des maisons*
sans	l'accompagnement : *sans ses parents* la manière : *sans barbe* le moyen : *sans marteau*
sauf	l'exclusion : *sauf Gabriel*
sous	le lieu : *sous un tas de feuilles mortes*
sur	le lieu : *sur la terrasse*
vers	le lieu : *vers le carrefour* le temps : *vers le milieu de la nuit*

99 Quels éléments de la phrase les prépositions relient-elles?

> Une préposition peut relier un **nom** ou un **GN** au **verbe** de la phrase.

Si tu vas **dans** les bois,
Prends garde **au** léopard.
Il miaule à mi-voix
Et vient de nulle part.　　■CHANTEFABLES ET CHANTEFLEURS

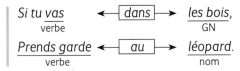

> Elle peut aussi relier un **nom** ou un **GN** à un autre **nom** ou à un **adjectif qualificatif**.

Là où on a discuté, c'est quand Agnan a demandé qu'on lui donne un sifflet. Le seul qui en avait un, c'était Rufus, dont le papa est agent **de** police.
«Je ne peux pas le prêter, mon sifflet **à** roulette, a dit Rufus, c'est un souvenir **de** famille.»　　■LE PETIT NICOLAS

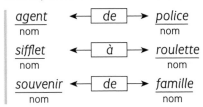

Le chat Hector se fâche et rage-nage avec sa patte dans le bocal pour faire au poisson rouge son affaire. Le poisson rouge devient blanc **de** peur.　　■LES COUPS EN DESSOUS

blanc	←	de	→	peur
adj.				nom

Elle peut enfin relier un **verbe** à l'infinitif au **verbe** conjugué de la phrase.

– C'est un de mes amis... un Chat du comté de Chester. Permettez-moi **de** vous le présenter.
– Je n'aime pas du tout sa mine, déclara le Roi.
Néanmoins, je l'autorise **à** me baiser la main, s'il le désire.
– J'aime mieux pas, riposta le Chat. ■ALICE AU PAYS DES MERVEILLES

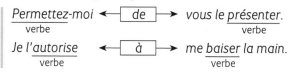

Permettez-moi ←— | de | —→ vous le présenter.
   verbe   verbe

Je l'autorise ←— | à | —→ me baiser la main.
   verbe   verbe

00 À quoi servent les conjonctions de coordination?

Les conjonctions de coordination **mais**, **ou**, **et**, **ni** relient des **mots** qui occupent la **même fonction** (sujet, COD...).

Je voulais aller très loin, très loin, là où <u>papa</u> **et** <u>maman</u> ne me trouveraient pas, <u>en Chine</u> **ou** <u>à Arcachon</u> où nous avons passé les vacances l'année dernière et c'est drôlement loin de chez nous, il y a la mer et des huîtres.
■LE PETIT NICOLAS

<u>papa</u> et <u>maman</u> : sujets coordonnés par *et*

<u>en Chine</u> ou <u>à Arcachon</u> : CC de lieu coordonnés par *ou*

John Bunsby avait engagé ses passagers à descendre dans la cabine; mais dans un étroit espace, à peu près privé d'air, cet emprisonnement n'avait rien d'agréable. **Ni** Mr Fogg, **ni** Mrs Aouda, **ni** Fix lui-même ne consentirent à quitter le pont. ■LE TOUR DU MONDE EN QUATRE-VINGTS JOURS

Ni <u>Mr Fogg</u>, ni <u>Mrs Aouda</u>, ni <u>Fix lui-même</u> : sujets coordonnés par *ni*

> Les conjonctions de coordination **mais**, **ou**, **et**, **donc**, **or**, **ni**, **car** servent à relier des **propositions** qui ont le même statut.

Moi, j'aime bien la pluie quand elle est très forte, parce qu'alors je ne vais pas à l'école **et** je reste à la maison **et** je joue au train électrique. **Mais** aujourd'hui, il ne pleuvait pas assez **et** j'ai dû aller en classe. ■ Le petit Nicolas et les copains

parce qu'alors je ne vais pas à l'école et je reste à la maison et je joue au train électrique :
et coordonne trois propositions subordonnées de cause.

Mais aujourd'hui, il ne pleuvait pas assez et j'ai dû aller en classe :
mais coordonne cette phrase à la phrase précédente ;
et coordonne deux propositions indépendantes.

101 Quel est le sens des conjonctions de coordination ?

CONJONCTIONS	PRINCIPAUX SENS
car	cause : *Il reste au lit ce matin **car** il est en vacances.*
donc	conséquence : *Il pleut, **donc** je ne sors pas.*
et	addition : *Paul **et** Marc sont là.*
mais	opposition : *Maxime serait bien sorti, **mais** il a la grippe.*
ni	négation : *Anne n'avait jamais été **ni** malade **ni** absente.*
ou	alternative : *Choisis le camion **ou** le train.*
or	objection : *Elles avaient dit qu'elles viendraient, **or** personne ne les a vues.*

02 Comment distinguer les prépositions et les conjonctions de coordination?

● Les prépositions relient deux mots qui ont des **fonctions différentes**.
● Les conjonctions de coordination relient deux mots ou propositions qui ont la **même fonction**.

C'est ainsi que je pus observer le terrible rire **des** crocodiles : le rire qui tue, qui tue les crocodiles. **Car** plus ils riaient et plus ils ouvraient la gueule. Ils l'ouvrirent comme ça jusqu'à la queue et chaque crocodile, au dernier éclat de rire, se sépara en deux.

■ RÉPONSES BÊTES À DES QUESTIONS IDIOTES

le terrible <u>rire</u> ⟵ | des | ⟶ <u>crocodiles</u>
nom noyau préposition complément
(= de + les) du nom

<u>C'est ainsi que je pus observer le terrible rire des crocodiles :</u>
<u>le rire qui tue, qui tue les crocodiles.</u>
proposition
| Car | <u>plus ils riaient et plus ils ouvraient la gueule.</u>
conjonction proposition
de coordination

Reconnaître un adverbe

À RETENIR

- Les **adverbes** sont des mots **invariables** qui permettent de préciser dans quelles **circonstances** se déroule une action. Ils sont liés à un verbe, un adjectif qualificatif ou un autre adverbe.

- Les adverbes se présentent sous la forme de mots simples *(hier)*, de groupes de mots *(tout à coup)* ou de mots terminés par *-ment (joyeusement)*.

AU CHOIX

ici — HIER — TOUJO

RAPIDEMENT — BEAUCOUP — NE...P

Rôle et formation des adverbes

103 À quoi servent les adverbes ?

Les adverbes précisent les **circonstances** de lieu, de temps ou de manière dans lesquelles se déroule l'**action** présentée par le **verbe**.

[Alice] était si troublée qu'elle en oublia combien elle avait grandi pendant les quelques dernières minutes, et elle se leva d'un bond, si **brusquement** qu'elle renversa le banc des jurés avec le bas de sa jupe. Les jurés dégringolèrent sur la tête des assistants placés **au-dessous**, puis ils restèrent étalés les quatre fers en l'air, lui rappelant **beaucoup** les poissons rouges d'un bocal qu'elle avait renversé par accident huit jours **auparavant**.

■ALICE AU PAYS DES MERVEILLES

Les adverbes *brusquement, beaucoup* indiquent la manière.
L'adverbe *au-dessous* indique le lieu.
L'adverbe *auparavant* indique le temps.

Les adverbes indiquent le **degré** d'une **qualité** ou d'un **défaut**.

Quand une histoire est **vraiment** belle, on la retient ! Si je l'ai oubliée, c'est qu'elle n'était pas **si** belle que ça !
– Si, si, je suis **très** belle ! cria l'histoire de toutes ses forces.

■HISTOIRE DU PRINCE PIPO

Les adverbes *vraiment, si, très* indiquent le degré de *belle*.

Les adverbes donnent des informations sur **ce que pense celui qui parle**.

Heureusement, je sais bien lire l'heure, pas comme l'année dernière quand j'étais petit et j'aurais été obligé tout le temps de demander aux gens quelle heure il est à ma montre, ce qui n'aurait pas été facile.

■LES RÉCRÉS DU PETIT NICOLAS

L'adverbe *heureusement* exprime le soulagement de celui qui parle.

04 Sur quoi portent les adverbes ?

Ils peuvent modifier le **sens** d'un verbe, d'un adjectif qualificatif, d'un autre adverbe ou d'une phrase.

– Ça va durer longtemps, votre petite conversation ? a crié le professeur de gymnastique, qui ne bougeait plus les bras parce qu'il les avait croisés. Ce qui <u>bougeait</u> **drôlement**, c'était ses trous de nez, mais je ne crois pas que c'est en faisant ça qu'on aura des muscles.

■ LES VACANCES DU PETIT NICOLAS

L'adverbe *drôlement* modifie le **verbe** *bougeait*.

– Seulement, comme personne ne m'attendait à la gare, j'ai préféré laisser ma valise à la consigne ; elle est **très** <u>lourde</u>. J'ai pensé, gendre, que vous pourriez aller la chercher... Papa a regardé Mémé, et il est ressorti sans rien dire. Quand il est revenu, il avait l'air **un peu** <u>fatigué</u>. C'est que la valise de Mémé était **très** <u>lourde</u> et **très** <u>grosse</u>, et Papa devait la porter avec les deux mains.

■ LE PETIT NICOLAS A DES ENNUIS

L'adverbe *très* modifie les **adjectifs** *lourde* et *grosse*.
Un peu modifie l'**adjectif** *fatigué*.

Il n'avait jamais rencontré de sorcière de sa vie, mais il pensait que dans ce cas-là, il n'y avait que deux choses à faire : un, avoir peur ; deux, s'enfuir **le plus** <u>vite</u> possible.

■ LE CHEVALIER DÉSASTREUX

L'adverbe *le plus* modifie l'**adverbe** *vite*.

105 Sous quelles formes se présentent les adverbes ?

Les adverbes se présentent sous trois formes différentes :
des mots simples, des groupes de mots, des mots terminés
par -*ment*.

▶ **Des mots simples**

hier   ici   maintenant

▶ **Des groupes de mots**

tout à coup   ne... pas
au fur et à mesure   jusque-là

▶ **Des mots terminés par** -ment

décidément, heureusement, lentement

06 Comment se forment les adverbes en -ment?

La plupart des adverbes terminés par **-ment** se forment en ajoutant **-ment** au **féminin de l'adjectif qualificatif**.

clair**e** → clair**ement**
courag**euse** → courag**eusement**
gai**e** → gai**ement**

EXCEPTIONS

joli**e** → jol**iment**   vrai**e** → vrai**ment**

Les adjectifs qualificatifs terminés par **-ent** forment leurs adverbes en **-emment**.

prud**ent** → prud**emment**
impati**ent** → impati**emment**

EXCEPTION

lent → lent**ement**

Les adjectifs qualificatifs terminés par **-ant** forment leurs adverbes en **-amment**.

brill**ant** → brill**amment**
sav**ant** → sav**amment**

Le sens des adverbes

107 Quels sont les différents adverbes?

ADVERBES DE LIEU	ailleurs, autour, avant, dedans, dehors, derrière, dessous, dessus, devant, ici, là, loin, partout, près
ADVERBES DE TEMPS	alors, après, après-demain, aujourd'hui, aussitôt, avant, avant-hier, bientôt, déjà, demain, depuis, encore, enfin, ensuite, hier, jamais, longtemps, maintenant, parfois, puis, quelquefois, soudain, souvent, tard, tôt, toujours
ADVERBES DE MANIÈRE	ainsi, bien, comme, debout, ensemble, exprès, gratis, mal, mieux, plutôt, vite, et les adverbes en -ment: rapidement, doucement...
ADVERBES DE QUANTITÉ	assez, aussi, autant, beaucoup, moins, peu, plus, presque, tout, très
ADVERBES D'AFFIRMATION ET DE NÉGATION	oui, si, vraiment, peut-être, ne... pas, ne... plus, ne... rien, ne... jamais, non
ADVERBES D'OPINION	décidément, finalement, heureusement, justement

108 Qu'est-ce qu'un adverbe de lieu?

Les adverbes comme *ici, là, là-bas, ailleurs, loin, dessus, dessous, devant, derrière...* précisent l'**endroit** où se déroule une action. Ils sont directement reliés au verbe.

Le pic-vert est très délicat.
Il frappe quatre coups de bec.

Le ver répond qu'il n'est pas **là**.
Le pic s'entête et d'un coup sec
gobe le ver qui n'est pas **là**. ■NOUVELLES ENFANTASQUES

| il n'est pas *là*
   verbe adverbe

Devant, à côté de la maîtresse, il y avait Agnan. C'est le
premier de la classe et le chouchou de la maîtresse.
Nous, on ne l'aime pas trop, mais on ne tape pas beaucoup
dessus à cause de ses lunettes. ■LES RÉCRÉS DU PETIT NICOLAS

| *Devant*, il y *avait* Agnan.   on ne *tape* pas beaucoup *dessus*
  adverbe   verbe   verbe   adverbe

ATTENTION

Devant, **derrière** sont aussi des prépositions.
Le patron du bateau n'a pas hissé les voiles, comme l'avait
demandé M. Lanternau, parce qu'il n'y avait pas de voiles
sur le bateau. Il y avait un moteur qui faisait potpotpot et
qui sentait comme l'autobus qui passe **devant** la maison,
chez nous. ■LES VACANCES DU PETIT NICOLAS

| *l'autobus qui passe* ← | *devant* | → *la maison*
          verbe   préposition   groupe nominal

09 Qu'est-ce qu'un adverbe de temps?

Les adverbes comme *hier, demain, longtemps, la veille,
le lendemain...* précisent la **période** où se déroule une action,
ou la **durée** de cette action.

Ce qu'elle avait de bien, ma montre, c'est qu'elle avait une
grande aiguille qui tournait plus vite que les deux autres
qu'on ne voit pas bouger à moins de regarder bien et
longtemps. ■LES RÉCRÉS DU PETIT NICOLAS

| *Longtemps* est un adverbe de temps : il indique la durée de
| l'action.

▸ **Les emplois des adverbes de temps**

ACTION DANS LE PASSÉ	ACTION DANS L'AVENIR
hier, avant-hier	demain, après-demain
la veille	le lendemain
récemment	sous peu
dernièrement	prochainement
autrefois, jadis	bientôt
jusqu'ici	dorénavant
auparavant	désormais

ACTION COURTE ET BRUTALE	ACTION QUI DURE OU SE RÉPÈTE
soudain	longtemps
tout à coup	d'habitude
brusquement	habituellement
subitement	régulièrement
aussitôt	progressivement
tout de suite	par moments

110 Qu'est-ce qu'un adverbe de manière?

Les adverbes de manière comme *doucement, gentiment, rapidement, courageusement...* indiquent **de quelle manière** se déroule une action.

Le caniche nommé Mac Niche disait toujours :
– Un couple d'homme et de femme bien dressés dans une maison, ça réchauffe et ça tient compagnie.
Si on s'occupe un peu d'eux, si on les dresse **gentiment**, si on les récompense **régulièrement** et les élève **convenablement**, ils sont très faciles à vivre.

■ LES ANIMAUX TRÈS SAGACES

Gentiment, régulièrement et convenablement sont des adverbes de manière : grâce à eux, on sait comment les animaux doivent dresser, récompenser, élever des êtres humains. Si on supprimait ces adverbes, on ne saurait pas comment les dresser, les récompenser et les élever :

→ *Si on s'occupe un peu d'eux, si on les dresse, si on les récompense et les élève, ils sont très faciles à vivre.*

111 L'adverbe tout est-il invariable ?

Non ! **Tout** est le seul adverbe dont la forme varie. Devant un adjectif qualificatif **féminin singulier** ou **pluriel** commençant par une **consonne**, tout s'écrit **toute** ou **toutes**.

Ce soir, la lune brille **toute** <u>claire</u> dans la nuit. Quand elle est grosse comme ça, Louis Bernard dit que c'est parce qu'elle a trop mangé de soupe au pistou. ■ L'ANNÉE DU MISTOUFLON

Puis, se penchant vers les Pâquerettes qui s'apprêtaient à recommencer, elle murmura :
– Si vous ne vous taisez pas tout de suite, je vais vous cueillir !
Il y eut un silence immédiat, et plusieurs Pâquerettes roses devinrent **toutes** <u>blanches</u>. ■ DE L'AUTRE CÔTÉ DU MIROIR

Dans les autres cas, **tout** est **invariable**.

– Tumbly, corrigea le chevalier, messire Tumbly.
– Oh, pardon, s'excusa le dragon, messire Tumbly, si ça peut vous faire plaisir ! Mais vous ressemblez si peu à un chevalier. D'habitude, ils sont **tout** <u>emballés</u>, ce qui est pratique pour la cuisine. Ils cuisent dans leur armure comme dans un four : c'est absolument délicieux.

■ LE CHEVALIER DÉSASTREUX

*ils sont **tout** <u>emballés</u>*
masculin pluriel

– Il faut punir les enfants, lui dit-elle, ils ont démonté la pendule du salon, le moulin à café de Maria, le piano à queue, la suspension de la salle à manger, le poste de T.S.F., et si on les laisse faire, ils vont démonter la maison **tout** <u>entière</u>. ■ La maison qui s'envole

> *la maison **tout** <u>entière</u>*
> féminin singulier
> commençant par une voyelle

ATTENTION

Il ne faut pas confondre **tout** quand il est **adverbe** *(= complètement)* et **tout** quand il est **pronom indéfini**.

Nous, on regardait partout, et le monsieur courait dans le magasin en criant : « Non, non, ne touchez pas ! Ça casse ! » Moi, il me faisait de la peine, le monsieur. Ça doit être énervant de travailler dans un magasin où **tout** casse. ■ Les récrés du petit Nicolas

> Ici, *tout* ne peut être remplacé par *complètement*. *Tout* est un pronom indéfini qui désigne les objets du magasin.

Reconnaître la fonction sujet

- Le groupe qui exprime de qui ou de quoi l'on parle occupe la **fonction sujet**. Ce groupe répond à la question **qui est-ce qui ?** ou **qu'est-ce qui ?** Il peut être encadré par **c'est... qui**.

- La fonction sujet peut être occupée par des mots ou groupes de mots de natures différentes (nom, GN, pronom, infinitif, proposition).

- Le sujet fait varier le verbe en nombre et en personne.

12 À quoi sert la fonction sujet ?

La fonction sujet indique quelle personne, quel animal ou quel objet **accomplit une action**.

Le maître chat <u>arriva</u> enfin dans un beau château dont le maître était un ogre, le plus riche qu'on ait jamais vu.

■ LE CHAT BOTTÉ

<u>Le maître chat</u>	<u>arriva</u>	enfin dans un beau château
sujet	verbe d'action	

La fonction sujet permet aussi d'indiquer quelle personne, quel animal ou quel objet **possède une qualité** particulière.

Le ver <u>est</u> un parfait animal domestique : plus fidèle que l'escargot, plus drôle que la limace, il ne risque pas, comme la coccinelle, de s'envoler.   ■ LE VER, CET INCONNU

<u>Le ver</u>	<u>est</u>	un parfait animal domestique.
sujet	verbe d'état	

113 Comment identifier la fonction sujet?

La fonction sujet répond aux questions : **qui est-ce qui fait…?** ou **qui est-ce qui est…?**

Hugues <u>avance</u> en sautillant sur le chemin de l'école. **Son cartable** <u>pèse</u> très lourd : 500 grammes de mathématiques + 1 kilo de français + 700 grammes d'anglais + des crayons et des stylos pour 500 grammes, et combien ça fait tout ça ? **Hugues** <u>est</u> assez fort en additions, mais il fait beaucoup d'erreurs dans les autres opérations, même en base 10.　　■ LES MEILLEURS CONTES D'ASTRAPI

Qui est-ce qui avance en sautillant ?
Hugues. *Hugues* est le sujet du verbe *avancer*.

Qu'est-ce qui pèse très lourd ?
Son cartable. *Son cartable* est le sujet du verbe *peser*.

Qui est-ce qui est assez fort en additions ?
Hugues. *Hugues* est le sujet du verbe *être*.

On peut donc identifier le groupe sujet en le plaçant entre **c'est** et **qui**.

La **Doyenne** <u>toqua</u> à la porte du château.
– Qui est làààààààààà ? répondit une voix caverneuse qui sentait le gaz car **l'Ogre** <u>venait</u> de dévorer l'employé du gaz venu relever le compteur.　　■ CONTES DE LA RUE DE BRETAGNE

C'est <u>la Doyenne</u> **qui** toqua à la porte du château.

C'était <u>l'Ogre</u> **qui** venait de dévorer l'employé du gaz.

114 Quelle est la place du sujet?

Le mot ou le groupe de mots qui occupe la fonction **sujet** se place en général **avant le verbe** de la phrase. On le distingue ainsi du complément d'objet direct qui, lui, est placé **après** le verbe.

Un merle tricotait
une paire de bas.

■ CHOSES DRÔLES

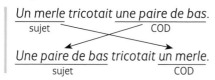

Un merle tricotait une paire de bas.
sujet   COD

Une paire de bas tricotait un merle.
sujet   COD

Jouer sur les fonctions des mots permet d'inventer des histoires extraordinaires!

Il était une fois un enfant qui posait des tas de questions. Il n'avait pas tort: c'est très bien de poser des questions. Le seul ennui c'est qu'il n'était pas facile de répondre aux questions de cet enfant.
Par exemple, il demandait: «Pourquoi les **tiroirs** ont-ils des **tables**?» [...]
Une autre fois il demandait: «Pourquoi les **queues** ont-elles des **poissons**?» Ou bien: «Pourquoi les **moustaches** ont-elles des **chats**?»
Les gens hochaient la tête et s'en allaient à leurs affaires.

■ HISTOIRES AU TÉLÉPHONE

115 Le sujet est-il toujours avant le verbe?

Non! Le sujet est placé **après le verbe** dans une phrase **interrogative**.

– Pourquoi <u>restez</u>-**vous** assis tout seul sur ce mur?
demanda Alice qui ne voulait pas entamer une discussion.
– Mais, voyons, parce qu'il n'y a personne avec moi!
s'écria le Gros Coco.
De l'autre côté du miroir

Le sujet se trouve aussi après le verbe dans un dialogue,
pour indiquer **qui parle**.

Rufus a dit qu'il ne se sentait pas bien.
– Vous l'avez dit à vos parents? <u>a demandé</u>
M. Mouchabière.
– Oui, <u>a dit</u> **Rufus**, je l'ai dit à ma maman ce matin.
– Et alors, <u>a dit</u> **M. Mouchabière**, pourquoi vous a-t-elle
laissé venir à l'école, votre maman?
– Ben, <u>a expliqué</u> **Rufus**, je le lui dis tous les matins, à ma
maman, que je ne me sens pas bien. Alors, bien sûr, elle ne
peut pas savoir.
Le petit Nicolas et les copains

Lorsque des adverbes comme *ainsi, peut-être, sans doute*
sont placés **au début de la phrase**, le sujet se place après
le verbe.

<u>Peut-être</u> n'<u>était</u>-**ce** qu'une hallucination auditive mais
j'entendis à ce moment-là un loup dire à un autre:
– Alors, on la mange ou pas?
Mémoires d'une vache

Décidément je ne suis qu'une bête! »
<u>Ainsi</u> <u>raisonnait</u> **l'inspecteur de police**, tandis que les
heures s'écoulaient si lentement à son gré. Il ne savait que
faire.
Le tour du monde en quatre-vingts jours

Enfin, on peut placer le sujet après le verbe pour le mettre en valeur.

Chez le plus grand chausseur <u>se fournit</u> **le mille-pattes**.
Un excellent client : cinq cents paires de souliers,
Des blancs, des bleus, des noirs, des chaussures disparates.

■ LA POÉSIE DANS TOUS SES ÉTATS

116 Y a-t-il toujours un sujet dans une phrase ?

Dans une phrase, un mot ou un groupe de mots occupe toujours la fonction sujet. **Si l'on supprimait le groupe sujet, la phrase n'aurait plus de sens**. Seules **les phrases impératives** se construisent **sans sujet**.

– Moi, a dit **Athanase**. L'été dernier, **j'**ai pêché un poisson comme ça ! et **il** a ouvert les bras autant qu'**il** a pu. Nous, **on** a rigolé parce qu'**Athanase** est très menteur.

■ LES VACANCES DU PETIT NICOLAS

L'été dernier,   j'   ai pêché   un poisson comme ça !
CC de temps   sujet   verbe   COD

→ J'   ai pêché.
sujet   verbe

Dans les expressions sur le temps qu'il fait, le sujet est **il**, même si ce pronom ne représente aucune personne, aucun animal ou objet.

Cette nuit, **il** <u>a neigé</u> sur la queue des dinosaures et le mufle des bisons ; **il** <u>fait</u> si <u>froid</u> que les cactus claquent des dents et que les champignons éternuent.

■ PETIT-FÉROCE ET SES AMIS

117 Quels mots peuvent occuper la fonction sujet?

Le sujet est souvent un **nom** ou un **groupe nominal**.

Agnan n'<u>avait</u> pas l'air tellement content de me voir, il m'a tendu la main et c'était tout mou. ■Le petit Nicolas

> *Agnan* est le sujet du verbe *avait*.

Ce peut être un **pronom**.

J'<u>ai appelé</u> : «Monsieur Cochon, Monsieur Cochon, **vous** <u>êtes</u> là ?»
Et devinez ce qu'**il** <u>m'a répondu</u>, ce sale petit porc.
«Hors d'ici, Loup, et ne viens plus me déranger !» ■La vérité sur l'affaire des trois petits cochons

> *J'* est le sujet du verbe *ai appelé*.
> *vous* est le sujet du verbe *êtes*.
> *il* est le sujet du verbe *a répondu*.

C'est parfois un **infinitif**.

M. Pardigon a tapé sur le tableau avec son doigt au-dessus du mot «ame», juste là où il avait effacé l'accent et il a dit:
– **Enlever** à ce mot son accent qui ressemble à deux ailes c'<u>est</u> comme couper ses ailes à un oiseau. ■Chichois et la rigolade

> *Enlever (= c')* est le sujet du verbe *est*.

C'est enfin, parfois, une **proposition**.

– Voilà la Chine, dit Marinette. C'est un pays où tout le monde a la tête jaune et les yeux bridés.
– Les canards aussi ? demanda le canard.

– Bien sûr. Le livre n'en parle pas, mais ça va de soi.
– Ah ! la géographie est quand même une belle chose...
mais **ce qui doit être plus beau encore**, c'<u>est</u> de voyager.

■LES CONTES BLEUS DU CHAT PERCHÉ

> *ce qui doit être plus beau encore* (= *c'*) est le sujet du verbe
> *est.*

18 Le sujet détermine-t-il l'accord du verbe ?

Oui ! Il faut penser en général à écrire **s** à la fin du verbe si le sujet est à la deuxième personne du singulier et **nt** si le sujet est à la troisième personne du pluriel.

Mais le renard revint à son idée :
– Ma vie est monotone. Je chasse les poules, <u>les hommes</u> me chasse**nt**. <u>Toutes les poules</u> se ressemble**nt**, et <u>tous les hommes</u> se ressemble**nt**. Je m'ennuie donc un peu. Mais, si <u>tu</u> m'apprivoise**s**, ma vie sera comme ensoleillée.

■LE PETIT PRINCE

EXCEPTIONS

tu peu**x**, tu veu**x**.

ATTENTION

Il faut toujours accorder le verbe avec le sujet !

▷ PARAGRAPHES 166 À 170

Reconnaître la fonction attribut du sujet

À RETENIR

- Pour **attribuer une qualité** au sujet de la phrase, on peut employer un **verbe d'état** qui se construit avec un attribut du sujet.
- La fonction attribut du sujet peut être occupée par un adjectif qualificatif, un nom ou un GN, un pronom personnel ou un infinitif.

119 À quoi sert l'attribut du sujet ?

L'attribut du sujet permet d'indiquer dans une phrase **ce qu'est** une personne, un animal ou une chose.

– Quand je <u>serai</u> **roi**, déclara le cochon, j'enfermerai les parents dans une cage.
– Mais vous ne <u>deviendrez</u> jamais **roi**, dit le sanglier. Vous <u>êtes</u> trop **laid**. ■ Les contes rouges du chat perché

Ainsi, le cochon peut dire :
– ce qu'il sera : *je serai <u>roi</u>.*
                         attribut
– ce qu'il fera : *j'enfermerai <u>les parents</u>.*
                                  COD

Et, de même, le sanglier peut donner son avis sur :
– ce que sera le cochon : *vous ne deviendrez jamais <u>roi</u>.*
                                                        attribut
– ce qu'il est : *Vous êtes trop <u>laid</u>.*
                                   attribut

20 Avec quels verbes trouve-t-on un attribut du sujet?

> L'attribut du sujet se construit toujours avec un verbe comme **être**, **devenir**, **sembler**, **paraître**, **rester**, **demeurer**. On appelle ces verbes des **verbes d'état** pour les distinguer des verbes d'action *(courir, manger...)*.

Une sorcière pose directement sa perruque sur son cuir chevelu. Le dessous d'une perruque **est** toujours <u>rugueux</u>. Ce qui donne une affreuse démangeaison. Les sorcières appellent cela la gratouille de la perruque. ■Sacrées sorcières

21 Comment distinguer l'attribut du sujet du COD?

> **Après** un **verbe d'état**, on trouve **toujours** un **attribut** du sujet, jamais un COD.

Les rats <u>étaient</u> extrêmement **perplexes**.
Trottinant, remuant leur nez qu'ils ont fort long,
Sourcils en accent circonflexe,
Rats toujours inquiets de ce que l'on dira ;
Ils commencèrent des controverses de rats. ■Fables

<u>Les rats</u>	<u>étaient</u>	extrêmement	<u>perplexes</u>.
sujet	verbe d'état		attribut du sujet

Un commando de rats en pays ennemi
<u>Découvrit</u> **un chat endormi**.
Il avait, par erreur, lapé un somnifère. ■Fables

<u>Un commando de rats</u>	<u>découvrit</u>	<u>un chat endormi</u>.
sujet	verbe d'action	COD

122 Quels mots peuvent occuper la fonction attribut du sujet?

La fonction attribut du sujet peut être occupée par des mots de **nature différente**.
● C'est souvent un **adjectif qualificatif**.

Je suis né, j'étais **barbu** :
C'est la barbe ! c'est la barbe ! ■ MON PREMIER LIVRE DE DEVINETTES

● Ce peut être un **nom** ou un **groupe nominal**.

Émerveillé, le cochon fit un pas en avant pour voir les plumes de plus près, mais le paon fit un saut en arrière. – S'il vous plaît, dit-il, ne m'approchez pas. Je suis **une bête de luxe**. Je n'ai pas l'habitude de me frotter à n'importe qui. ■ LES CONTES ROUGES DU CHAT PERCHÉ

● C'est quelquefois un **infinitif**.

Son seul désir à présent était de **dormir**.

● Et, dans certains cas, c'est un **pronom personnel**.

Pauvre Dodoche ! Elle était limace, et bien triste de **l'**être. Tellement triste qu'elle n'arrêtait pas de pleurer dans la nuit... ■ UN VILAIN PETIT LOUP

elle était bien triste de l'être = elle était bien triste d'être limace
Le pronom personnel *l'* remplace le nom *limace* : il est attribut du sujet *elle*.

23 Comment s'accorde l'attribut du sujet?

> Si l'attribut du sujet est un adjectif qualificatif, il **s'accorde** en **genre** et en **nombre** avec le sujet du verbe d'état.

Les vers sont **voraces**, ils mangent tout ce qu'ils trouvent; celui-ci vient d'avaler une clef. ■ Le ver, cet inconnu

Les vers	sont	voraces.
sujet		adj. attribut
masculin pluriel		masculin pluriel

Il était une fois une Tortue. Elle était très **lente** mais très fiable. Elle arrivait toujours là où elle avait décidé d'aller. Il lui fallait seulement plus longtemps qu'aux autres.

■ Le petit homme de fromage

Elle	était	très	lente.
sujet			adj. attribut
féminin singulier			féminin singulier

Reconnaître le complément d'objet direct (COD)

À RETENIR

- Le **COD** désigne l'être ou la chose sur lesquels **porte l'action** effectuée par le sujet. Le groupe COD peut être encadré par **c'est... que**.
- Le COD est relié **directement** au verbe.
- Le COD s'emploie avec des verbes **transitifs**.
- Il n'y a **jamais** de COD après des verbes d'état.

124 À quoi sert la fonction COD ?

La fonction complément d'objet direct (COD) permet de désigner la personne, l'animal ou la chose qui **subit l'action** exprimée par le **verbe**.

Maintenant, mon seul espoir de redevenir prince est qu'une princesse me donne **un baiser**. L'ennui, c'est que la plupart des princesses n'embrasseraient pas **un crapaud**, même si on **les** payait pour cela.

■ QUI A VOLÉ LES TARTES ?

qu'une princesse me <u>donne</u> <u>un baiser</u>
verbe COD

la plupart des princesses n'<u>embrasseraient</u> pas <u>un crapaud</u>
verbe COD

même si on <u>les</u> <u>payait</u>
COD verbe

25 Comment reconnaître le COD?

Le groupe qui occupe **la fonction** COD peut être encadré
par **c'est... que**.

Le chien
De l'informaticien
Programme, selon leur odeur,
Ses os dans un ordinateur.   ■ JAFFABULES

Ce sont <u>ses os</u> **que** le chien programme :
ses os est COD du verbe *programmer (programme).*

26 Le COD se trouve-t-il toujours après le verbe?

Non! Le COD se trouve en général après le verbe, mais on
peut le placer en tête de phrase pour le **mettre en valeur**.
Dans ce cas, il faut le **reprendre** par un pronom personnel
(**le**, **la**, **les**, **l'**) placé avant le verbe.

Ce monstre-là rêvait de manger des gens. Tous les jours,
il se postait sur le seuil de sa caverne et disait, avec des
ricanements sinistres :
– <u>Le premier qui passe</u>, je **le** mange.   ■ LE MONSTRE POILU

Le premier qui passe, je le mange
    COD   COD
= Je mange <u>le premier qui passe</u>.
          COD
Le GN *le premier qui passe* est un COD déplacé en tête de
phrase et repris par le pronom *le*.

127 Le COD est-il relié au verbe par une préposition?

> **Non!** On l'appelle complément d'objet **direct** justement parce qu'il est relié **directement** au verbe. Le verbe est appelé **transitif**.
> ▷ PARAGRAPHE 129

Henriette. – Et puis, à quoi ça sert-il les fables?
René. – Ah bien! ça vous apprend quelque chose.
Henriette. – Ah! par exemple, je voudrais bien savoir ce que nous apprend Le Corbeau et le Renard.
René. – Mais cela t'apprend qu'il ne faut pas parler <u>aux</u> gens quand on a **du fromage** <u>dans</u> la bouche.   ■ FIANCÉS EN HERBE

> *Du fromage* est le COD du verbe *avoir (a)* ; il n'est pas introduit par une préposition.
> *Aux gens* est un COI introduit par la préposition *à*.
> *Dans la bouche* est un CC introduit par la préposition *dans*.

128 Comment reconnaître un COD précédé d'un article partitif?

> Il faut apprendre à reconnaître un **article partitif** pour ne pas le confondre avec une **préposition**.
> ▷ PARAGRAPHE 75

Moi, j'ai proposé qu'on aille dans le terrain vague qui n'est pas loin **de la maison**.
[...] Il est chouette le terrain vague, nous y allons souvent, pour jouer. Il y a de tout, là-bas : **de l'herbe**, **de la boue**, des pavés, des vieilles caisses, des boîtes de conserve, des chats et surtout, surtout une auto !   ■ LE PETIT NICOLAS

> *le terrain vague qui n'est pas loin de*   *la maison*
>   préposition   CC de lieu
>
> *Il y a de tout, là-bas : de l'*   *herbe,*   *de la*   *boue*
>   article partitif   COD   article partitif   COD

Les articles partitifs **du** et **de la** déterminent des noms **non dénombrables** *(confiture, lait)*. Ces articles indiquent qu'on ne considère qu'une certaine quantité, qu'une **partie** de l'objet en question.

– Que tu aimes ou pas, peu importe, coupa Grandma. Ce qui compte, c'est ce qui est bon pour toi. À partir de maintenant, tu mangeras **du chou** trois fois par jour. Des montagnes de choux. Et tant mieux s'il y a des chenilles !

■ LA POTION MAGIQUE DE GEORGES BOUILLON

Du permet d'indiquer que le sujet va manger **une partie** d'un chou entier.

29 Après quels verbes trouve-t-on un COD ?

On doit obligatoirement utiliser un **COD après** certains verbes comme **rencontrer**, **apercevoir**, **battre**...: on rencontre quelqu'un, on aperçoit quelqu'un ou quelque chose... Ce sont des verbes **transitifs** qui exigent un COD.

J'ai rencontré **un canard vert** qui survolait **les autoroutes** se prenant pour l'hélicoptère de la police de la route.

■ NOUVELLES ENFANTASQUES

Cette phrase n'aurait pas de sens sans les COD *un canard vert* et *les autoroutes*:

J'ai rencontré un canard vert qui survolait les autoroutes.
   verbe   COD   verbe   COD

130 Peut-on avoir un COD après un verbe d'état?

Non! **Après** des verbes comme **être**, **sembler**, **devenir**..., c'est-à-dire des **verbes d'état**, on trouve la fonction **attribut** du sujet. ▷ PARAGRAPHE 120

« Vous n'<u>êtes</u> guère **honnête**, reprit la fée, sans se mettre en colère; eh bien! puisque vous <u>êtes</u> si peu **obligeante**, je vous donne pour don qu'à chaque parole que vous direz, il vous sortira de la bouche ou un serpent ou un crapaud. » ■ LES FÉES

L'**attribut** *honnête* indique ce que *vous* n'**est** pas.
L'**attribut** *obligeante* indique ce que *vous* **est** peu.
Les **COD** *un serpent* et *un crapaud* indiquent ce qu'il sortira de la bouche.

131 Le COD est-il toujours indispensable à la construction de la phrase?

Non! Cela **dépend du verbe** utilisé dans la phrase. Certains verbes transitifs ne se construisent pas obligatoirement avec un COD *(manger, lire, écouter, sonner...)*.

Dans le car, on criait tous, et le chef nous a dit qu'au lieu de crier, on ferait mieux de **chanter**. Et il nous a fait **chanter des chouettes chansons**, une où ça parle d'un chalet, là-haut sur la montagne, et l'autre où on dit qu'il y a des cailloux sur toutes les routes. Et puis après, le chef nous a dit qu'au fond il préférait qu'on se remette à crier, et nous sommes arrivés au camp. ■ LES VACANCES DU PETIT NICOLAS

on ferait mieux de <u>chanter</u> :
⎿ verbe

on dit seulement que ce serait une bonne idée de chanter.

> Et il nous a fait <u>chanter</u> <u>des chouettes chansons</u> :
>   verbe   COD
> on précise ce que le chef veut faire chanter aux enfants.

Ils se mirent à table, et **mangèrent** d'un appétit qui faisait plaisir au père et à la mère, à qui ils racontaient la peur qu'ils avaient eue dans la forêt en parlant presque toujours tous ensemble : ces bonnes gens étaient ravis de revoir leurs enfants avec eux, et cette joie dura tant que les dix écus durèrent.
■ LE PETIT POUCET

> Ils <u>mangèrent</u> d'un appétit qui faisait plaisir au père et à la mère
>   verbe

« Hélas ! mes pauvres enfants, où êtes-vous venus ? Savez-vous bien que c'est ici la maison d'un ogre qui **mange les petits enfants** ?
■ LE PETIT POUCET

> la maison d'un ogre qui <u>mange</u> <u>les petits enfants</u>
>   verbe   COD

> Il n'y a **jamais** de COD avec des verbes **intransitifs** (*marcher, rire, partir…*).

Aujourd'hui, je **pars** en colonie de vacances et je suis bien content. La seule chose qui m'ennuie, c'est que Papa et Maman ont l'air un peu tristes ; c'est sûrement parce qu'ils ne sont pas habitués à rester seuls pendant les vacances.
■ LES VACANCES DU PETIT NICOLAS

32 Quels mots peuvent occuper la fonction COD ?

> Le COD est souvent un **nom** ou un **groupe nominal**.

Un hibou a **un hobby**.
Il collectionne **les nids**.
■ JAFFABULES

Ce peut être un **pronom personnel** *(me, te, le...)*.

Papa est arrivé très tard à l'hôtel, il était fatigué, il n'avait pas faim et il est allé se coucher.
Le seau, il ne **l'**avait pas trouvé, mais ce n'est pas grave, parce que je me suis aperçu que je **l'**avais laissé dans ma chambre.

■ Les vacances du petit Nicolas

Ce peut aussi être un verbe à l'**infinitif**.

Les chats ne sont ni modestes ni orgueilleux : ils préfèrent simplement **faire** tout tranquillement ce qui leur plaît.

■ Le chat qui parlait malgré lui

Après certains verbes *(vouloir, penser, dire...)*, une proposition **subordonnée** peut occuper la fonction COD.

– À ton aise, répliqua l'oncle, mais je veux, pour ta punition, **que ta tête devienne grosse comme une outre**, **que tes cheveux verdissent**, et **que tes doigts se transforment en saucisses de Francfort**.

■ Le 35 mai

Je veux **quoi** ?
que ta tête devienne grosse comme une outre
　　　　　　　　subordonnée COD
que tes cheveux verdissent
　　　　　subordonnée COD
que tes doigts se transforment en saucisses de Francfort
　　　　　　　subordonnée COD

Reconnaître le complément d'objet indirect (COI et COS)

À RETENIR

- On appelle **complément d'objet indirect (COI)** le complément de certains verbes qui se construisent avec une préposition : penser **à** quelqu'un, rêver **de** quelque chose...

- Quand un verbe a un COD et un COI, le COI devient un **COS (complément d'objet second)** ou **complément d'attribution**.

33 À quoi sert la fonction COI ?

La fonction complément d'objet indirect (COI) permet de désigner une personne ou un animal **à qui** on pense, **de qui** on se souvient, **à qui** on parle, **de qui** on rêve, **à qui** on sourit, **de qui** on se moque...

– Je crois bien que c'était le quatorze mars, dit-il.
– Le quinze, rectifia le Lièvre de Mars.
– Le seize, ajouta le Loir.
– Notez tout cela, dit le Roi **aux jurés**. Ceux-ci écrivirent avec ardeur les trois dates sur leur ardoise, puis ils les additionnèrent, et convertirent le total en francs et en centimes.

■ALICE AU PAYS DES MERVEILLES

À qui le Roi parle-t-il ?   *aux jurés*
                              ‾‾‾‾‾‾‾‾
                              COI

131

La fonction COI permet aussi de préciser **de quoi** on se plaint, **de quoi** on parle, **de quoi** on s'aperçoit, **de quoi** on rêve, **de quoi** on rit…

Si vous voulez qu'un éléphant
son amitié jamais ne rompe
(si on le trompe son cœur se fend)
ne vous moquez pas, mes enfants,
de sa trompe.
■ NOUVELLES ENFANTASQUES

De quoi ne faut-il pas se moquer ? *de sa trompe*
COI

134 Comment se construit le COI ?

Le COI est **relié au verbe par l'intermédiaire d'une préposition** (*à* ou *de*).

Les baleines ont des jets d'eau pour permettre
aux poissons qui n'ont pas de baignoire de prendre
au moins une douche…
■ RÉPONSES BÊTES À DES QUESTIONS IDIOTES

Le COI *aux poissons* est rattaché au verbe *permettre* par la préposition *à (aux = à + les).*

135 Avec quels verbes trouve-t-on un COI ?

On trouve des COI avec des verbes comme *parler* (*à* ou *de*), *s'apercevoir* (*de*), *penser* (*à* ou *de*), *s'intéresser* (*à*), *se moquer* (*de*), *se souvenir* (*de*), *succéder* (*à*), *s'occuper* (*de*), *envoyer* (*à*), *écrire* (*à*), *hériter* (*de*), *discuter* (*de*), *dépendre* (*de*), *avoir envie* (*de*), *sourire* (*à*), *obéir* (*à*)…
On trouve ces constructions dans le dictionnaire.

36 À quelles questions répond le COI ?

> Les groupes en fonction COI répondent aux questions :
> **à qui ?**, **à quoi ?**, **de qui ?**, **de quoi ?**

Cet été-là, j'ai acheté **à mon perroquet** des plantes qui montaient jusqu'au plafond et deux palmiers. J'ai remplacé la moquette par de la mousse et du gazon et, à cinq heures, tous les après-midi, je faisais tomber une averse en vidant un arrosoir du haut d'un escabeau.

■ LES MEILLEURS CONTES D'ASTRAPI

À qui ai-je acheté des plantes ? <u>à mon perroquet</u>
COI

– Je voudrais voir un coucher de soleil… Faites-moi plaisir… Ordonnez **au soleil** de se coucher… ■ LE PETIT PRINCE

À quoi devez-vous ordonner quelque chose ? <u>au soleil</u>
COI

Le chien faisait courir les loups et les moutons étaient bien contents d'être débarrassés **des loups**.
De temps en temps, le berger tuait un mouton en cachette des autres et comme les moutons, ils n'ont jamais su compter, ils n'y voyaient que du feu !

■ CHICHOIS ET LES HISTOIRES DE FRANCE

De qui les moutons étaient bien contents d'être débarrassés ?
<u>des loups</u>
COI

Des compagnies de brigands redoutés pour leur cruauté et surnommés les « Presse-purée », les « Coupe-gorges » et les « Rince-bouteilles » profitent **du désarroi général** pour attaquer le Quadrille des Lanciers. ■ LE PROFESSEUR FROEPPEL

De quoi profitaient les brigands ? <u>du désarroi général</u>
COI

137 à et de introduisent-ils toujours des COI ?

> Non ! Les prépositions **à** et **de** peuvent aussi introduire des compléments **circonstanciels** de **lieu** et de **temps**.
> Les compléments circonstanciels de lieu et de temps répondent aux questions *où ?* et *quand ?*   ▷ PARAGRAPHE 142

On a remis au plus tard possible le moment d'aller chez le dentiste. Mais un jour, il a bien fallu se décider. Maman a pris le téléphone et, en deux minutes, le dentiste et elle étaient tombés d'accord pour me torturer, vendredi, **à** quatre heures, **au** dispensaire.   ■ LES MEILLEURS CONTES D'ASTRAPI

Quand le dentiste me torturera-t-il ?   *à quatre heures*
                                              CC de temps

Où le dentiste me torturera-t-il ?   *au dispensaire*
                                          CC de lieu

> Les prépositions **à** et **de** servent souvent à introduire des compléments du nom. Un complément du nom (nom, pronom, verbe à l'infinitif, adverbe) est en général placé après le nom qu'il complète.

une bouteille **de** verre
une machine **à** laver

ATTENTION

▶ Lorsque le complément du nom est une proposition relative, il est introduit par **que** :
Le petit chat **que** l'on m'a offert dort toute la journée.

▶ D'autres prépositions peuvent introduire un complément du nom :
une table **en** marbre.

38 Quand le COI devient-il un complément d'objet second?

> Quand une phrase comprend un COD et un COI, le COD s'appelle complément d'objet premier et le COI s'appelle **complément d'objet second (COS)** ou **complément d'attribution**.

Le ver domestique demande beaucoup de soins : il **lui** faut **une nourriture appétissante**, une résidence confortable et des exercices réguliers. ■ LE VER, CET INCONNU

Il faut **quoi ?** <u>une nourriture appétissante</u>
COD

à qui ? **au** ver = <u>lui</u>
COS

39 Avec quels verbes trouve-t-on un COS?

> Le COS apparaît avec des verbes comme **dire** quelque chose à quelqu'un, **donner** quelque chose à quelqu'un, **envoyer** quelque chose à quelqu'un, **écrire** quelque chose à quelqu'un...

La Vache rouge menait une vie très occupée. Le matin, elle **donnait** <u>des leçons de rumination</u> <u>à la Génisse rouge, sa fille.</u> ■ MARY POPPINS

Elle donnait **quoi ?** <u>des leçons de rumination</u>
COD

à qui ? <u>à la Génisse rouge, sa fille</u>
COS

140 Quels mots peuvent occuper la fonction COI?

> Le COI est souvent un **nom** ou un **groupe nominal**.

▶ **Un nom**
– Que savez-vous de cette affaire? demanda le Roi **à Alice**.
– Rien.   ■ ALICE AU PAYS DES MERVEILLES

▶ **Un groupe nominal**
– Tenez, reprit l'âne, je me suis laissé dire qu'à l'école,
quand un enfant ne comprend rien **aux leçons**, le maître
l'envoie au coin avec un bonnet d'âne sur la tête !
■ LES CONTES BLEUS DU CHAT PERCHÉ

> Avec des verbes comme *penser à, oublier de, se souvenir de,
> essayer de*..., on peut trouver en fonction COI un **infinitif**.

Le T.G.V. est à la mode et personne ne s'arrête plus pour
voir passer un escargot. On n'a d'yeux que pour la Vitesse.
Et pourtant il suffirait **de fixer** deux petites roulettes de
chaque côté de ce gastéropode pour lui faire accomplir
des progrès remarquables en matière de locomotion.
■ RÉPONSES BÊTES À DES QUESTIONS IDIOTES

Et pourtant il suffirait **de quoi ?** <u>de fixer...</u>
                                        COI

« Diable ! C'est que je vais vous dire... il y a une chose qui
me tracasse... c'est mon bec !
– Quel bec ?
– Mon bec de gaz que j'ai oublié **d'éteindre** et qui brûle
à mon compte. Or j'ai calculé que j'en avais pour deux
shillings par vingt-quatre heures, juste six pence de plus
que je ne gagne... »   ■ LE TOUR DU MONDE EN QUATRE-VINGTS JOURS

J'ai oublié **de quoi ?** <u>d'éteindre (mon bec de gaz)</u>
                          COI

Les **pronoms personnels** et les **pronoms relatifs** peuvent aussi occuper la fonction COI.

Le roi **lui** fit mille caresses, et comme les beaux habits qu'on venait de **lui** donner relevaient sa bonne mine (car il était beau, et bien fait de sa personne), la fille du roi le trouva fort à son gré. ■ Le chat botté

À qui le roi fit-il mille caresses ? *à lui*
<u>pronom personnel COI</u>

Il avait de nombreux compagnons de jeu avec qui il passait son temps à courir sur le sable et à barboter dans l'Océan. Bref, c'était la belle vie, la vie **dont** <u>rêvent</u> tous les petits garçons. ■ James et la grosse pêche

De quelle vie rêvent les petits garçons ? **de** la belle vie
= <u>dont</u>
<u>pronom relatif COI</u>

Reconnaître les compléments circonstanciels (CC)

DANS LA SALLE DE BAINS

CE MATI

ÉNERGIQUEMENT

141 À quoi servent les compléments circonstanciels ?

Les compléments circonstanciels complètent le verbe de la phrase. Ils permettent de préciser les circonstances de l'action : **où** elle se passe, **quand** ou **pendant combien de temps**, **comment**, **pourquoi** et **dans quel but**.

Monsieur Joe errait donc, mais **en vain**. **Nulle part** il ne trouvait de princesse en détresse. **Habituellement**, elles sont enfermées **dans un donjon**, et passent leur temps à agiter un mouchoir par la fenêtre étroite. Mais **cette fois**, rien.

■ LE CHEVALIER DÉSASTREUX

Comment ? *en vain*
        CC de manière

Où ? *nulle part, dans un donjon*
        CC de lieu   CC de lieu

Quand ? *habituellement, cette fois*
        CC de temps   CC de temps

42 Quels sont les trois principaux compléments circonstanciels?

> Les compléments circonstanciels de **lieu** répondent aux questions **où?** et **d'où?**

« Que puis-je faire pour toi, petit crapaud ? »
« Eh bien voilà, rétorqua le crapaud, je ne suis pas vraiment un crapaud, mais un très beau prince métamorphosé en crapaud par le maléfice d'une méchante sorcière. Et seul le baiser d'une belle princesse peut rompre ce maléfice. »
La princesse réfléchit quelques instants, puis sortit le crapaud **de l'étang** et lui donna un baiser.
« Je blaguais », dit le crapaud. Et il replongea **dans l'étang** tandis que la princesse essuyait la bave gluante qu'il avait laissée **sur ses lèvres**. ■ Le petit homme de fromage

D'où la princesse sortit-elle le crapaud ?
de l'étang
lieu d'où l'on vient : CC de lieu

Où replongea le crapaud ?
dans l'étang
lieu où l'on va : CC de lieu

Où avait-il laissé sa bave gluante ?
sur les lèvres de la princesse
lieu où l'on se trouve : CC de lieu

> Les compléments circonstanciels de **temps** répondent aux questions **quand?** et **pendant combien de temps?**

Si les poissons savaient marcher
ils aimeraient bien aller **le jeudi** au marché. ■ Enfantasques

Quand les poissons aimeraient-ils aller au marché ? *le jeudi*
date : CC de temps

Alice fut tellement surprise qu'elle resta sans rien dire **pendant une bonne minute**, comme si cette réponse lui avait complètement coupé le souffle. ■ DE L'AUTRE CÔTÉ DU MIROIR

> **Pendant combien de temps** Alice resta-t-elle sans rien dire ?
> *pendant une bonne minute*
>   durée : CC de temps

> Les compléments circonstanciels de **manière** répondent à la question **de quelle manière** ?

Tumbly se retourna. Il se retrouva nez à nez avec le lion. Celui-ci se tenait **timidement** à l'écart **en tremblant**.
– Je viens vous présenter mes excuses, dit le lion **d'une voix chevrotante**. J'ai été très mal élevé tout à l'heure. Je n'aurais pas dû vous rugir au nez **comme je l'ai fait**. C'est très mal élevé ! ■ LE CHEVALIER DÉSASTREUX

> **De quelle manière** se tenait le lion ? *timidement*, *en tremblant*
>   CC de manière   CC de manière

> **De quelle manière** parla-t-il ? *d'une voix chevrotante*
>   CC de manière

> **De quelle manière** a-t-il rugi ? *comme je l'ai fait*
>   CC de manière

143 Existe-t-il d'autres compléments circonstanciels ?

> Oui ! Il existe aussi des compléments circonstanciels de **cause**, de **but**, de **moyen**...

Même si ma tête pouvait passer, se disait la pauvre Alice, ça ne me servirait pas à grand-chose **à cause de mes épaules**. Oh ! que je voudrais pouvoir rentrer en moi-même comme une longue vue ! ■ ALICE AU PAYS DES MERVEILLES

Pourquoi ça ne me servirait pas à grand-chose ?
à cause de mes épaules

CC de cause

Toutes les dames étaient attentives à considérer sa coiffure et ses habits, **pour en avoir dès le lendemain de semblables**.

■ Cendrillon

Dans quel but les dames étaient-elles attentives à considérer sa coiffure et ses habits ?
pour en avoir dès le lendemain de semblables

CC de but

Il était une fois une petite vieille et un petit vieux qui vivaient ensemble dans une vieille petite maison.
Ils étaient bien seuls. Alors, la petite vieille décida de confectionner un homme **à partir d'un vieux bout de fromage**.

■ Le petit homme de fromage

Avec quoi la petite vieille confectionna-t-elle un homme ?
à partir d'un vieux bout de fromage

CC de moyen

14 Peut-on déplacer les compléments circonstanciels dans une phrase ?

Oui ! On peut déplacer un mot ou groupe de mots complément circonstanciel sans changer sa fonction. Lorsque l'on veut **mettre en valeur** un complément circonstanciel, on le **déplace en tête de la phrase** et on le fait suivre d'une **virgule**.

Sur les bords de la Marne [,]
Un crapaud il y a,
Qui pleure à chaudes larmes
Sous un acacia.

■ Chantefables et Chantefleurs

Il y a un crapaud *sur les bords de la Marne*

CC de lieu

145 Peut-on supprimer les compléments circonstanciels?

> Oui! On peut généralement supprimer un complément circonstanciel. La phrase est toujours **correcte grammaticalement** mais on **perd une indication** sur le lieu, le temps ou la manière dont se déroule un événement.

Le chat fut si effrayé de voir un lion devant lui qu'il gagna aussitôt les gouttières, non sans peine et sans péril, à cause de ses bottes qui ne valaient rien pour marcher sur les tuiles.

■ LE CHAT BOTTÉ

> → Si l'on supprimait les compléments circonstanciels, la phrase se réduirait à:
> *Le chat fut si effrayé de voir un lion qu'il gagna les gouttières.*

ATTENTION

Avec certains verbes, on est **obligé** d'utiliser un complément circonstanciel pour obtenir une phrase **complète**.

Alors, je suis monté dans ma chambre et je me suis amusé devant la glace; j'ai mis la lampe **sous ma figure** et ça fait ressembler à un fantôme, et puis j'ai mis la lampe **dans ma bouche** et on a les joues toutes rouges, et j'ai mis la lampe **dans ma poche** et on voit la lumière à travers le pantalon, et j'étais en train de chercher des traces de bandits quand Maman m'a appelé pour me dire que le dîner était prêt.

■ LE PETIT NICOLAS A DES ENNUIS

> Le verbe *mettre* exige ici des compléments circonstanciels.
> La phrase *j'ai mis la lampe* n'a pas de sens sans eux: *j'ai mis la lampe <u>sous ma figure</u>, <u>dans ma bouche</u>, <u>dans ma poche</u>.*
>   CC de lieu   CC de lieu   CC de lieu

46 Quelle peut être la nature d'un CC de lieu?

> Un complément circonstanciel de lieu est souvent un **groupe nominal** introduit par une préposition.

Un cri déchira la forêt. C'était un cri lugubre. Un peu comme si un homme coincé **dans une boîte de conserve** appelait au secours !

■ Le chevalier désastreux

> Ce peut être un **adverbe**.

Le monstre lui ayant demandé si c'était de bon cœur qu'elle était venue, elle lui dit en tremblant que oui. « Vous êtes bien bonne, lui dit la Bête, et je vous suis bien obligé. Bonhomme, partez demain matin et ne vous avisez jamais de revenir **ici**. Adieu, la Belle !
– Adieu, la Bête », répondit-elle, et tout de suite le monstre se retira.

■ La Belle et la Bête

> Les deux pronoms **en** et **y** occupent parfois la fonction CC de lieu.

– Avez-vous inventé un système pour empêcher les cheveux d'être emportés par le vent ?
– Pas encore ; mais j'ai un système pour les empêcher de tomber.
– Je voudrais bien le connaître.
– D'abord tu prends <u>un bâton bien droit</u>. Ensuite tu **y** fais grimper tes cheveux, comme un arbre fruitier. La raison qui fait que les cheveux tombent, c'est qu'ils tombent par en bas... Ils ne tombent jamais par en haut, vois-tu.

■ De l'autre côté du miroir

Ensuite tu y fais grimper tes cheveux
= Tu fais grimper tes cheveux **sur** un bâton bien droit.

143

Un tiroir de la commode s'ouvrit, la nappe **en** sortit et fit la course avec les plats pour arriver la première sur la table, mais elle arriva bonne dernière. ■ LE DRAGON DE POCHE

| *la nappe en sortit* : la nappe sortit **du** tiroir de la commode.

Enfin, une proposition **subordonnée relative** peut être CC de lieu.

– Bah ! a dit Maixent. Si tes parents disent que ton petit frère couche dans ta chambre, il couchera dans ta chambre, et voilà tout.
– Non, monsieur ! Non, monsieur ! a crié Joachim.
Ils le coucheront **où ils voudront**, mais pas chez moi !
Je m'enfermerai, non mais sans blague !

■ LE PETIT NICOLAS A DES ENNUIS

147 Quelle peut être la nature d'un CC de temps ?

Un complément circonstanciel de temps est souvent un **groupe nominal** avec ou sans préposition.

Le dragon s'éveilla **avant le chant du coq**. Ce n'était d'ailleurs pas difficile puisqu'il n'y avait pas de coq au château. ■ DRAGON L'ORDINAIRE

La nuit suivante, l'Oiseau amoureux ne manqua pas d'apporter à sa belle une montre d'une grandeur raisonnable, qui était dans une perle. ■ L'OISEAU BLEU

Ce peut être un **adverbe**.

Il était une fois un artichaut qui tombait **souvent** amoureux. ■ EDGAR N'AIME PAS LES ÉPINARDS

C'est parfois une **proposition subordonnée conjonctive**.

Quand le roi sut ces nouvelles, il fit rapidement bâtir une grosse tour. Il y mit sa fille et, pour qu'elle ne s'ennuyât point, le roi, la reine et les deux frères allaient la voir tous les jours.

■ LA PRINCESSE ROSETTE

ATTENTION

Il ne faut pas confondre les compléments d'objet direct et les compléments circonstanciels construits sans préposition.

Quelques jours plus tard, Ransome, Sims et Jefferies étaient en mesure d'affirmer qu'elles étaient toutes prêtes à pondre. Et, effectivement, au bout d'une semaine elles pondaient **tous les jours**. Au début, elles eurent du mal à maîtriser le moment où l'œuf venait, et elles le déposèrent n'importe où et n'importe quand, lorsque le besoin s'en faisait sentir, et même, parfois, au milieu de la cour. M. Fermier se félicitait toujours que les poules pondent ainsi **leurs premiers œufs** au petit bonheur, parce que cela lui épargnait la peine de grimper la grande échelle jusqu'aux nids.

■ LES LONGS-MUSEAUX

Quand les poules pondaient-elles ?
elles <u>pondaient</u> <u>tous les jours</u>
      verbe   CC de temps

Que pondent les poules ?
elles <u>pondent</u> <u>leurs premiers œufs</u>
      verbe   COD

148 Quelle peut être la nature d'un CC de manière?

> Un complément circonstanciel de manière est souvent un **groupe nominal** précédé d'une préposition.

Alors comme la fin de l'enchantement était venue, la princesse s'éveilla; et le regardant **avec des yeux plus tendres** qu'une première vue ne semblait le permettre: «Est-ce vous, mon prince? lui dit-elle, vous vous êtes bien fait attendre.»

■ LA BELLE AU BOIS DORMANT

> Ce peut être un **adverbe**.

Un jour, le Lièvre aperçut la Tortue qui marchait, lente mais fiable, sur la route et lui dit: «Tortue, ce que tu es lente. Je me sens capable de faire pousser mon poil plus vite que tu n'avances.» «Ah ouais?» répondit **lentement** la Tortue.

■ LE PETIT HOMME DE FROMAGE

> C'est parfois une **proposition subordonnée conjonctive**.

«À l'école, on m'avait surnommé Malvenu Malfaiteur! cria le malheureux brigand. C'est ce surnom qui m'a conduit sur la voie du crime! Mais cachez-moi, chère Mlle Labourdette, sinon ils me captureront.» Mlle Labourdette lui colla une étiquette avec un numéro, **comme s'il avait été un livre de la bibliothèque**, et elle le plaça sur une étagère au milieu des livres dont le nom des auteurs commençait par un M.

■ L'ENLÈVEMENT DE LA BIBLIOTHÉCAIRE

Utiliser la voix passive

J'AI ÉTÉ MANGÉ.

49 Qu'est-ce qu'une phrase à la voix passive ?

Une phrase est à la voix passive lorsque le **sujet** de la phrase **subit l'action** au lieu de la faire.

Beaucoup de gens, et notamment **ceux qui vont être mangés par eux**, ont remarqué que les crocodiles ne rient jamais à gorge déployée. ■ RÉPONSES BÊTES À DES QUESTIONS IDIOTES

Les gens **ne se mangent pas** eux-mêmes, ce sont les crocodiles qui **les mangent** : ils subissent l'action d'**être mangés**.

Le **verbe** de la phrase passive se construit avec l'auxiliaire **être** et le **participe passé** du verbe.

La vie de Spillers, au contraire, **était consacrée** à sa famille : ses poussins étaient tout pour elle. Elle tirait une fierté sans borne de ses couvées et, de plus, elle était très soignée de sa personne, jamais une plume de travers.

■ LES LONGS-MUSEAUX

était consacrée = auxiliaire *être* + participe passé du verbe *consacrer*

150 Les verbes conjugués avec être sont-ils toujours à la voix passive ?

Non ! Il ne faut surtout pas confondre le **passé composé** des verbes comme *tomber, venir, rentrer, monter...* qui se forme toujours avec l'auxiliaire **être** *(je suis venu)* et le **présent** des verbes à la voix passive qui se construit aussi avec l'auxiliaire *être.*

▶ **Tomber**

	VOIX ACTIVE	VOIX PASSIVE
Présent	je tombe	
Passé composé	je suis tombé	

▶ **Brûler**

	VOIX ACTIVE	VOIX PASSIVE
Présent	je brûle	je suis brûlé
Passé composé	j'ai brûlé	j'ai été brûlé

51 Tous les verbes peuvent-ils être à la voix passive ?

Non ! Seuls les verbes qui ont un complément d'objet direct, c'est-à-dire les **verbes transitifs directs**, autorisent une construction passive.

En effet, lorsque l'on passe **de l'actif au passif**, c'est le **complément d'objet direct** de la phrase active qui **devient le sujet** de la phrase passive : un verbe qui n'a pas de COD ne peut donc pas être utilisé à la voix passive.

La reine renvoya l'espionne dans la tour.   ■L'OISEAU BLEU

Voix active

La reine renvoya l'espionne dans la tour.
  sujet   COD

Voix passive

L'espionne fut renvoyée dans la tour par la reine.
  sujet   complément d'agent
(subit l'action)   (fait l'action)

Un perce-oreille
A démoli
Les murs du métro de Paris.   ■JAFFABULES

Voix active

Un perce-oreille a démoli les murs du métro de Paris.
  sujet   COD

Voix passive

Les murs du métro de Paris ont été démolis par un perce-oreille.
  sujet   complément d'agent
(subit l'action)   (fait l'action)

152 Qu'est-ce que le complément d'agent?

> Dans une phrase à la voix passive, le sujet subit l'action.
> C'est le **complément d'agent**, introduit par la préposition
> **par**, qui **fait l'action**.

J'ai de sérieuses raisons de croire que la planète d'où venait le petit prince est l'astéroïde B 612. Cet astéroïde n'<u>a été aperçu</u> qu'une fois au télescope, en 1909, **par un astronome turc**. Il avait fait alors une grande démonstration de sa découverte à un Congrès International d'Astronomie. Mais personne ne l'avait cru à cause de son costume. Les grandes personnes sont comme ça.

■ LE PETIT PRINCE

Voix passive

<u>Cet astéroïde</u> *a été aperçu par* <u>un astronome turc</u>
   sujet   complément d'agent
- *astéroïde* occupe la fonction **sujet**;
- le verbe *apercevoir* est accompagné de l'auxiliaire *être*;
- *un astronome turc*, introduit par la préposition *par*, fait l'action d'*apercevoir*: c'est le **complément d'agent**.

Voix active

<u>Un astronome turc</u> *a aperçu* <u>cet astéroïde</u>.
      sujet   COD

53 À quoi sert la voix passive ?

> La voix passive permet de **ne pas indiquer qui est responsable d'une action**, ce qui peut être utile si on ne veut pas dire qui a fait telle ou telle chose ou si on ne le sait pas.

« Où est-il donc, ce petit misérable ?
– Je vous l'ai déjà dit, répondit Grand-mère. Il est dans mon sac à main ! Et je continue à penser qu'il vaudrait mieux aller dans un endroit moins public, avant que vous découvriez son nouvel aspect.
– Cette femme est folle ! s'écria Mme Jenkins. Dis-lui de partir.
– À dire vrai, poursuivit Grand-mère, votre fils, Bruno, **a été complètement transformé** ! ■ SACRÉES SORCIÈRES

> Grand-mère emploie la **voix passive sans complément d'agent** parce qu'elle **ne veut pas dire** en public qui a transformé Bruno : ce sont des sorcières qui ont transformé l'enfant et Grand-mère a peur de leur vengeance.

– Auriez-vous déniché une vraie princesse ?
– Parfaitement.
– En détresse ?
– Aucun doute là-dessus. **Elle était enfermée** tout en haut d'une tour. Elle agitait un mouchoir blanc et criait.
– Qu'est-ce qu'elle criait ? demanda Tumbly.
– Ce qu'on crie toujours dans ces cas-là. Au secours ! Sauvez-moi ! etc. ■ LE CHEVALIER DÉSASTREUX

> Il n'y a pas de complément d'agent ici parce que celui qui parle **ne sait pas** qui a bien pu enfermer la princesse.

154 Comment identifier les temps du verbe à la voix passive?

À la voix passive, c'est l'auxiliaire **être** qui **indique** à quel temps est le **verbe**.

	TEMPS DE L'AUXILIAIRE *ÊTRE*	TEMPS DU VERBE À LA VOIX PASSIVE
Il <u>est</u> battu	présent	présent
Il <u>a été</u> battu	passé composé	passé composé
Il <u>était</u> battu	imparfait	imparfait
Il <u>sera</u> battu	futur	futur
Il <u>avait été</u> battu	plus-que-parfait	plus-que-parfait

Faire l'analyse grammaticale d'une phrase

RÉPONDEZ À MES QUESTIONS :
QUI EST-CE QUI A MANGÉ LE GÂTEAU ?
QU'EST-CE QUE LE CHAT A MANGÉ ?
QUAND ? OÙ ?
ET COMMENT ?

À RETENIR

- Faire l'**analyse grammaticale** d'une phrase consiste à **identifier les groupes** de mots qui sont reliés au verbe pour en analyser la **nature** et la **fonction**.

- Retenez les **questions** auxquelles répondent les différents groupes de la phrase :
  - *qui est-ce qui ?* (sujet)
  - *qu'est-ce que ?* (COD)
  - *comment ?* (CC de manière)
  - *quand ?* (CC de temps)
  - *où ?* (CC de lieu)

- Après un verbe d'état, on trouve un **attribut**.

55 Quelle est la première étape ?

Il faut tout d'abord **repérer le verbe** de la phrase :
- **Où** est le verbe (Quel est son **infinitif** ?) ?
- Est-ce un verbe **d'état** *(être, sembler, paraître, rester, demeurer...)* ? Est-ce un verbe **d'action** *(manger, courir...)* ?
- À quel **temps** est-il conjugué (présent, futur, passé composé...) ? À quelle **personne** est-il conjugué ?

Marianne | marchait | à grands pas sur la route nationale.

Marcher est le verbe de la phrase, c'est un verbe d'action. Il est conjugué à la 3ᵉ personne du singulier de l'imparfait de l'indicatif.

156 Quelle est la deuxième étape?

On identifie les **groupes** qui complètent le verbe. Pour chacun de ces groupes, on indique sa **nature** et sa **fonction**.

L'homme ‹marchait› dans l'avenue.

Deux groupes sont rattachés au verbe *marcher*:
– *l'homme*: GN dont le noyau est le nom masculin singulier *homme*. Il a pour fonction sujet;
– *dans l'avenue*: GN dont le noyau est le nom féminin singulier *avenue*. Il a pour fonction CC de lieu. Cette fonction est marquée par la préposition *dans*.

La petite fille ‹a dévoré› son gâteau avec plaisir.

Trois groupes sont rattachés au verbe *dévorer*:
– *la petite fille*: GN sujet;
– *son gâteau*: GN COD;
– *avec plaisir*: GN CC de manière. Sa fonction est marquée par la préposition *avec*.

L'élève ‹a offert› des fleurs à sa maîtresse.

Trois groupes sont rattachés au verbe *offrir*:
– *l'élève*: GN sujet;
– *des fleurs*: GN COD;
– *à sa maîtresse*: GN COS.

Sur la branche d'un arbre, un rossignol ‹célébrait› le lever du soleil par une mélodie merveilleuse.

Quatre groupes sont rattachés au verbe *célébrer*:
– *sur la branche d'un arbre*: GN CC de lieu;
– *un rossignol*: GN sujet;
– *le lever du soleil*: GN COD;
– *par une mélodie merveilleuse*: GN CC de manière.

57 Quelle est la troisième étape?

On identifie le **mot noyau** de chaque groupe et on indique sa nature et sa fonction. On identifie ensuite la nature et la fonction des **mots** rattachés au noyau de chaque groupe.

Le petit homme | était | satisfait de sa découverte.

Le verbe *être* est à l'imparfait de l'indicatif, 3e personne du singulier.

Le	*petit*	*homme*
article défini masc. sing. rattaché au nom *homme*	adj. qualificatif masc. sing épithète du nom *homme*	nom masc. sing noyau du GN sujet du verbe *être*

groupe nominal sujet

satisfait	*de*	*sa*	*découverte*
adj. qualificatif attribut du sujet *homme*	préposition rattachant *découverte* à l'adj. *satisfait*	adj. possessif fém. sing. rattaché au nom *découverte*	nom fém. sing. complément de l'adj. *satisfait*

groupe adjectival attribut

Décomposer la phrase en propositions

■ À l'intérieur de chaque phrase, on peut avoir plusieurs **propositions**.

■ Chaque **verbe conjugué** constitue, avec les groupes fonctionnels qui lui sont rattachés, une proposition.

■ On distingue trois sortes de propositions : les propositions **indépendantes**, les propositions **principales** et les propositions **subordonnées**.

■ La proposition subordonnée peut compléter le verbe de la principale (**conjonctive** COD, conjonctive circonstancielle) ou un nom (**relative**).

158 Qu'est-ce qu'une proposition ?

Une proposition est constituée d'un **verbe conjugué** auquel se rattachent un ou des groupes fonctionnels : sujet, COD, COI, CC... Il peut y avoir une ou plusieurs propositions dans une phrase. Il y a **autant de propositions que de verbes conjugués**.

Il **était convaincu** que la sorcière **allait** le transformer en grenouille. Ce qui ne lui **aurait pas déplu**, à vrai dire. Il **aurait** enfin **été débarrassé** de cette épouvantable armure et de cet horrible cheval. ■ LE CHEVALIER DÉSASTREUX

Il y a quatre verbes conjugués, donc quatre propositions.

59 Pourquoi utiliser plusieurs propositions dans une même phrase?

On utilise plusieurs propositions dans une même phrase pour **relier** entre eux **plusieurs événements** qui se complètent au même moment.

J'étais assis là et j'ouvrais des oreilles de plus en plus grandes (chez les fantômes, c'est ainsi : <u>lorsqu</u>'elles **veulent** sérieusement écouter, les oreilles **s'agrandissent**).

■ LES TEMPS SONT DURS POUR LES FANTÔMES

<u>Lorsqu'elles veulent sérieusement écouter,</u>
proposition 1 = événement 1

<u>les oreilles s'agrandissent</u>.
proposition 2 = événement 2

L'événement 1 et l'événement 2 se complètent pour former une même histoire.

On utilise plusieurs propositions dans une même phrase pour **relier** entre eux **plusieurs événements** qui **se suivent**.

Le pélican de Jonathan,
Au matin, **pond** un œuf tout blanc
<u>Et</u> il en **sort** un pélican
Lui ressemblant étonnamment.

<u>Et</u> ce deuxième pélican
Pond, à son tour, un œuf tout blanc
<u>D'où</u> **sort**, inévitablement,
Un autre <u>qui</u> en **fait** tout autant.

■ CHANTEFABLES ET CHANTEFLEURS

Dans ce poème, cinq actions se succèdent et permettent de raconter l'histoire du pélican de Jonathan.
Événement 1 = proposition 1 = le pélican de Jonathan pond un œuf.

Événement 2 = proposition 2 = un pélican sort de l'œuf.
Événement 3 = proposition 3 = ce pélican pond un œuf.
Événement 4 = proposition 4 = un autre pélican sort de cet œuf.
Événement 5 = proposition 5 = ce dernier pélican pond un œuf...

On peut aussi utiliser une proposition pour **expliquer** l'événement décrit par une autre proposition.

Le cheval <u>veut</u> aller au bal.
Il <u>brosse</u> avec soin sa crinière,
<u>Cire</u> ses sabots, <u>cloue</u> ses fers,
<u>Ajuste</u> sa sous-ventrière
Et <u>cavale</u>.

■ MARELLES

La première proposition *(Le cheval veut aller au bal)* explique les cinq autres propositions :
il brosse..., cire..., cloue..., ajuste..., et cavale **parce qu'**il veut aller au bal.

160 Qu'est-ce qu'une proposition indépendante ?

On dit qu'une proposition est indépendante lorsqu'elle n'est **pas rattachée** à une autre proposition par une conjonction de subordination *(que, quand, parce que...)* ou par un pronom relatif. Une proposition indépendante peut donc constituer **une phrase à elle toute seule**.

Je **suis** poilu,
Fauve et dentu,
J'**ai** les yeux verts.
Mes crocs pointus
Me **donnent** l'air
Patibulaire.

■ MARELLES

Je suis poilu, fauve et dentu,   *j'ai les yeux verts.*
proposition 1   proposition 2
phrase

Mes crocs pointus me donnent l'air patibulaire.
proposition indépendante = phrase

61 Peut-il y avoir plusieurs propositions indépendantes dans la même phrase?

Oui! Dans ce cas, elles peuvent être **juxtaposées** (séparées par une virgule, un point-virgule ou des deux-points) ou **coordonnées**. ▷ PARAGRAPHES 8 À 10, 100 ET 101

Un instant, le fantôme de Canterville **demeura** absolument immobile, dans un accès d'indignation bien naturelle $\boxed{;}$ puis, ayant lancé violemment le flacon sur le parquet poli, il **s'enfuit** le long du couloir, en poussant des gémissements sourds. ■ LE FANTÔME DE CANTERVILLE

Cette phrase comprend **deux** verbes conjugués (*demeura* et *s'enfuit*); elle se compose de **deux** propositions indépendantes juxtaposées par un point-virgule.

62 Qu'appelle-t-on proposition principale et proposition subordonnée?

Lorsqu'une proposition est le **complément** d'une autre, on dit qu'elle est **subordonnée** à une proposition **principale**.

En hiver, on dit souvent: « Fermez la porte, il fait froid dehors! » Mais quand la porte est fermée, il fait toujours aussi froid dehors. ■ LES PENSÉES

Quand la porte est fermée,   *il fait toujours aussi froid dehors.*
proposition subordonnée   proposition principale

163 Quelles sont les fonctions d'une proposition subordonnée?

La subordonnée peut avoir la fonction de **complément du nom**. Elle est introduite par un pronom relatif.

Au 84 de la rue de Bretagne demeurait une sorcière **qui n'arrivait plus à croquer d'enfants** parce que ses méthodes étaient dépassées. ■CONTES DE LA RUE DE BRETAGNE

une _sorcière_ _qui n'arrivait plus à croquer d'enfants_
nom proposition subordonnée complément du nom _sorcière_

La subordonnée peut être **complément du verbe** de la proposition principale. Elle est introduite par une conjonction de subordination _(que, quand...)_.

Le Roi pensa que le vieux se moquait de lui et voulut essayer les lunettes. Oh! prodige! **Lorsqu'il eut les verres devant les yeux**, il lui sembla **qu'il retrouvait un monde perdu**. Il vit un moucheron sur la pointe d'un brin d'herbe; il vit un pou dans la barbe du vieillard et il vit aussi la première étoile trembler sur le ciel pâlissant.
■LES LUNETTES DU LION

Lorsqu'il eut les verres devant les yeux,
verbe
proposition subordonnée CC de temps

il lui sembla
verbe
proposition principale

qu'il retrouvait un monde perdu.
verbe
proposition subordonnée COD

64 Quels sont les différents types de subordonnées?

Les propositions subordonnées **relatives** sont compléments du nom. Ce nom est l'antécédent du pronom relatif.

«Et les loups? Où donc sont-ils passés?» me demandai-je à part moi. Et tandis que je me posais ces questions, <u>le loup</u> **qui avait tiré les poils de ma queue**, clac! planta ses dents dans cette région un peu en retrait de mon corps. Je hurlai de douleur tout en lui lançant <u>une terrible ruade</u> **qu'il prit de plein fouet**. Le malheureux repartit en poussant des hurlements, remportant avec lui ses oreilles et sa queue, remportant avec lui sa bouche, mais certainement pas <u>les dents</u> **qu'il y avait dedans**. ■ MÉMOIRES D'UNE VACHE

> *le loup   qui avait tiré les poils de ma queue*
> nom   subordonnée relative complément du nom *loup*
>
> *une terrible ruade   qu'il prit de plein fouet*
> nom   subordonnée relative complément du nom *ruade*
>
> *les dents   qu'il y avait dedans*
> nom   subordonnée relative complément du nom *dents*

Les propositions subordonnées **conjonctives** sont compléments du verbe de la principale.

Lorsqu'il arriva en haut de l'escalier, il <u>reprit</u> ses esprits, et résolut de lancer son célèbre éclat de rire démoniaque. Il l'avait, en plus d'une circonstance, trouvé extrêmement utile. On <u>dit</u> **que ce rire avait, en une seule nuit, fait grisonner la perruque de Lord Raker**... ■ LE FANTÔME DE CANTERVILLE

> *Lorsqu'il arriva en haut de l'escalier,   il reprit ses esprits.*
> subordonnée conjonctive CC de temps du verbe *reprit*   principale
>
> *On dit   que ce rire avait fait grisonner la perruque...*
> principale   subordonnée conjonctive COD du verbe *dit*

161

165 Quels sont les différents types de subordonnées conjonctives?

Parmi les propositions subordonnées conjonctives, on distingue:
● les propositions subordonnées conjonctives **compléments d'objet direct** du verbe de la principale;

Maintenant, vous <u>savez</u> **que votre voisine de palier peut être une sorcière**.
Ou bien la dame aux yeux brillants, assise en face de vous dans le bus, ce matin. ■ SACRÉES SORCIÈRES

Vous savez   que votre voisine de palier peut être une sorcière.
verbe
principale   subordonnée COD

● les propositions subordonnées conjonctives **circonstancielles** compléments du verbe de la principale.

J'<u>étais</u> dans le jardin et je ne <u>faisais</u> rien, **quand est venu Alceste** et il m'a demandé ce que je faisais et je lui ai répondu: «Rien.» ■ LE PETIT NICOLAS

J'étais dans le jardin et je ne faisais rien, quand est venu Alceste.
verbe   verbe
principales coordonnées   subordonnée CC de temps

Nous, les enfants, on ne lit jamais dans le métro **parce que le spectacle est super**. ■ LA GRANDE AVENTURE DU LIVRE

Nous, les enfants, on ne lit jamais dans le métro
verbe
principale

parce que le spectacle est super.
subordonnée CC de cause

TABLEAU RÉCAPITULATIF

subordonnées
- compléments du verbe = conjonctives
  - COD
  - CC
- compléments du nom = relatives

On trouve souvent dans un même texte les différents types de propositions (subordonnées et indépendantes).

Une petite souris demande à un gros éléphant qui prend son bain dans un large fleuve d'Afrique :
– Veux-tu sortir de l'eau deux minutes ?
Le pachyderme s'exécute de mauvaise grâce et, lorsqu'il est sur la berge, la petite souris lui dit :
– Bon, tu peux te remettre à l'eau, je croyais que tu avais mis mon maillot !

■ ENCYCLOPÉDIE DES HISTOIRES DRÔLES

Une petite souris demande à un gros éléphant
principale

qui prend son bain dans un large fleuve d'Afrique
subordonnée relative

Le pachyderme s'exécute de mauvaise grâce
indépendante

et, lorsqu'il est sur la berge,
subordonnée CC de temps

la petite souris lui dit...
principale

ORTHOGRAPHE GRAMMATICALE

L'orthographe grammaticale est l'ensemble des règles d'orthographe qui précisent comment s'accordent les mots dans la phrase : le verbe avec son sujet, les divers éléments du groupe nominal avec le nom noyau...

Accorder le sujet et le verbe

■ Pour **accorder le verbe avec son sujet**, il faut d'abord savoir identifier le sujet puis il faut se demander si le verbe est à un **temps simple** ou à un **temps composé**.

■ Aux temps simples, le verbe s'accorde toujours avec son **sujet**.

■ Le sujet est le plus souvent placé **avant** le verbe, mais il peut se trouver **après**. Il est parfois séparé du verbe par quelques mots.

■ Lorsque le sujet est un pronom relatif, le verbe s'accorde avec l'**antécédent** du pronom relatif.

166 Avec quoi s'accorde le verbe ?

Aux **temps simples** (présent, imparfait, futur...), le verbe s'accorde toujours avec son **sujet**.

TOPAZE, *il dicte en se promenant.* – « Des moutons... des moutons... étaient en sûreté... dans un parc ; dans un parc. *(Il se penche sur l'épaule de l'Élève et reprend.)* Des moutons... moutonss... *(L'Élève le regarde, ahuri.)* Voyons, mon enfant, faites un effort. Je dis *moutonsse*. Étaient *(il reprend avec finesse) étai-eunnt.* C'est-à-dire qu'il n'y avait pas qu'un *moutonne*. Il y avait plusieurs *moutonsse*. » ■ TOPAZE

Plusieurs verbes peuvent avoir le même sujet ; ils s'accordent **tous** avec ce sujet.

Le cochon **frappa** à la porte et **grogna** :
– Petits loups, petits loups, laissez-moi entrer !
– Non, non et non, dirent les trois petits loups. [...]
– Puisque c'est comme ça, je vais souffler, pouffer, pousser
mille bouffées, et je démolirai votre maison ! dit le cochon.
Et il **souffla**, **pouffa**, **poussa** mille bouffées, et même
plus que ça, mais la maison ne bougea pas.

■ LES TROIS PETITS LOUPS ET LE GRAND MÉCHANT COCHON

67 Où le sujet peut-il être placé ?

Le sujet se trouve le plus souvent **avant le verbe**. S'il se
trouve **après**, on parle de sujet **inversé**.

Ce n'est quand même pas ma faute si **les loups** mangent
des petites bêtes mignonnes comme les lapins, les agneaux,
les cochons !
On est fait comme ça. Si **les hamburgers** étaient mignons,
vous aussi, on vous traiterait de grands méchants.

■ LA VÉRITÉ SUR L'AFFAIRE DES TROIS PETITS COCHONS

les loups mangent des petites bêtes
  sujet   verbe

Si les hamburgers étaient mignons
     sujet   verbe

– Plaise à votre Majesté, où dois-**je** commencer ? demanda-
t-il.
– Commencez au commencement, dit **le roi** d'un ton
grave, et continuez jusqu'à ce que vous arriviez à la fin ;
ensuite, arrêtez-vous.

■ ALICE AU PAYS DES MERVEILLES

Où dois-je commencer ? demanda-t-il.
  verbe sujet   verbe sujet

Commencez au commencement, dit le roi.
                           verbe sujet

Le sujet et le verbe peuvent être séparés par d'autres mots. Le verbe s'accorde toujours avec le **nom noyau** du groupe nominal sujet.

Le monstre, hors de lui, **se roulait** par terre de colère. C'était d'ailleurs très drôle à voir. Maintenant il hurlait :
– Ce ne sont pas des manières de princesse !
– Poils aux fesses !

■ LE MONSTRE POILU

Le monstre, hors de lui, se roulait par terre de colère.

nom noyau	verbe

groupe nominal

Le verbe *se roulait* est conjugué à la 3e personne du singulier ; il s'accorde avec le nom singulier *monstre.*

Pour une vampire, elle était plutôt jolie... un petit nez retroussé, parsemé de taches de rousseur, de grands yeux bleus et des cheveux peignés avec soin. Seule sa forte odeur de moisi **était** quelque peu gênante.

■ LE GRAND AMOUR DU PETIT VAMPIRE

Seule sa forte odeur de moisi était quelque peu gênante.

nom noyau	verbe

groupe nominal

Le verbe *était* est conjugué à la 3e personne du singulier ; il s'accorde avec le nom singulier *odeur.*

Cependant la reine Florine, déguisée sous un habit de paysanne, avec ses cheveux épars et mêlés, qui cachaient son visage, un chapeau de paille sur la tête, un sac de toile sur son épaule, **commença** son voyage, tantôt à pied, tantôt à cheval, tantôt par mer, tantôt par terre.

■ L'OISEAU BLEU

Le verbe *commença* est conjugué à la 3e personne du singulier ; il s'accorde avec le nom singulier *reine.*

68 Comment accorder le verbe quand il a plusieurs sujets au singulier?

Un verbe peut avoir plusieurs sujets au singulier. Si les sujets sont **coordonnés** par **et**, ou **juxtaposés**, le verbe se met au **pluriel**.

Cependant <u>Delphine et Marinette</u> **avaient** couru à l'étable avertir le malheureux bœuf qui était justement en train d'étudier sa grammaire. En les voyant, il ferma les yeux et récita sans se tromper une fois la règle des participes, qui est pourtant très difficile. ■ LES CONTES ROUGES DU CHAT PERCHÉ

Le verbe *avaient* est conjugué à la 3ᵉ personne du pluriel; il s'accorde avec les sujets coordonnés *Delphine* et *Marinette*.

69 Comment accorder le verbe avec plusieurs pronoms personnels?

Un verbe peut avoir plusieurs sujets à des personnes différentes. Le verbe se met alors à la **première** ou à la **deuxième personne du pluriel**.

SUJET	VERBE	EXEMPLES
toi + moi (2ᵉ + 1ʳᵉ pers. du sing.)	nous (1ʳᵉ pers. du plur.)	Toi et moi sommes de vrais amis.
lui, elle + moi (3ᵉ + 1ʳᵉ pers. du sing.)	nous (1ʳᵉ pers. du plur.)	Lui, elle et moi avons fait nos études ensemble.
lui, elle + toi (3ᵉ + 2ᵉ pers. du sing.)	vous (2ᵉ pers. du plur.)	Lui, elle et toi habitez la même ville.

170 Comment accorder le verbe quand le sujet est un pronom relatif?

Pour accorder le verbe quand le sujet est un pronom relatif, il faut trouver l'**antécédent** de ce pronom relatif : c'est lui qui détermine l'accord.

La vache n'était pas moins curieuse de tout ce qu'elle apercevait derrière les vitres du buffet. Surtout, elle ne pouvait détacher son regard d'un fromage et d'un pot de lait, qui lui **firent** murmurer à plusieurs reprises : « Je comprends, maintenant, je comprends… »

■ LES CONTES BLEUS DU CHAT PERCHÉ

Le pronom relatif *qui* est le sujet du verbe *firent* ; il a pour antécédents *fromage* et *pot de lait* (deux noms coordonnés) ; le verbe *firent* est donc au pluriel.

Accorder le participe passé

- Pour accorder un verbe à un **temps composé** avec son sujet, il faut identifier l'auxiliaire (**avoir** ou **être**), puis le sujet, son genre et son nombre.

- Aux temps composés, le participe passé employé avec l'auxiliaire **être** s'accorde en genre et en nombre avec le **sujet**.

- Le participe passé employé avec l'auxiliaire **avoir** ne s'accorde **jamais** avec le **sujet** du verbe.

- Si un **COD** est placé **avant** le verbe, le participe passé employé avec **avoir** **s'accorde** en genre et en nombre avec ce COD.

71 Quel est l'auxiliaire utilisé : être ou avoir ?

Aux **temps composés** (passé composé, plus-que-parfait...), les verbes sont formés d'un **auxiliaire** (*avoir* ou *être*) et d'un **participe passé**.

Tremblantes, les petites se prirent par le cou, mêlant leurs cheveux blonds et leurs chuchotements. Le loup dut convenir qu'il n'**avait** rien **vu** d'aussi joli depuis le temps qu'il courait par bois et par plaines. Il en fut tout attendri.
– Mais qu'est-ce que j'ai ? pensait-il, voilà que je flageole sur mes pattes.
À force d'y réfléchir, il comprit qu'il **était devenu** bon, tout à coup. Si bon et si doux qu'il ne pourrait plus jamais manger d'enfants. ■ LES CONTES BLEUS DU CHAT PERCHÉ

il n'avait	*rien*	*vu*
auxiliaire		participe passé
avoir		du verbe *voir*

il était	*devenu*	bon
auxiliaire	participe passé	
être	du verbe *devenir*	

172 Comment accorder le participe passé employé avec l'auxiliaire être ?

Le participe passé employé avec l'auxiliaire **être** s'accorde en genre et en nombre avec le **sujet** du verbe.

Le roi avait couru mille risques depuis qu'il était en cage. Le clou qui l'accrochait s'était rompu ; la cage était tombée, et Sa Majestée emplumée souffrit beaucoup de cette chute. ■ L'OISEAU BLEU

la cage	*était*	*tombée*
nom		participe passé
féminin singulier		féminin singulier

173 Comment accorder le participe passé employé avec l'auxiliaire être, lorsqu'il y a plusieurs sujets ?

Si **tous** les sujets (coordonnés par **et** ou juxtaposés) sont au **féminin**, le participe passé s'accorde au **féminin pluriel**.

Delphine et Marinette étaient devenu**es** très pâles et joignaient les mains avec des yeux suppliants.
– Pas de prière qui tienne ! S'il ne pleut pas, vous irez chez la tante Mélina lui porter un pot de confiture.

■ LES CONTES ROUGES DU CHAT PERCHÉ

Delphine	et	*Marinette*	*étaient*	*devenues*	très pâles
nom féminin		nom féminin		participe passé	
singulier		singulier		féminin pluriel	

Si **tous** les sujets sont de genre **masculin**, le participe passé s'accorde au **masculin pluriel**.

Le roi et son frère, qui étaient prisonniers, et qui savaient que leur sœur devait arriver, s'étaient habill**és** de beau pour la recevoir.

■ LA PRINCESSE ROSETTE

Le	*roi*	*et*	*son*	*frère*	*s'étaient*	*habillés*
nom masculin				nom masculin		participe passé
singulier				singulier		masculin pluriel

Si les sujets n'ont pas le même genre, le participe passé est toujours au **masculin pluriel**.

À l'entrée de la cour, le canard, le chat, le coq, les poules, les oies et le cochon guettaient l'arrivée des petites pour avoir des nouvelles de la Cornette et furent bien étonn**és** de les voir apparaître seules avec le chien. La nouvelle de la disparition des vaches les mit en effervescence. Les oies se lamentaient, les poules couraient en tous sens, le cochon criait...

■ LES CONTES ROUGES DU CHAT PERCHÉ

Le sujet comprend des noms masculins et des noms féminins ; le participe passé *étonnés* s'accorde donc au masculin pluriel.

174 Comment accorder le participe passé employé avec l'auxiliaire avoir ?

> Le participe passé employé avec l'auxiliaire **avoir** ne s'accorde **jamais** avec le **sujet**.

Tous m'ont dit qu'ils n'avaient jamais, au grand jamais, **vu** une sorcière aussi laide que moi. J'ai **eu** ma photo sur la couverture de tous les magazines de la région.

■ LA GRANDE FÊTE DE LA SORCIÈRE CAMOMILLE

ils n'	*avaient*	*jamais vu*
sujet pluriel	auxiliaire *avoir*	participe passé invariable

j'	*ai*	*eu*
sujet singulier	auxiliaire *avoir*	participe passé invariable

175 Le participe passé employé avec avoir est-il toujours invariable ?

> Non ! Le participe passé employé avec l'auxiliaire *avoir* **s'accorde** en genre et en nombre **avec le COD** quand celui-ci est placé **avant le verbe**. Mais il ne s'accorde pas si le COD est placé après le verbe.

Cependant, elle ne tarda pas à comprendre qu'elle était dans la mare des larmes qu'elle avait vers**ées** quand elle avait deux mètres soixante et quinze de haut.

■ ALICE AU PAYS DES MERVEILLES

des larmes	*qu'elle avait*	*versées*
antécédent féminin pluriel	pronom relatif COD	participe passé féminin pluriel

Accorder les déterminants et les adjectifs qualificatifs avec le nom

À RETENIR

- Les déterminants et les adjectifs qualificatifs d'un groupe nominal **s'accordent en genre et en nombre** avec le nom noyau.
- Les **adjectifs numéraux** sont **invariables**, sauf *vingt* et *cent*.

76 Qu'est-ce qu'un groupe nominal?

Le groupe nominal (GN) est un groupe de mots organisé autour d'un nom noyau. Il peut occuper différentes fonctions (sujet, COD, COI, COS, CC, attribut du sujet). ▷ PARAGRAPHE 41

HENRIETTE *(après un temps, relevant la tête)*. – Ah! que c'est ennuyeux! Ça ne veut pas entrer...
RENÉ. – Moi ça commence!... Je sais jusqu'à «fromage»!, «... tenait **dans son bec un fromage**...»
HENRIETTE. – Deux lignes!... déjà!...
RENÉ. – Oui, et toi?
HENRIETTE. – Moi, je commence un peu à savoir le titre.
RENÉ. – Oh! tu verras, ça n'est pas très difficile... c'est très bête **cette fable-là**... c'est **pour les petits enfants**... mais on la retient facilement. ▪ Fiancés en herbe

tenait dans son <u>bec</u> un <u>fromage</u>
　　　　nom noyau　　　nom noyau

c'est très bête cette <u>fable-là</u>... c'est pour les petits <u>enfants</u>
　　　　　　　nom noyau　　　　　　　　　　　nom noyau

177 Quels mots peut-on trouver dans le GN ?

● On y trouve des **noms**. ▷ PARAGRAPHES 40 À 48

● On y trouve aussi des **déterminants : articles et adjectifs non qualificatifs**. ▷ PARAGRAPHES 70 À 80

▶ **Articles :** le, la, les, un, une, des, du, de la
▶ **Adjectifs possessifs :** mon, ma, notre, votre, leur, leurs...
▶ **Adjectifs démonstratifs :** ce, cet, cette, ces...
▶ **Adjectifs indéfinis :** certains, quelques, tout, toute, tous...
▶ **Adjectifs numéraux :** deux, vingt, cent, deuxième...

● On y trouve enfin des **adjectifs qualificatifs**.
▷ PARAGRAPHES 59 À 66

178 Comment faire l'accord dans le GN ?

Les déterminants et les adjectifs qualificatifs prennent le **genre** et le **nombre** du **nom noyau**.

Ce prince trouva aisément des dames du palais qui entrèrent dans la confidence ; il y en eut une qui lui assura que le soir même Florine serait à **une petite** fenêtre **basse** qui répondait sur le jardin, et que par là elle pourrait lui parler. ■ L'OISEAU BLEU

une	*petite*	*fenêtre*	*basse*
article indéfini	adj. qualificatif	nom noyau	adj. qualificatif
féminin singulier	féminin singulier	féminin singulier	féminin singulier

– Je te change tes trois timbres contre mon timbre, m'a dit Geoffroy.

– T'es pas un peu fou ? je lui ai demandé. Si tu veux **mes trois** <u>timbres</u>, donne-moi trois timbres, sans blague ! Pour un timbre je te donne un timbre. ■ LE PETIT NICOLAS ET LES COPAINS

<u>mes</u>	<u>trois</u>	<u>timbres</u>
adj. possessif	adj. numéral	nom noyau
masculin pluriel	masculin pluriel	masculin pluriel

Elles allèrent à l'écurie et à la basse-cour et décidèrent facilement le bœuf, la vache, le cheval, le mouton, le coq, la poule, à les suivre dans la cuisine. La plupart étaient très contents de jouer à l'Arche de Noé. Il y eut bien **quelques** <u>grincheux</u>, comme le dindon et le cochon, pour protester qu'ils ne voulaient pas être dérangés... ■ LES CONTES BLEUS DU CHAT PERCHÉ

<u>quelques</u>	<u>grincheux</u>
adj. indéfini	nom noyau
masculin pluriel	masculin pluriel

La Belle ne put s'empêcher de frémir en voyant **cette horrible** <u>figure</u>, mais elle se rassura de son mieux et, le monstre lui ayant demandé si c'était de bon cœur qu'elle était venue, elle lui dit en tremblant que oui. ■ LA BELLE ET LA BÊTE

<u>cette</u>	<u>horrible</u>	<u>figure</u>
adj. démonstratif	adj. qualificatif	nom noyau
féminin singulier	féminin singulier	féminin singulier

> Les adjectifs **numéraux** cardinaux *(deux, dix, trente, mille...)* sont **invariables sauf vingt** et **cent**. *Vingt* et *cent* peuvent se mettre au pluriel s'ils sont multipliés et qu'ils ne sont pas suivis d'un autre adjectif numéral.

quatre-vingt**s**, quatre-vingt-un, quatre-vingt-deux...
six cent**s**, six cent un, six cent deux, six cent trois...

179 Comment accorder un adjectif qualificatif qui se rapporte à plusieurs noms?

> Lorsque les noms sont **masculins**, l'adjectif s'accorde au **masculin pluriel**.

C'était un mélange de <u>poissons</u>, <u>d'oiseaux</u> et de <u>mammifères</u> **putréfiés**. Une odeur tout à fait insoutenable. Un peu comme celle qui s'exhalerait d'une porcherie-poissonnerie-basse-cour, si cela existait.

◼ LE CHEVALIER DÉSASTREUX

de *poissons*,	*d'oiseaux* et de *mammifères*	*putréfiés*
nom	nom nom	adj. qualificatif
masculin pluriel	masculin pluriel masculin pluriel	masculin pluriel

> Lorsque les noms sont **féminins**, l'adjectif s'accorde au **féminin pluriel**.

Effrayées, <u>Delphine et Marinette</u> se mirent à pleurer. En voyant les larmes, le vieux cygne, perdant la tête, se mit à tourner en rond devant elles. ◼ LES CONTES BLEUS DU CHAT PERCHÉ

Effrayées,	*Delphine*	et	*Marinette*	*se mirent à pleurer.*
adj. qualificatif	nom féminin		nom féminin	
féminin pluriel	singulier		singulier	

> Lorsque les noms ont des genres **différents**, l'adjectif s'accorde au **masculin pluriel**.

C'était un joli canard. Il avait <u>la tête et le col</u> **bleus**, le jabot couleur de rouille et les ailes rayées bleu et blanc.

◼ LES CONTES BLEUS DU CHAT PERCHÉ

la	*tête*	et	*le*	*col*	*bleus*
	nom féminin			nom masculin	adj. qualificatif
	singulier			singulier	masculin pluriel

Former le pluriel des noms

- La plupart des noms ont un **pluriel en s**. Mais il existe des exceptions que vous devez connaître.
  ▷ PARAGRAPHES 192 À 194

- Les noms en **-eu**, **-au**, **-eau**, **-ou**, **-al** et **-ail** forment leur pluriel selon des règles spéciales.

80 Quel est, en général, le pluriel des noms?

En général, les noms forment leur pluriel en ajoutant un **s** à la forme du singulier.

le lièvre → les lièvre**s**   un rat → des rat**s**

81 Comment se forme le pluriel des noms en -eu, -au, -eau?

La plupart des noms terminés au singulier par **-eu**, **-au**, **-eau** forment leur pluriel en ajoutant un **x**.

les chev**eux**   les tuy**aux**   les drap**eaux**

Les mots **landau**, **sarrau**, **bleu** et **pneu** forment leur pluriel en ajoutant un **s**.

les land**aus**   les sarr**aus**   les bl**eus**   les pn**eus**

182 Comment se forme le pluriel des noms en -ou?

La plupart des noms terminés par **-ou** au singulier forment leur pluriel en ajoutant un **s**.

un sou → des sou**s**

Sept mots en **-ou** prennent un **x** au pluriel: **bijou**, **caillou**, **chou**, **genou**, **hibou**, **joujou** et **pou**.

un bijou → des bijou**x**

183 Comment se forme le pluriel des noms en -s, -x ou -z?

Les noms déjà terminés au singulier par **-s**, **-x** ou **-z** ne changent pas de forme au pluriel.

le boi**s** → les boi**s**   le pri**x** → les pri**x**   le ga**z** → les ga**z**

184 Quel est le pluriel des noms en -al?

La plupart des noms terminés par **-al** forment leur pluriel en **-aux**.

un anim**al** → des anim**aux**   un chev**al** → des chev**aux**

Cinq mots en **-al** forment leur pluriel en ajoutant un **s**: **bal**, **carnaval**, **chacal**, **festival** et **régal**.

un carnav**al** → des carnav**als**

85. Quel est le pluriel des noms en -ail?

Certains mots terminés par **-ail** forment leur pluriel en ajoutant un **s**: **attirail**, **chandail**, **détail**, **épouvantail**, **gouvernail** et **portail**.

un dét**ail** → des dét**ails**   un port**ail** → des port**ails**

D'autres mots terminés par **-ail** ont un pluriel en **-aux**: **corail**, **émail**, **travail** et **vitrail**.

un cor**ail** → des cor**aux**   un ém**ail** → des ém**aux**

86. Le pluriel peut-il changer la prononciation d'un nom?

Oui! Au pluriel, dans quelques cas, on ne prononce pas les consonnes finales.

un œuf [œf] → des œufs [ø]

ATTENTION
un œil, des yeux [zjø]

Les hiboux

Ce sont les mères des **hiboux**
Qui désiraient chercher les **poux**
De leurs enfants, leurs petits **choux**,
En les tenant sur les **genoux**.

Leurs yeux d'or valent des **bijoux**
Leur bec est dur comme **cailloux**,
Ils sont doux comme des **joujoux**,
Mais aux hiboux point de **genoux** !

■ Robert Desnos,
Chantefables et Chantefleurs, © Grund

Une histoire de chacals

Le propriétaire d'un zoo écrit à
un de ses fournisseurs en Afrique :
« Cher Monsieur, veuillez me faire
expédier deux *chacals*, s'il vous plaît. »
Il relit ce qu'il a écrit, se gratte la tête,
puis déchire sa lettre et en fait une autre :
« Cher Monsieur, veuillez me faire
expédier deux *chacaux*, s'il vous plaît. »
Il relit la lettre, hésite et se dit :
« Décidément, je n'en sais rien. »
Alors, il déchire la seconde lettre
et en écrit une troisième :
« Cher Monsieur, veuillez me faire
expédier un chacal, s'il vous plaît.
Post-scriptum : pendant que vous y êtes,
mettez-m'en deux... »

■ Hervé Nègre, *Dictionnaire des histoires drôles*,
© Librairie Arthème Fayard, 1967

Former le pluriel des adjectifs qualificatifs

À RETENIR

■ La plupart des adjectifs qualificatifs ont un **pluriel en s** et s'accordent avec le ou les noms qu'ils qualifient. Mais il existe des exceptions que vous devez connaître.

187 Comment se forme, en général, le pluriel des adjectifs qualificatifs ?

La plupart des adjectifs forment leur pluriel en ajoutant un **s**.

grand, grande → grand**s**, grande**s**
important, importante → important**s**, importante**s**
joli, jolie → joli**s**, jolie**s**

188 Comment se forme le pluriel des adjectifs qualificatifs en -s ou en -x ?

Les adjectifs terminés par **-s** ou **-x** au singulier **ne changent pas** de forme au **masculin pluriel**.

un gro**s** câlin → de gro**s** câlins
un gâteau délicieu**x** → des gâteaux délicieu**x**

89 Comment se forme le pluriel des adjectifs qualificatifs en -al?

Les adjectifs terminés par **-al** forment généralement leur masculin pluriel en **-aux**.

vertic**al** → vertic**aux** (féminin pluriel : vertic**ales**)

Banal, **bancal**, **fatal**, **natal** et **naval** forment leur masculin pluriel en ajoutant un **s** à la forme du singulier.

nav**al** → nav**als**

90 Comment se forme le pluriel des adjectifs qualificatifs en -eau?

Les adjectifs terminés par **-eau** forment leur pluriel en **-eaux**.

un b**eau** parc → de b**eaux** parcs

91 Quel est le pluriel des adjectifs qualificatifs de couleur?

Lorsque la couleur est désignée par **un seul adjectif** (*blanc, jaune, vert...*), celui-ci **s'accorde** en genre et en nombre avec le nom qu'il qualifie.

des <u>murs</u> <u>blancs</u>
nom   adjectif
masculin masculin
pluriel   pluriel

des <u>maisons</u> <u>blanches</u>
nom   adjectif
féminin féminin
pluriel   pluriel

Lorsqu'un nom de **fruit** *(marron...)*, de **fleur** *(jonquille...)* ou de **pierre précieuse** *(émeraude...)* est employé comme adjectif de couleur, l'adjectif est **invariable**.

des <u>chapeaux</u> <u>marron</u>
nom   adjectif
masculin   invariable
pluriel

des <u>mers</u> <u>turquoise</u>
nom   adjectif
féminin   invariable
pluriel

EXCEPTIONS

des chemises **roses**, des pulls **mauves**

Lorsque la couleur est désignée par un **adjectif composé** (adjectif + adjectif, adjectif + nom), l'adjectif reste **invariable**.

des <u>vestes</u> <u>bleu marine</u>
nom   adjectif
féminin   composé
pluriel   invariable

des <u>camions</u> <u>vert pomme</u>
nom   adjectif
masculin   composé
pluriel   invariable

Le pluriel des adjectifs de couleur

J'ai quatre cornes **citron**
et trois jolis yeux **turquoise**,
une moustache **framboise**,
un gentil visage rond.

Mon ventre est **vert véronèse**,
ma poitrine **vert wagon**,
mes cheveux sentent la fraise
et parfois le macaron.

J. Charpentreau,
Mon premier livre de devinettes,
© Éd. ouvrières/Éd. de l'Atelier, 1986

187

Former le pluriel des noms composés

- Pour mettre un **nom composé** au pluriel, il faut d'abord identifier la **nature** des mots qui le composent.
- Dans un nom composé, seuls l'**adjectif** et le **nom** peuvent prendre la **marque du pluriel**.
- Les autres éléments (verbe, adverbe, préposition) restent **invariables**.

192 Qu'est-ce qu'un nom composé?

Un nom composé est un nom formé de **deux** ou **trois mots**.

un bateau-mouche
une pomme de terre

193 Quel est le pluriel d'un nom composé?

Le **verbe**, l'**adverbe** et la **préposition** sont **invariables** dans un nom composé. L'**adjectif s'accorde** toujours.

des **sèche**-linge   des arcs-**en**-ciel   des basse**s**-cours

- Dans un nom composé, **en général**, le **nom s'accorde**.
- Mais si le nom composé est formé d'un verbe et d'un nom, le **nom peut ne pas s'accorder**. Cela dépend du **sens** du nom composé.

des lave-vaisselle

On lave **la** vaisselle : *vaisselle* reste au singulier.

des tire-bouchons

On retire **des** bouchons : *bouchons* se met au pluriel.

94 Formation du pluriel des mots composés

MOTS COMPOSÉS	EXEMPLES
nom + nom	un chou-fleur des choux-fleurs
adjectif + nom	une longue-vue des longues-vues
nom + préposition + nom	un gardien de but des gardiens de but
verbe + nom	un tire-bouchon des tire-bouchons un lave-vaisselle des lave-vaisselle
adverbe + nom	une avant-garde des avant-gardes

Complainte du progrès

Autrefois s'il arrivait
Que l'on se querelle
L'air lugubre on s'en allait
En laissant la vaisselle
Aujourd'hui, que voulez-vous
La vie est si chère
On dit rentre chez ta mère
Et on se garde tout
Ah... Gudule... Excuse-toi...
ou je reprends tout ça

Mon frigidaire
Mon armoire à cuillers
Mon évier en fer
Et mon poêl'à mazout
Mon **cire-godasses**
Mon **repasse-limaces**
Mon tabouret à glace
Et mon **chasse-filou**
La tourniquette
À faire la vinaigrette
Le **ratatine-ordures**
Et le **coupe-friture**

■ Boris Vian, © Héritiers Vian
et Christian Bourgois éd., 1984

190

istinguer les homophones

■ Certains mots
se prononcent
de la **même
manière**, mais
ils ont une **orthographe
différente**: ce sont des
homophones. Pour bien
les écrire, il faut apprendre
à les reconnaître.

DEPUIS QU'IL A UNE CANE,
MON GRAND-PÈRE MARCHE
PLUS FACILEMENT.

95 Qu'appelle-t-on des homophones?

Les **homophones** sont des mots qui se prononcent de façon
identique mais **ne s'écrivent pas** de la même façon. Ils
diffèrent également par le sens.

un ba**l**   une ba**lle**

Parfois, ces mots n'appartiennent pas à la même catégorie
grammaticale; on les appelle alors des homophones
grammaticaux.

le **lait**: nom
laid: adjectif
bien qu'il **l'ait**: pronom personnel + verbe *avoir* à la 3e personne
du singulier

un **compte**: nom
il **compte**: verbe

196 Comment distinguer à et a?

> On peut mettre les phrases à l'imparfait : **a** devient **avait**,
> **à** ne change pas. **A** est la forme conjuguée du verbe *avoir*,
> **à** est une préposition.

Je lui ai dit que je ne savais pas ; alors il m'**a** dit qu'avec
les dix francs, je pourrais avoir des tas de tablettes de
chocolat.
– Tu pourrais en acheter cinquante ! Cinquante tablettes,
tu te rends compte ? m'**a** dit Alceste, vingt-cinq tablettes
pour chacun !
– Et pourquoi je te donnerais vingt-cinq tablettes, j'ai
demandé ; le billet, il est **à** moi !
– Laisse-le, **a** dit Rufus **à** Alceste, c'est un radin !

■ LE PETIT NICOLAS A DES ENNUIS

> Si l'on met les phrases à l'imparfait, seul le verbe *avoir* change.
> → alors il m'avait dit...
> → tu te rends compte ? m'avait dit Alceste...
> → le billet, il était à moi !
> → – Laisse-le, avait dit Rufus à Alceste...

> Devant un infinitif, on écrit toujours **à**.

Tu n'as pas l'air sotte, contrairement à la plupart des
vaches de Balanzategui qui ne pensent qu'**à** manger
et **à** dormir. Elles sont **à** vomir.

■ MÉMOIRES D'UNE VACHE

à	manger
préposition	infinitif

à	dormir
préposition	infinitif

97 Comment distinguer ce et se?

> **Se** est placé **devant un verbe**. Si l'on met la phrase à la
> première personne du singulier, **se** devient **me**. C'est un
> pronom personnel.

Rosette dormait à poings fermés, quand la méchante
nourrice s'en alla quérir le batelier. Elle le fit entrer dans la
chambre de la princesse ; puis ils la prirent avec son lit de
plume, son matelas, ses draps, ses couvertures. Ils jetèrent
le tout à la mer ; et la princesse dormait de si bon sommeil
qu'elle ne **se** réveilla point.   ■La princesse Rosette

> *elle ne se réveilla point.*
> pronom personnel
> → je ne **me** réveillai point

> **Ce** peut se trouver **avant** un **nom masculin**. **Ce** devient
> **cette** avant un nom féminin. C'est un adjectif démonstratif.

Ce pauvre monstre voulut soupirer et il fit un sifflement
si épouvantable que tout le palais en retentit.

■La Belle et la Bête

> *Ce pauvre monstre*
> adj. démonstratif
> → Cette pauvre bête

> **Ce** (pronom démonstratif) peut se trouver **avant** un **verbe**.
> Dans ce cas, on ne peut pas mettre la phrase à une autre
> personne.

– Ce que tu dis des vaches est faux, et tu ne devrais pas te
sous-estimer ainsi, dit-il.
– C'est possible, répondis-je avec une certaine prudence.
– C'est sûr, ma fille. Une vache, **ce** n'est pas n'importe
quoi !   ■Mémoires d'une vache

198 Comment distinguer ces et ses?

On peut mettre les phrases au singulier : **ces** devient **ce** ou **cette**, **ses** devient **son** ou **sa**. Ces est un adjectif démonstratif, **ses** est un adjectif possessif.

Courageux comme un timbre-poste
il allait son chemin
en tapant doucement dans **ses** mains
pour compter **ses** pas   ■ Poèmes et poésies

> *en tapant doucement dans ses mains*
>   adj. possessif
> → en tapant doucement dans sa main

Lorsqu'il vit les parents bien loin au dernier tournant du sentier, le loup fit le tour de la maison en boitant d'une patte, mais les portes étaient bien fermées. Du côté des vaches et des cochons, il n'avait rien à espérer. **Ces** espèces n'ont pas assez d'esprit pour qu'on puisse les persuader de se laisser manger.   ■ Les contes bleus du chat perché

> *Ces espèces n'ont pas assez d'esprit*
> adj. démonstratif
> → Cette espèce n'a pas assez d'esprit

Ses est un adjectif possessif ; il indique à qui appartient quelque chose.

Ce jour-là, vers midi, la faim réveilla le dragon.
Il chaussa **ses** pantoufles et s'essaya à cracher un peu de feu.
Juste pour voir s'il était en forme.   ■ Dragon l'Ordinaire

> *Il chaussa ses pantoufles* : les pantoufles du dragon.

99 Comment distinguer c'est et s'est?

> On peut mettre les phrases à la première personne du singulier, par exemple: **s'est** devient **me suis**, **c'est** ne change pas.

Alors Maixent **s'est** levé, et il **s'est** mis à pleurer, et la maîtresse a dit à Clotaire et à Maixent de conjuguer à tous les temps de l'indicatif et du subjonctif le verbe: «Je dois être attentif en classe, au lieu de me distraire en y faisant des niaiseries, car je suis à l'école pour m'instruire, et non pas pour me dissiper ou m'amuser.» ■ Le petit Nicolas a des ennuis

Alors Maixent	*s'*	*est levé*
	pronom personnel	auxiliaire être

→ Alors je <u>me suis</u> levé

Moi j'étais drôlement content, parce que j'aime bien sortir avec mon Papa, et le marché, **c'est** chouette. Il y a du monde et ça crie partout, c'est comme une grande récré qui sentirait bon. ■ Le petit Nicolas a des ennuis

C'	*est chouette.*
pronom démonstratif	verbe être

> On peut aussi mettre les phrases à la forme négative: **s'est** devient **ne s'est pas**, **c'est** devient **ce n'est pas**.

Alors Maixent s'est levé, et il s'est mis à pleurer
→ Maixent <u>ne s'est pas</u> levé, et il <u>ne s'est pas</u> mis à pleurer

c'est chouette
→ <u>ce n'est pas</u> chouette

200 Comment distinguer c'était et s'était?

> On peut mettre les phrases à la première personne du
> singulier, par exemple : **s'était** (ou **s'étaient**) devient **m'étais**,
> **c'était** (ou **c'étaient**) ne change pas.

Tous les fantômes que j'ai pu voir se bornaient à voleter
et à bavarder, comme des papillons ou des rossignols.
C'étaient de vrais gentlemen, tout à fait inutiles et pas
méchants du tout, qui semblaient s'ennuyer dans l'autre
monde comme ils **s'étaient** déjà ennuyés dans celui-ci.

■ UN MÉTIER DE FANTÔME

<u>C'</u>   <u>étaient</u>   de vrais gentlemen
pronom   verbe
démonstratif   être

ils   <u>s'</u>   <u>étaient</u> ennuyés → je <u>m'étais</u> ennuyé
    pronom   auxiliaire
    personnel   être

> On peut aussi mettre les phrases à la forme négative : **s'était**
> devient **ne s'était pas**, **c'était** devient **ce n'était pas**.

C'étaient de vrais gentlemen
→ <u>Ce n'étaient pas</u> de vrais gentlemen

ils <u>s'étaient</u> ennuyés
→ ils <u>ne s'étaient pas</u> ennuyés

201 Comment distinguer dans et d'en?

> **Dans** introduit un nom ou un groupe nominal. **Dans** est une préposition.

– On ne peut pas discuter avec vous, soupira le bœuf, vous êtes des enfants.
Et il se replongea **dans** un chapitre de géographie, en faisant remuer sa queue pour témoigner aux petites que leur présence l'impatientait. ◾Les contes rouges du chat perché

> *Et il se replongea dans un chapitre de géographie*
>   préposition
>   groupe nominal CC de lieu

> **D'en** ne se trouve jamais devant un nom. **En** remplace un complément.

Sophie avait élaboré un nouveau système d'élevage intensif de cloportes. Elle avait laissé tomber la récolte des allumettes, dont ils ne semblaient pas raffoler, et avait mis ses cloportes dans un tamis à grains pour qu'ils puissent aller et venir à leur gré. Elle les nourrissait désormais de corn-flakes ; ils n'en laissaient jamais une miette, bien qu'elle n'en eût jamais vu un seul en train **d'en** manger.
◾L'escargot de Sophie

> *en train d'en manger* : en train de manger des corn-flakes

ATTENTION

Pensez aussi au nom féminin **dent**.

L'idée que mon père allait vraiment me traîner à proximité de ces êtres effroyables qu'étaient les hommes, et m'obliger à leur faire peur avec des Hou-hou-hou ! des Ha-ha-ha !, à grincer des **dents** et à rouler de gros yeux, cette idée me plongeait dans une telle panique que j'étais bel et bien près de crever de peur. ◾Les temps sont durs pour les fantômes

202 Comment distinguer et et est?

On peut mettre les phrases à l'imparfait : **est** (verbe *être*)
devient **était**, **et** (conjonction de coordination) ne change pas.

Le chien du boulanger
Est maigre comme un clou,
Mais celui du boucher
Est gras **et** rond comme une pomme de terre. ■ À DOS D'OISEAU

→ *Le chien du boulanger <u>était</u> maigre comme un clou, mais*
   verbe être
celui du boucher <u>était</u> gras et rond comme une pomme de terre.
   verbe être   conjonction de coordination

203 Comment distinguer la, l'a et là?

La se trouve **devant un nom** féminin singulier. Si on met
le nom au masculin ou au pluriel, **la** devient **le** ou **les**.
C'est un article défini.

Quand **la** poussière s'est envolée, j'ai vu le Deuxième Petit
Cochon – mort comme une bûche. Parole de Loup.
Mais tout le monde sait que la nourriture s'abîme si on la
laisse traîner dehors. Alors j'ai fait mon devoir. J'ai redîné.
■ LA VÉRITÉ SUR L'AFFAIRE DES TROIS PETITS COCHONS

<u>la</u> poussière s'est envolée   → <u>le</u> petit cochon s'est envolé
article défini   → <u>les</u> poussières se sont envolées

La se trouve **devant un verbe** et remplace un mot.
C'est un pronom personnel.

la nourriture s'abîme si on <u>la</u> <u>laisse</u> traîner dehors
                            pronom personnel   verbe
                            = si on laisse <u>la nourriture</u> traîner dehors

> **Là** désigne un lieu. On peut le remplacer par **ici** ou par un complément de lieu. C'est un adverbe.

Et au beau milieu du tas de paille, j'ai vu le Premier Petit Cochon – mort comme une bûche. Il était **là** depuis le début.

■ La vérité sur l'affaire des trois petits cochons

> *Il était là depuis le début.* = Il était <u>sur la paille</u>.
> adverbe   CC de lieu

> **L'a** (ou **l'as**) est formé du pronom personnel **le** ou **la** et du verbe **avoir**. Pour le distinguer de **la** ou de **là**, on peut mettre les verbes à l'imparfait : **l'a** *(l'as)* devient **l'avait** *(l'avais)*, **la** et **là** ne changent pas.

– Eudes ! a crié Eudes, et M. Pierrot a enlevé les choses qu'il avait sur les oreilles.
– Pas si fort, a dit M. Kiki. C'est pour ça qu'on a inventé **la** radio ; pour se faire entendre très loin sans crier. Allez, on recommence… Comment t'appelles-tu, mon petit ?
– Ben, Eudes, je vous l'ai déjà dit, a dit Eudes.
– Mais non, a dit M. Kiki. Il ne faut pas me dire que tu me **l'as** déjà dit. Je te demande ton nom, tu me le dis, et c'est tout.

■ Le petit Nicolas et les copains

> *Il ne faut pas me dire que tu me l' as déjà dit.*
>   pronom personnel   auxiliaire *avoir*
> → Il ne fallait pas me dire que tu me l'<u>avais</u> déjà dit.

199

204 Comment distinguer leur et leurs?

> **Leur** reste invariable quand il se trouve **devant un verbe**.
> C'est un pronom possessif. **Leur** s'accorde en nombre **(leurs)**
> s'il se trouve **devant un nom** pluriel. C'est un adjectif possessif.

Le sanglier s'intéressa beaucoup à l'école et regretta de ne
pouvoir y envoyer ses marcassins. Mais il ne comprenait
pas que les parents des petites fussent aussi sévères.
– Voyez-vous que j'empêche mes marcassins de jouer pendant
tout un après-midi pour **leur** faire faire un problème? Ils
ne m'obéiraient pas. Du reste, **leur** mère les soutiendrait
sûrement contre moi.   ■ LES CONTES ROUGES DU CHAT PERCHÉ

| *leur* mère → leurs mères (au pluriel)
| adj. possessif

> Si on peut remplacer **leur** par **lui**, **leur** reste invariable.

| *– Voyez-vous que j'empêche mes marcassins de jouer*
| *pendant tout un après-midi pour leur faire faire un problème?*
| pronom personnel
| → Voyez-vous que j'empêche mon marcassin de jouer
| pendant tout un après-midi pour lui faire faire un problème?

205 Comment distinguer même adverbe et même(s) adjectif?

> **Même** est invariable s'il signifie: *aussi, de plus, encore plus.*
> C'est un adverbe.

Je fume souvent la pipe   parfois **même** je réussis
m'a dit le printemps   un arc-en-ciel
et je gonfle de jolis nuages   ce qui n'est pas si facile

                              ■ POÈMES ET POÉSIES

parfois <u>même</u> je réussis un arc-en-ciel = parfois <u>aussi</u>
<u>adverbe</u>

Même s'accorde en nombre avec le nom qu'il détermine si on ne peut pas le changer de place. C'est un adjectif qualificatif.

Cet autobus avait un certain goût. Curieux mais incontestable. Tous les autobus n'ont pas le **même** goût. Ça se dit, mais c'est vrai. Suffit d'en faire l'expérience. Celui-là – un S – pour ne rien cacher – avait une petite saveur de cacahouète grillée je ne vous dis que ça.

■ EXERCICES DE STYLE

On ne peut pas changer l'adjectif *même* de place.
→ les <u>mêmes</u> goûts

06 Comment distinguer ni et n'y?

Si on met la phrase à la forme affirmative, **ni** (conjonction de coordination) devient **et**, **n'y** *(ne + y)* devient **y**.

Une limace, c'est mou. C'est flasque. C'est gélatineux. Ça n'a **ni** queue **ni** tête. **Ni** tête **ni** queue. Ça finit comme ça commence et ça ne commence pas très bien !

■ UN VILAIN PETIT LOUP

Ça n'a <u>ni</u> queue <u>ni</u> tête. → Ça a une queue <u>et</u> une tête.

Nous sommes partis avec nos cannes à pêche et nos vers, et nous sommes arrivés sur la jetée, tout au bout. Il **n'y** avait personne, sauf un gros monsieur avec un petit chapeau blanc qui était en train de pêcher, et qui n'a pas eu l'air tellement content de nous voir.

■ LES VACANCES DU PETIT NICOLAS

Il <u>n'</u> <u>y</u> avait personne → Il <u>y</u> avait quelqu'un
<u>négation</u> <u>pronom personnel</u>

207 Comment distinguer notre et (le) nôtre ?

> Au pluriel, **notre** devient **nos** et **nôtre** devient **nôtres**.
> De plus, **nôtre** n'apparaît jamais sans **le** ou **la**. **Notre** est un adjectif possessif, **le nôtre** est un pronom possessif.

– Je crains que le fantôme n'existe bel et bien, dit Lord Canterville en souriant, et qu'il puisse résister aux propositions de vos imprésarios, si entreprenants soient-ils. Il est bien connu depuis 1584, et il fait toujours son apparition avant la mort d'un membre de **notre** famille.

■ LE FANTÔME DE CANTERVILLE

> *un membre de <u>notre</u> famille* → un membre de <u>nos</u> familles
> adj. possessif

Tu te trouves tout simplement au paradis des chiens. Tous les chiens après leur mort viennent ici, où ils ne sont plus jamais malheureux et n'ont plus jamais de soucis. Le paradis des humains se trouve beaucoup plus haut. **Le nôtre** est à mi-chemin et beaucoup d'hommes qui vont au paradis passent par chez nous.

■ L'ACADÉMIE DE M. TACHEDENCRE

> *<u>Le nôtre</u> est à mi-chemin* → <u>Les nôtres</u> sont à mi-chemin
> pronom possessif

208 Comment distinguer on et ont ?

> On peut mettre les phrases à l'imparfait : **ont** (forme conjuguée du verbe *avoir*) devient **avaient**, **on** (pronom personnel) ne change pas.

« En voilà une histoire ! dit le roi. Monsieur le secrétaire, regardez donc ce que dit l'Encyclopédie au sujet des vaches qui **ont** des étoiles sur les cornes. »

Le secrétaire se mit à quatre pattes et fouilla sous le trône.
Il réapparut bientôt, un grand livre dans les mains. **On** le
mettait toujours sous le trône pour le cas où le roi aurait
besoin d'un renseignement.

■ MARY POPPINS

> *des vaches qui ont des étoiles sur les cornes*
> verbe *avoir*
> → des vaches qui avaient des étoiles sur les cornes
>
> *On le mettait toujours sous le trône :* on ne change pas.
> pronom personnel

09 Comment distinguer ou et où?

On peut remplacer **ou** par **ou bien. Ou** est une conjonction
de coordination.

J'aimerais bien écrire une tragédie **ou** un sonnet **ou** une
ode, mais il y a les règles. Ça me gêne.

■ EXERCICES DE STYLE

> *une tragédie ou un sonnet* = une tragédie ou bien un sonnet
> conjonction de coordination

Où permet de poser une question ou de ne pas répéter un
mot. Il indique le lieu. On ne peut pas le remplacer par *ou
bien*. **Où** est un pronom.

Ah ! dites, dites
Où sont passés les troglodytes ?

■ INNOCENTINES

> *Où sont passés les troglodytes ?* On pose une question sur le lieu.
> pronom interrogatif

Alors Albert s'approcha de lui, et lui prenant la main :
« Monsieur, dit-il, nous avons découvert un endroit **où**
vous pourrez vous reposer. »

■ L'ÎLE MYSTÉRIEUSE

> *un endroit où vous pourrez vous reposer :* où remplace *un endroit*.
> pronom relatif

210 Comment distinguer peu, peux et peut ?

> On peut mettre les phrases à l'imparfait : **peux** devient **pouvais**, **peut** devient **pouvait**, **peu** ne change pas. On reconnaît alors les formes du verbe *pouvoir*, alors que *peu*, adverbe, ne change pas.

« Moi, ce que j'aimerais, c'est m'acheter un avion, un vrai.
– Tu ne **peux** pas, m'a dit Joachim, un vrai avion, ça coûte au moins mille francs.
– Mille francs ? a dit Geoffroy, tu rigoles ! Mon papa a dit que ça coûtait au moins trente mille francs, et un petit, encore.　　　　■ LE PETIT NICOLAS A DES ENNUIS

> *Tu ne peux pas* → Tu ne pouvais pas
> 　　verbe *pouvoir*

Une femme de 53 kilos et portant des boucles d'oreilles roses **peut**-elle soulever une moto de 192 kilos en pleine tempête ?　　　　■ LE LIVRE DE NATTES

> *Une femme peut-elle soulever une moto ?*
> 　　　verbe *pouvoir*
> → Une femme pouvait-elle soulever une moto ?

On vit **peu** d'animaux pendant cette journée, à peine quelques singes, qui fuyaient avec mille contorsions et grimaces dont s'amusait fort Passepartout.
Une pensée au milieu de bien d'autres inquiétait ce garçon. Qu'est-ce que Mr Fogg ferait de l'éléphant, quand il serait arrivé à la station d'Allahabad ? L'emmènerait-il ? Impossible !　　　　■ LE TOUR DU MONDE EN QUATRE-VINGTS JOURS

> *On vit peu d'animaux* ≠ On vit beaucoup d'animaux
> 　　　adverbe

211 Comment distinguer plutôt et plus tôt?

Plus tôt est le contraire de **plus tard**. **Plutôt** a le sens de **assez, de préférence**...

– Après tout, maintenant que le contrat est signé, je peux bien vous le dire... la maison est hantée !
– Hantée ? Hantée par qui ?
– Par la sorcière du placard aux balais !
– Vous ne pouviez pas le dire **plus tôt** ?

■ LA SORCIÈRE DE LA RUE MOUFFETARD

Vous ne pouviez pas le dire plus tôt ?
≠ Vous ne pouviez pas le dire plus tard ?

– Sire, répond l'agneau, que Votre Majesté
Ne se mette pas en colère ;
Mais **plutôt** qu'elle considère
Que je me vas désaltérant
Dans le courant,
Plus de vingt pas au-dessous d'elle ;

■ LE LOUP ET L'AGNEAU

Mais plutôt qu'elle considère
= Mais qu'elle considère de préférence

212 Comment distinguer près et prêt?

Près est une préposition qui introduit le lieu et demeure **invariable**. **Prêt** est un adjectif qualificatif qui **s'accorde** en genre et en nombre avec le nom qu'il qualifie.

Alice n'aimait pas du tout voir la Duchesse si **près** d'elle : d'abord, parce qu'elle était vraiment très laide.

■ ALICE AU PAYS DES MERVEILLES

Où est la Duchesse ? → Près d'Alice.

Sept heures sonnaient alors. On offrit à Mr Fogg de suspendre le whist afin qu'il pût faire ses préparatifs de départ.
« Je suis toujours **prêt** ! » répondit cet impassible gentleman. ■ Le tour du monde en quatre-vingts jours

> « Je suis toujours _prêt_ ! » répondit cet impassible gentleman.
> → « Je suis toujours _prête_ ! » répondit cette impassible lady.

213 Comment distinguer quand, quant et qu'en ?

> **Quand** peut être remplacé par **lorsque**. **Quant (à)** peut être remplacé par **en ce qui concerne**.

– **Quant** à vous autres, et bien que la pluie ait cessé, vous ne descendrez pas dans la cour de récréation aujourd'hui. Ça vous apprendra un peu le respect de la discipline ; vous resterez en classe sous la surveillance de votre maîtresse ! Et **quand** le directeur est parti, **quand** on s'est rassis, avec Geoffroy et Maixent, à notre banc, on s'est dit que la maîtresse était vraiment chouette, et qu'elle nous aimait bien, nous qui, pourtant, la faisons quelquefois enrager.
■ Le petit Nicolas et les copains

> _Quant à vous autres_ = En ce qui vous concerne, vous autres
>
> _Et quand le directeur est parti, quand on s'est rassis_
> = Et lorsque le directeur est parti, lorsqu'on s'est rassis

> **Qu'en** se compose de la conjonction **que** et du pronom personnel **en**. **En** remplace un complément introduit par **de**.

Le directeur comprit qu'il avait perdu la partie.
– Puis-je suggérer un compromis ? dit-il. Je lui permets de garder ses deux souris dans sa chambre, à condition qu'elles restent dans leur cage. **Qu'en** pensez-vous ?
■ Sacrées sorcières

Qu'en pensez-vous ? = Que pensez-vous de ma proposition ?
pronom personnel

14 Comment distinguer quel, quelle et qu'elle ?

Pour distinguer **quelle(s)** et **qu'elle(s)**, on peut mettre la phrase au masculin : **qu'elle(s)** devient **qu'il(s)**.

Et d'abord, à quoi bon rester ici à faire des problèmes quand il fait si beau dehors ? Les pauvres petites seraient bien mieux à jouer.
– C'est ça. Et plus tard, quand elles auront vingt ans, **qu'elles** seront mariées, elles seront si bêtes que leurs maris se moqueront d'elles.
– Elles apprendront à leurs maris à jouer à la balle et à saute-mouton. N'est-ce pas, petites ?

■ LES CONTES ROUGES DU CHAT PERCHÉ

Et plus tard, quand elles auront vingt ans,
qu'   elles seront mariées, elles seront si bêtes...
conjonction de   pronom
subordination   personnel
→ Et plus tard, quand ils auront vingt ans, qu'ils seront mariés, ils seront si bêtes...

Quel bonheur, **quelle** joie donc d'être un escargot.

■ LE PARTI PRIS DES CHOSES

Quel, quelle sont des adjectifs exclamatifs.

TOPAZE. – Élève Séguédille, voulez-vous me dire **quel** est l'état d'esprit de l'honnête homme après une journée de travail ?
ÉLÈVE SÉGUÉDILLE. – Il est fatigué.

■ TOPAZE

Quel est un adjectif interrogatif.

215 Comment distinguer sans, sent, s'en?

Sans est le contraire de **avec**.

Ne devrait-on pas prévoir, sur le dos de chaque araignée, un petit module à énergie solaire actionnant des pales d'hélicoptère? Les araignées, **sans** fil, seraient beaucoup plus libres de leurs déplacements et leur caractère y gagnerait en douceur... ■ Réponses bêtes à des questions idiotes

| *sans* | *fil* | ≠ | avec un fil |
| préposition | nom | | |

« Hé! bonjour, Monsieur du Corbeau,
Que vous êtes joli! que vous me semblez beau!
Sans mentir, si votre ramage
Se rapporte à votre plumage,
Vous êtes le phénix des hôtes de ces bois.»
■ Le corbeau et le renard

| *sans* | *mentir* |
| préposition | infinitif |

ATTENTION

Souvenez-vous de cette règle simple: après **à**, **de**, **par**, **pour**, **sans**, le verbe est toujours à l'**infinitif**.

Sens et **sent** sont des formes conjuguées du verbe **sentir**.

– Je dis que je **sens** ici une odeur de cerf!
Feignant d'être réveillé en sursaut, le chat se dressa sur ses pattes, regarda le chien d'un air étonné et lui dit:
– Qu'est-ce que vous faites ici? En voilà des façons de venir renifler à la porte des gens! ■ Les contes bleus du chat perché

Le pauvre radiateur
raide comme une grille
se **sent** triste et rêveur. ■ Nouvelles enfantasques

> **S'en** *(se + en)* s'écrit en deux mots. Il ne se trouve jamais devant un nom. **En** remplace un complément introduit par **de**.
>
> > PARAGRAPHE 86

Certainement c'est parfois une gêne d'emporter partout avec soi cette coquille mais [les escargots] ne **s'en** plaignent pas et finalement ils en sont bien contents. Il est précieux, où que l'on se trouve, de pouvoir rentrer chez soi et défier les importuns.　　■ LE PARTI PRIS DES CHOSES

> *les escargots ne s'en plaignent pas* : ils ne se plaignent pas d'emporter cette coquille avec eux.

ATTENTION

Pensez aussi au nom **sang** et à l'adjectif numéral **cent**.

Les serpents sont des créatures à **sang** froid. Or le froid est une rareté sans prix dans les pays chauds. Je ne m'y déplace jamais sans ma couleuvre-garde-manger-réfrigérateur.　　■ RÉPONSES BÊTES À DES QUESTIONS IDIOTES

L'autruche Paméla naquit au Sénégal Son père était célèbre à **cent** lieues à la ronde Et sa mère, dit-on, la plus belle du monde.　　■ CENT SONNETS

16 Comment distinguer son et sont?

> On peut mettre les phrases à l'imparfait : **sont** devient **étaient**, **son** ne change pas. **Sont** est la forme conjuguée du verbe **être**, **son** est un adjectif possessif.

Gaspard était d'origine écossaise par son père, un célèbre chat de la race des Anglais bleus, qui **sont** gris comme leur nom ne l'indique pas et qu'on appelle en France des chats des Chartreux.　　■ LE CHAT QUI PARLAIT MALGRÉ LUI

> *qui son gris* → qui étaient gris
> verbe être

Ce bœuf-là était plein de bonne volonté, mais les larmes n'étaient pas **son** fort et on ne l'avait jamais vu pleurer. Toute **son** émotion et **son** désir de bien faire ne lui humectaient pas seulement le coin des paupières.

■ LES CONTES ROUGES DU CHAT PERCHÉ

$$\underbrace{son}_{\substack{\text{adj.}\\\text{possessif}}} \quad \underbrace{fort}_{\text{nom}} \qquad \underbrace{son}_{\substack{\text{adj.}\\\text{possessif}}} \quad \underbrace{émotion}_{\text{nom}} \qquad \underbrace{son}_{\substack{\text{adj.}\\\text{possessif}}} \quad \underbrace{désir}_{\text{nom}}$$

ATTENTION

Pensez aussi au nom **son** qui désigne un bruit ou un aliment à base de céréales.

217 Comment distinguer si et s'y?

Si signifie **oui, à condition que, au cas où, tellement**.
S'y *(se + y)* s'écrit en deux mots. On peut mettre la phrase à la première personne du singulier, par exemple : **s'y** devient **m'y**, **si** ne change pas.

– Tes fleurs sont allées cette nuit au bal, et voilà pourquoi leurs têtes sont ainsi penchées.
– Cependant les fleurs ne savent pas danser, dit la petite Ida.
– **Si**, répondit l'étudiant. Lorsqu'il fait noir et que nous dormons, nous, elles dansent et s'en donnent à cœur joie, presque toutes les nuits.

■ CINQ CONTES

$$\underset{\text{adverbe}}{\underline{si}} = \text{oui}$$

– **Si** jamais tu te transformes en cochon, mon chéri, déclara Alice d'un ton sérieux, je ne m'occuperai plus de toi. Fais attention à mes paroles ! [...]
Alice commençait à se dire : « Que vais-je faire de cette créature quand je l'aurai emmenée à la maison ? » lorsque

le bébé poussa un nouveau grognement, **si** fort, cette fois, qu'elle regarda son visage non sans inquiétude. Il n'y avait pas moyen de **s'y** tromper : c'était bel et bien un cochon, et elle sentit qu'il serait parfaitement absurde de le porter plus loin.

■ ALICE AU PAYS DES MERVEILLES

> *Si jamais tu te transformes en cochon*
> conjonction de subordination
> = Au cas où tu te transformerais en cochon
>
> *le bébé poussa un nouveau grognement, si fort*
> adverbe = *tellement fort*
> → je poussai un nouveau grognement si fort
>
> *Il n'y avait pas moyen de s'y tromper*
> → Je n'avais pas moyen de m'y tromper

18 Comment distinguer votre et (le) vôtre ?

Au pluriel, **votre** devient **vos** et **vôtre** devient **vôtres**. De plus, **vôtre** n'apparaît jamais sans **le** ou **la**. **Votre** est un adjectif possessif, **le vôtre** est un pronom possessif.

Maître Corbeau, sur **votre** arbre perché,
Vous me paraissez fort âgé !
Il est permis de penser qu'à **votre** âge
Vous vous connaissez en fromages ?

■ MARELLES

> *sur*   *votre*   *arbre perché* → sur vos arbres perchés
>   adj. possessif
>
> *à*   *votre*   *âge* → à vos âges
>   adj. possessif

Tout le monde le sait, un visage sans barbe, comme **le vôtre** ou le mien, se salit si on ne le lave pas régulièrement.

■ LES DEUX GREDINS

> *un visage sans barbe, comme le vôtre* → comme les vôtres
>   pronom possessif

ORTHOGRAPHE D'USAGE

On appelle orthographe d'usage l'orthographe des mots telle qu'elle est proposée par le dictionnaire, sans considérer les modifications entraînées par les accords.

Écrire le son [a]

acteur

guitare

boa

219 Le son [a] s'écrit a   abri   bar   boa

On trouve **a** en toutes positions dans les mots.

DÉBUT : **a**bri, **a**ccès, **a**cteur, **a**ffaire.
INTÉRIEUR : b**a**r, cauchem**a**r, g**a**re, guit**a**re.
FIN : acaci**a**, bo**a**, camér**a**, ciném**a**, opér**a**, panoram**a**, tombol**a**, vérand**a**.

> **ATTENTION**
>
> On peut aussi trouver **ha** au début ou à l'intérieur des mots.
>
> **ha**bile   **ha**bitude   **ha**sard   in**ha**ler
> **ha**bitant   **ha**meçon   in**ha**bité

220 Le son [a] s'écrit â   âge   château

On ne trouve **â** qu'au début et à l'intérieur des mots.

DÉBUT : **â**ge, **â**me, **â**ne.
INTÉRIEUR : b**â**timent, b**â**ton, c**â**ble, ch**â**teau, cr**â**ne, gr**â**ce, h**â**te, inf**â**me, thé**â**tre.

> **ATTENTION**
>
> Certains mots commencent par **hâ**.
>
> **hâ**lé   **hâ**te

221 Le son [a] s'écrit à   voilà

On ne trouve **à** qu'à la fin des mots.

FIN : **à**, au-del**à**, celle-l**à**, celui-l**à**, ceux-l**à**, déj**à**, l**à**, voil**à**.

222 Le son [a] s'écrit e(mm)
femme   prudemment

On trouve **-emm** dans le mot **femme** et dans les adverbes terminés par **-emment** et formés à partir d'adjectifs en **-ent**.

ADJECTIFS *(-ent)*	ADVERBES *(-emment)*
ard**ent**	ard**emm**ent
consci**ent**	consci**emm**ent
différ**ent**	différ**emm**ent
imprud**ent**	imprud**emm**ent
prud**ent**	prud**emm**ent
réc**ent**	réc**emm**ent
viol**ent**	viol**emm**ent

ATTENTION

On trouve des adverbes formés sur les adjectifs en **-ant** :
abond**ant** → abond**amm**ent   brill**ant** → brill**amm**ent

223 Le son [a] s'écrit as, at   lilas   climat

Le son [a] peut s'écrire **a** + **consonne muette** (une consonne que l'on n'entend pas) : **s** ou **t** ; **as** et **at** n'apparaissent qu'à la fin des mots.

FIN : br**as**, c**as**, frac**as**, lil**as**, matel**as**, rep**as**.
FIN : candid**at**, ch**at**, clim**at**, pl**at**, résult**at**, syndic**at**.

224 Les graphies du son [a]

	DÉBUT	INTÉRIEUR	FIN
a	atelier	guitare	opéra
ha	habitant	inhaler	
â	âge	château	
hâ	hâle		
à			déjà
as			lilas
at			chat

À la découverte des mots

225 Le vocabulaire de la médecine

Dans les mots composés du suffixe **-iatre**, qui signifie *médecin* en grec, le son [a] s'écrit **a**, sans accent.

péd**iatre**   psych**iatre**

226 Apprendre les homophones

Certains mots (les homophones) se prononcent de la même façon, mais s'écrivent différemment. L'accent circonflexe peut permettre de les distinguer.

une t**a**che (d'encre)   une t**â**che (un travail à faire)

Écrire le son [ɛ]

aigle

pièce

volet

27 Le son [ɛ] s'écrit è   crème

On ne trouve **è** qu'à l'intérieur des mots.

INTÉRIEUR : algèbre, chèque, clientèle, crème, espèce, fidèle, modèle, pièce, poème, siège, système, tiède.

28 Le son [ɛ] s'écrit ès   succès

À la fin des mots, **è** peut être suivi d'une consonne que l'on n'entend pas, une consonne **muette**.

FIN : abcès, accès, décès, excès, procès, succès.

29 Le son [ɛ] s'écrit ê   chêne

ê n'apparaît qu'à l'intérieur des mots.

INTÉRIEUR : ancêtre, bête, chêne, fenêtre, fête, rêve.

EXCEPTION

Le verbe **être** commence par ê.

ATTENTION

Le nom **hêtre** commence par hê.

230 Le son [ε] s'écrit et, êt   sujet   arrêt

On ne trouve **et**, **êt** qu'à la fin des mots.

FIN : alphab**et**, compl**et**, eff**et**, suj**et**, vol**et**.
FIN : arr**êt**, intér**êt**.

231 Le son [ε] s'écrit ei   neige

ei n'apparaît qu'à l'intérieur des mots.

INTÉRIEUR : bal**ei**ne, n**ei**ge, p**ei**gne, r**ei**ne, tr**ei**ze.

232 Le son [ε] s'écrit ai
aigle   fontaine   balai

On trouve **ai** en toutes positions dans les mots.

DÉBUT : **ai**de, **ai**gle, **ai**le.
INTÉRIEUR : font**ai**ne, fr**ai**se, vingt**ai**ne.
FIN : bal**ai**, dél**ai**, g**ai**.

ATTENTION

Le nom **haine** commence par **hai**.

233 Le son [ε] s'écrit aî   chaîne

aî n'apparaît qu'à l'intérieur des mots.

INTÉRIEUR : ch**aî**ne, m**aî**tre, tr**aî**ne, tr**aî**tre.

EXCEPTION

Le nom **aîné** commence par **aî**.

34 Le son [ɛ] s'écrit aie, ais, ait, aix
lait   paix

À la fin des mots, le son [ɛ] peut s'écrire **ai + voyelle** ou **consonne muettes**: **e, s, t, x**.

FIN: b**aie**, r**aie**, dad**ais**, irland**ais**, l**ait**, p**aix**.

ATTENTION

Le nom **haie** commence par **h**.

35 Le son [ɛ] s'écrit e(ll, nn, ss, tt)e
vaisselle

Le son [ɛ] peut s'écrire **e + consonne double + e muet** (une consonne qui se répète: *ll*, *nn*...) à la fin des mots.

FIN: chap**elle**, dent**elle**, vaiss**elle**.
FIN: anci**enne**, ant**enne**, parisi**enne**.
FIN: faibl**esse**, princ**esse**, sécher**esse**.
FIN: bagu**ette**, raqu**ette**, squel**ette**.

EXCEPTION

Le nom **ennemi** commence par **enn**.

36 Le son [ɛ] s'écrit e(s), e(x)
escargot   texte

On trouve **es, ex** au début et à l'intérieur des mots.

DÉBUT: **es**calier, **es**cargot, **es**clave, **es**crime, **es**pace.
DÉBUT: **ex**amen, **ex**cellent, **ex**emple, **ex**ercice.
INTÉRIEUR: ou**es**t, p**es**te, si**es**te; l**ex**ique, t**ex**te.

237 Le son [ε] s'écrit e + consonne
ciel mer

On écrit **e** devant la plupart des autres consonnes (c, f, l, m, n, p, r, t, z), toujours à l'intérieur des mots.

INTÉRIEUR : s**e**c, ch**e**f, ci**e**l, tot**e**m, abdom**e**n, c**e**p, s**e**pt, m**e**r, conc**e**rt, m**e**rveilleux, n**e**t, Su**e**z.

ATTENTION

Certains mots commencent par h**e**c, h**e**r.
hectare   **hec**tolitre   **her**be

238 Les graphies du son [ε]

	DÉBUT	INTÉRIEUR	FIN
è		crème	
ès			succès
ê	être	chêne	
hê	hêtre		
ai	aigle	fraise	balai
hai	haine		
ei		baleine	
et			filet
êt			forêt
aî		chaîne	
aie			baie
ais			irlandais
ait			lait
aix			paix

ell(e)			vaisselle
enn(e)	ennemi		antenne
henn	hennir		
ess(e)			princesse
ett(e)			baguette
es	escargot	peste	
ex	exercice	texte	
ec		sec	
hec	hectare		
her	herbe	désherber	

À la découverte des mots

39 Comment trouver la lettre muette à la fin des mots?

Pour savoir quelle est la consonne muette finale d'un mot, vous pouvez vous aider des mots de la même famille.

irlandai**se** → irlandai**s**   laitier → lait

40 Les noms de nationalité

Souvent, les noms ou adjectifs de nationalité se terminent par **-ais**.

un Français, une Française
anglais, anglaise

241 Construire le féminin des mots

-enne est très utilisé pour obtenir le féminin des noms et des adjectifs en **-ien**.

anc**ien** → anc**ienne**   pharmac**ien** → pharmac**ienne**

242 L'accent sur le e

Devant une consonne double, **e** ne prend pas d'accent.

il g**è**le *mais* j'app**e**lle

243 La terminaison des verbes

Le son [ɛ] s'écrit **-ai, -aie, -ais, -ait, -aient** dans les terminaisons des verbes.

j'achet**ai**   je part**ais**   ils ri**aient**
que j'**aie** fini   il chanter**ait**

Écrire le son [e]

étoile

télévision

épée

14 Le son [e] s'écrit é   pré

On trouve **é** en toutes positions dans les mots.

DÉBUT : **é**clat, **é**lectrique, **é**quipe, **é**toile.
INTÉRIEUR : c**é**lèbre, g**é**néral, t**é**lévision.
FIN (dans des noms masculins et féminins) : côt**é**, pr**é**, th**é**, beaut**é**, gaiet**é**.

ATTENTION

De nombreux mots commencent par **hé**.

héberger	**hé**rétique
hélas	**hé**risson
hélice	**hé**riter
hélicoptère	**hé**ros
hémisphère	**hé**siter

15 Le son [e] s'écrit ée   fée

On trouve **ée** en fin de mot.

FIN : bouch**ée**, bou**ée**, chauss**ée**, dur**ée**, ép**ée**, f**ée**, fus**ée**, id**ée**, lyc**ée**, mar**ée**, mus**ée**, pât**ée**, plong**ée**, travers**ée**.

246 Le son [e] s'écrit er
jouer   étranger   boulanger

À la fin des mots, le son [e] s'écrit très souvent **-er** dans les verbes à l'infinitif, les adjectifs et les noms masculins.

FIN : all**er**, boulang**er**, chant**er**, derni**er**, escali**er**, étrang**er**, jou**er**, premi**er**.

247 Le son [e] s'écrit e(ff), e(ss)
effrayer   essai

Le son [e] s'écrit **e devant** une **consonne double**, au début des mots.

DÉBUT : **eff**et, **eff**icace, **eff**ort, **eff**rayer.
DÉBUT : **ess**ai, **ess**aim, **ess**ence.

248 Le son [e] s'écrit ed, ez, es
pied   nez   mes

On trouve **ed, ez, es** à la fin des mots.

FIN : pi**ed**.
FIN : ass**ez**, ch**ez**, n**ez**.
FIN : c**es**, d**es**, l**es**, m**es**, s**es**, t**es**.

419 Les graphies du son [e]

	DÉBUT	INTÉRIEUR	FIN
é	équipe	télévision	beauté
hé	hélicoptère		
ée			fusée, lycée
er			premier
es			mes
ez			assez
ed			pied
e(ff)	effort		
e(ss)	essai		

À la découverte des mots

420 Les noms féminins en -é et en -ée

- La plupart des noms féminins en [e] s'écrivent **-ée**.
- Mais, dans les noms féminins qui se terminent par [te], le son [e] s'écrit **-é**. ▷ PARAGRAPHE 419

la beau**té**   la bon**té**   la gaie**té**   la socié**té**

421 Les noms masculins en -ée

Quelques noms masculins se terminent par **-ée**. ▷ PARAGRAPHE 413

un lyc**ée**   un mus**ée**   un scarab**ée**

252 Les mots en -er

De nombreux mots en [e] se terminent par **-er**. Ce sont:
- des noms de métiers;

bouch**er**   cordonni**er**   plombi**er**   polici**er**

- tous les infinitifs du premier groupe, ainsi que le verbe
aller;

amus**er**   baiss**er**   décid**er**   lev**er**   travaill**er**

- des adjectifs numéraux;

premi**er**   derni**er**

- des adjectifs exprimant une qualité ou un défaut.

lég**er**   grossi**er**

ATTENTION

Le féminin de ces noms et de ces adjectifs se termine en **-ère**.
bouch**ère**   grossi**ère**   premi**ère**

Écrire le son [i]

igloo

alpiniste

fourmi

53 Le son [i] s'écrit i
idée   cantine   fourmi

Le son [i] peut s'écrire **i** en toutes positions dans les mots.

DÉBUT : **i**ci, **i**dée, **i**gloo, **i**tinéraire.
INTÉRIEUR : alp**i**n**i**ste, cant**i**ne, c**i**me, hum**i**de.
FIN : abr**i**, ains**i**, apprent**i**, appu**i**, ép**i**, fourm**i**, parm**i**, tr**i**.

> **ATTENTION**
>
> On écrit aussi souvent **hi**.
> **hi**bou   enva**hi**r
> **hi**rondelle   tra**hi**r

54 Le son [i] s'écrit î   île   dîner

On trouve **î** dans quelques noms.

abîme   huître
dîner   île
gîte   presqu'île

255 Le son [i] s'écrit y   lycée

On trouve **y** en toutes positions dans les mots.

DÉBUT : **y**, **Y**ves.
INTÉRIEUR : abba**y**e, bic**y**clette, catacl**y**sme, l**y**cée, mart**y**r, pa**y**s, pol**y**gone, st**y**le, s**y**non**y**me.
FIN : penalt**y**, rugb**y**.

ATTENTION

Certains mots commencent par **hy**.

hydravion   **hy**giène   **hy**permarché

256 Le son [i] s'écrit ï   naïf   égoïste

On trouve **ï** après **a**, **o**, **u** et **ou**, à l'intérieur ou à la fin des mots.

INTÉRIEUR : ambigu**ï**té, égo**ï**ste, héro**ï**que, ma**ï**s, na**ï**f, ou**ï**e.
FIN : inou**ï**.

257 Le son [i] s'écrit ie, id, il, is, it, ix pie   nid

Le son [i] peut s'écrire **i + e muet** à l'intérieur ou à la fin de certains mots. Il peut s'écrire aussi **i + consonne muette** (**d**, **l**, **s**, **t**, **x**...) à la fin des mots.

INTÉRIEUR : remerc**ie**ment.
FIN : gent**il**, n**id**, nu**it**, p**ie**, pr**ix**, pu**is**, pu**its**, tap**is**.

ATTENTION

un gr**ee**n, un j**ea**n, du tw**ee**d.

58 Les graphies du son [i]

	DÉBUT	INTÉRIEUR	FIN
i	idée	cantine	parmi
hi	hirondelle	trahir	envahi
î	île	dîner	
ï		maïs	inouï
y	Yves	cycle	rugby
hy	hypermarché		
i(d, l, s, t, x)			nid
i(e muet)		remerciement	vie
ee		tweed	
ea		jean	

À la découverte des mots

59 Comment trouver la lettre muette à l'intérieur ou à la fin des mots?

Pour ne pas oublier d'écrire une lettre qui ne s'entend pas, vous pouvez vous aider de mots de la même famille.

gentille → gentil
permission → permis
réciter → récit
remercier → remerciement
tapisser → tapis

260 Savoir écrire y dans les mots d'origine grecque

Les mots où [i] s'écrit **y** viennent presque toujours du **grec**.

bicyclette   lycée
hypermarché   sympathie

261 Le ï tréma

● On appelle tréma les deux points placés sur les voyelles **e**, **i**, **u**. Le tréma indique que l'on doit prononcer la voyelle qui précède.
● La voyelle qui précède le **ï** tréma doit être prononcée séparément.

as-té-ro-ï-de : 5 syllabes   ma-ïs : 2 syllabes
é-go-ïs-te : 4 syllabes   na-ïf : 2 syllabes

Écrire les sons [ɔ] et [o]

océan

pomme

album

autoroute

rose

judo

62 Le son [ɔ] s'écrit o   olive   pomme

On trouve **o** au début et à l'intérieur des mots.

DÉBUT : **o**céan, **o**deur, **o**live.
INTÉRIEUR : g**o**mme, p**o**mme.

263 Le son [o] s'écrit o   chose   lavabo

Le son [o] peut s'écrire **o** à l'intérieur et à la fin des mots.

INTÉRIEUR : ch**o**se, d**o**se, p**o**se, r**o**se.
FIN : caca**o**, carg**o**, casin**o**, domin**o**, éch**o**, jud**o**, kil**o**, lavab**o**, pian**o**,
    scénari**o**, tri**o**.

264 Le son [o] s'écrit au, eau
aube   bateau

On trouve **au** en toutes positions dans les mots ; **au** apparaît
peu à la fin des mots, **eau** apparaît surtout à la fin des mots.

▶ **au**
DÉBUT : **au**be, **au**dace, **au**près, **au**tocollant, **au**tomne,
    autoroute.
INTÉRIEUR : astron**au**te, ch**au**de, ép**au**le, f**au**ne, g**au**fre, j**au**ne,
    p**au**se, s**au**te, t**au**pe.
FIN (rare) : joy**au**, land**au**, sarr**au**, tuy**au**.

> ATTENTION
>
> ▶ Dans le mot **automne**, on retrouve les deux sons [o] et [ɔ].
>
> ▶ Dans les mots **haut**, **hauteur**, **haussement**, **hausser**, on
> trouve la graphie **hau**.

▶ **eau**
INTÉRIEUR : b**eau**coup, b**eau**jolais, b**eau**té.
FIN : ann**eau**, barr**eau**, bat**eau**, cad**eau**, cerc**eau**, cis**eau**,
    eau, escab**eau**, ham**eau**, lionc**eau**, pinc**eau**, rid**eau**, s**eau**,
    traîn**eau**, vaiss**eau**.

65 Le son [o] s'écrit ô   clôture

On trouve **ô** à l'intérieur des mots seulement.

INTÉRIEUR : apôtre, arôme, chômage, clôture, contrôle,
côte, drôle, fantôme, hôte, icône, pôle, pylône, rôle, rôti,
symptôme, tôle, trône.

ATTENTION

Certains mots commencent par **hô**.
hôpital
hôtel

EXCEPTION

ôter

66 Le son [o] s'écrit ôt, o(t, p, s, c)
bientôt   sirop

Le son [o], en fin de mot, peut s'écrire **ôt** et **o + consonne
muette** : **t, p, s, c**.

▶ ôt
FIN : aussitôt, bientôt, dépôt, entrepôt, impôt, plutôt, sitôt,
tantôt, tôt.

▶ o + consonne muette
FIN : argot, chariot, coquelicot, escargot, goulot, haricot,
hublot, javelot, sabot, trot.
FIN : galop, sirop, trop.
FIN : dos, repos, tournedos.
FIN : accroc, croc.

233

267 Le son [o] s'écrit au(d, t, x)
crapaud   artichaut

Le son [o] peut s'écrire **au + consonne muette** (**d**, **t**, **x**) en fin de mot.

FIN : bad**aud**, crap**aud**, réch**aud**.
FIN : artich**aut**, déf**aut**, s**aut**.
FIN : ch**aux**.

268 Les graphies du son [ɔ]

	DÉBUT	INTÉRIEUR	FIN
o	océan	pomme	
ho	horizon	malhonnête	
au		Paul	
u(m)		album	

Les graphies du son [o]

	DÉBUT	INTÉRIEUR	FIN
o		rose	piano
au	automne	gaufre	landau
eau	eau	beauté	rideau
ô		rôti	
o(t, p, s, c)			haricot
ô(t)			bientôt
au(d, t, x)			crapaud

À la découverte des mots

269) Comment trouver la lettre muette à la fin des mots?

Vous pouvez vous aider d'un mot de la même famille pour savoir quelle est la consonne muette finale d'un mot.

accrocher → accroc   galoper → galop   sauter → saut

Vous pouvez aussi vous aider du féminin des adjectifs.

chaude → chaud

270) Apprendre les homophones

Certains mots (les homophones) se prononcent de la même façon, mais s'écrivent différemment.

do   dos
saut   sceau   seau   sot

Écrire le son [ã]

enfant

pantalon

volcan

271 Le son [ã] s'écrit an
ange vacances océan

On trouve **an** en toutes positions dans les mots.

DÉBUT : **an**cien, **an**ge, **an**glais, **an**goisse, **an**tenne, **an**tique.
INTÉRIEUR : b**an**que, m**an**che, p**an**talon, tr**an**quille, vac**an**ces.
FIN : artis**an**, cadr**an**, écr**an**, océ**an**, rub**an**, volc**an**.

> **ATTENTION**
>
> Certains mots commencent par **han**.
> **han**che **han**dball **han**dicap **han**gar **han**té

272 Le son [ã] s'écrit en
encre   calendrier

On trouve **en** au début et à l'intérieur des mots.

DÉBUT : **en**chanteur, **en**cre, **en**fant, **en**jeu, **en**nui, **en**quête.
INTÉRIEUR : att**en**tion, cal**en**drier, c**en**dre, c**en**tre, t**en**dre, t**en**sion.

> **ATTENTION**
>
> Dans quelques noms propres, on trouve **en** à la fin des mots.
> Ca**en**   Rou**en**

73 Le son [ã] s'écrit am, em
jambe   temps

Devant les consonnes **b**, **m**, **p**, le son [ã] ne s'écrit pas **an** ou **en**, mais **am** ou **em**.

AM : **am**biance, c**am**p, ch**am**pion, j**am**be.
EM : **em**barqué, **em**mené, **em**pêché, ens**em**ble, t**em**ps.

74 Le son [ã] s'écrit ant, ent
croissant   aliment

À la fin des mots, le son [ã] s'écrit le plus souvent **ant** ou **ent**.

FIN : abs**ent**, alim**ent**, arg**ent**, bâtim**ent**, cont**ent**, d**ent**,
   équival**ent**, heureusem**ent**, insol**ent**, régim**ent**, sentim**ent**,
   supplém**ent**, urg**ent**, vêtem**ent**.
FIN : aim**ant**, carbur**ant**, croiss**ant**, vol**ant**.

75 Le son [ã] s'écrit an(c, d, g)
blanc   marchand

À la fin des mots, le son [ã] s'écrit **an** + **consonne muette** : **c**, **d** ou **g**.

FIN : b**anc**, bl**anc**, fl**anc**.
FIN : flam**and**, goél**and**, march**and**.
FIN : ét**ang**, r**ang**, s**ang**.

ATTENTION
faon, paon, taon.

276 Les graphies du son [ɑ̃]

	DÉBUT	INTÉRIEUR	FIN
an	antenne	langage	écran
han	hanter		
en	ennui	tendre	
am(b, m, p)	ambiance	jambe	camp
em(b, m, p)	embarqué	ensemble	
ant			croissant
ent			argent
and			marchand
ang			étang
anc			blanc

À la découverte des mots

277 S'aider des familles de mots pour écrire an ou en

Pour choisir la bonne orthographe dans les finales **-ance**, **-anse**, **-ande**, **-ante** et **-ence**, **-ense**, **-ende**, **-ente**, vous pouvez rapprocher ce mot d'un autre mot de la même famille que vous savez écrire *(danseur → danse)*.

-ance : abond**ance**, alli**ance**, dist**ance** ;
-anse : d**anse**, p**anse** ;
-ande : comm**ande**, dem**ande**, guirl**ande** ;
-ante : épouv**ante**, soix**ante**.

-ence : abs**ence**, afflu**ence**, concurr**ence** ;
-ense : d**ense**, dép**ense**, récomp**ense** ;
-ende : am**ende**, lég**ende** ;
-ente : att**ente**, f**ente**, tr**ente**.

78 Les adverbes en -ment

Tous les adverbes formés à partir d'adjectifs se terminent
par **-ment**.   ▷ PARAGRAPHE 106

constant → constam**ment**
courageux → courageuse**ment**
évident → évidem**ment**
prudent → prudem**ment**
rapide → rapide**ment**
récent → récem**ment**

79 La terminaison -ant dans les participes présents

Au participe présent, les verbes se terminent tous par **-ant**.

INFINITIF	PARTICIPE PRÉSENT
boire	buv**ant**
dormir	dorm**ant**
écrire	écriv**ant**
finir	finiss**ant**
lire	lis**ant**
sauter	saut**ant**

280 Apprendre les homophones

Certains mots (les homophones) se prononcent de la même manière mais s'écrivent différemment.

Les am**an**des sont des fruits.
L'agent a mis une am**en**de au propriétaire du camion.

Je p**en**se que j'ai raison.
L'infirmière p**an**se un blessé.

281 Comment trouver la lettre muette à la fin d'un mot?

Connaître des mots de la même famille aide parfois à écrire correctement un mot.

ran**g**er → ran**g**
san**g**lant → san**g**

Écrire le son [ɛ̃]

imperméable

peinture

nain

82 Le son [ɛ̃] s'écrit in
international   cinq   fin

On trouve **in** en toutes positions dans les mots.

DÉBUT : **in**dividuel, **in**juste, **in**térêt, **in**ternational.
INTÉRIEUR : c**in**q, d**in**de, p**in**tade.
FIN : br**in**, f**in**, jard**in**, mat**in**.

ATTENTION

Le mot **hindou** commence par **hin**.

83 Le son [ɛ̃] s'écrit im(b, m, p)
timbre   impossible

Devant **b**, **m** et **p**, le son [ɛ̃] s'écrit **im**. On trouve **im** au début et à l'intérieur des mots.

DÉBUT : **im**battable, **im**mangeable, **im**pair, **im**perméable, **im**portant, **im**possible.
INTÉRIEUR : l**im**pide, s**im**ple, t**im**bre.

284 Le son [ɛ̃] s'écrit en
collégien moyen lycéen

On trouve **en** à la fin des mots, après les voyelles **i**, **y** et **é**.

APRÈS i : aér**ien**, anc**ien**, b**ien**, ch**ien**, chirurg**ien**, collég**ien**,
   comb**ien**, électric**ien**, l**ien**, magic**ien**.
APRÈS y : cito**yen**, mo**yen**.
APRÈS é : europé**en**, lycé**en**, méditerrané**en**.

285 Le son [ɛ̃] s'écrit ain, ein terrain plein

On trouve **ain**, **ein** après une consonne à l'intérieur
et à la fin des mots.

INTÉRIEUR : cr**ain**te, m**ain**tenant, pl**ain**te ; c**ein**ture, p**ein**ture.
FIN : b**ain**, gr**ain**, m**ain**, n**ain**, p**ain**, terr**ain** ; pl**ein**, s**ein**.

286 Le son [ɛ̃] s'écrit aint, eint
plaint déteint

On trouve **aint**, **eint** après une consonne, à la fin des mots.

FIN : contr**aint**, pl**aint**, s**aint** ; dét**eint**, ét**eint**, p**eint**.

287 Le son [ɛ̃] s'écrit aim, ym, yn
faim thym lynx

On peut écrire **aim** et **ym** à la fin des mots ; **yn** ne se trouve
qu'à l'intérieur des mots.

INTÉRIEUR : l**yn**x.
FIN : d**aim**, ess**aim**, f**aim** ; th**ym**.

88 Les graphies du son [ɛ̃]

	DÉBUT	INTÉRIEUR	FIN
in	injuste	cinq	jardin
im(b, m, p)	imperméable	simple	
en			chien
ain, ein	ainsi	peinture	pain
aint, eint			saint
aim			faim
yn, ym		lynx	thym

À la découverte des mots

89 Comment trouver une lettre muette ?

Pour savoir quand écrire **aint** et **eint**, vous pouvez vous
aider du féminin des mots.

sainte → saint   éteinte → éteint

90 Apprendre les homophones

Certains mots (les homophones) se prononcent
de la même manière, mais s'écrivent différemment.
Les exemples suivants se distinguent par la graphie
du son [ɛ̃] **(ain, in, ein)** et par les consonnes muettes.

pain   pin   peint   vain   vin   vingt   (il) vint
teint   tain   thym   (il) tint

Écrire le son [wa]

oiseau   poisson   chamois

aboyer   aquarium

291 Le son [wa] s'écrit oi
oiseau   poignée   moi

Le son [wa] s'écrit le plus souvent **oi**, et se trouve en toutes positions dans les mots.

DÉBUT : **oi**seau, **oi**seleur, **oi**sif.
INTÉRIEUR : b**oi**sson, p**oi**gnée, p**oi**sson, s**oi**rée.
FIN : l**oi**, m**oi**, qu**oi**.

ATTENTION

Parfois, le **i** de **oi** prend un accent circonflexe.
b**oî**te
Ben**oî**t

92 Le son [wa] s'écrit oy
voyage   envoyer

On trouve **oy** à l'intérieur des mots.

INTÉRIEUR : ab**oy**er, env**oy**er, m**oy**en, n**oy**ade, r**oy**al, r**oy**aume, v**oy**age.

93 Le son [wa] s'écrit oi(e, s, t, x)
endroit

On trouve aussi **oi** + une ou deux **lettres muettes** (**e**, **s**, **t**, **x**, **d**, **ds**) à la fin des mots.

OIE : f**oie**, j**oie**, **oie**, v**oie**.
OIS : b**ois**, cham**ois**, f**ois**.
OIT : adr**oit**, endr**oit**, étr**oit**.
OIX : cr**oix**, n**oix**, v**oix**.
OID : fr**oid**.
OIDS : p**oids**.

> **ATTENTION**
> ▶ Le son [wa] peut s'écrire **w** dans des mots d'origine étrangère.
> **w**aters (wc)   **w**att
> ▶ Le son [wa] s'écrit **oê** dans **poêle**.

94 Le son [wa] s'écrit ua, oua
square   douane

On trouve la graphie **ua**, **oua** dans quelques mots.

UA : aq**ua**rium, éq**ua**teur, sq**ua**re.
OUA : d**oua**ne, z**oua**ve.

295 Les graphies du son [wa]

	DÉBUT	INTÉRIEUR	FIN
oi	oiseau	soirée	moi
oy		voyage	
oi(e)			joie
oi(s)			autrefois
oi(t)			toit
oi(x)			noix
oi(d)			froid
oi(ds)			poids
oê		poêle	
oua		douane	
ua		square	
wa	waters		

À la découverte des mots

296 Apprendre les homophones

La lettre muette à la fin des mots permet de distinguer les mots qui se prononcent de la même façon.

moi	un mois		
toi	un toit		
la foi	le foie	une fois	
(je) crois	(il) croit	(il) croît	la croix
la voie	(je) vois	(il) voit	la voix

297 # Les noms masculins en -oi

Les mots masculins en [wa] s'écrivent souvent en **-oi**.

l'effr**oi**   un env**oi**   un tourn**oi**

EXCEPTIONS

endr**oit**, t**oit**, b**ois**, m**ois**, ch**oix**, f**oie**, d**oigt**.

298 # Les noms féminins en -oie

Les mots féminins en [wa] s'écrivent souvent en **-oie**.

la j**oie**   une **oie**

EXCEPTIONS

l**oi**, f**oi**, f**ois**, cr**oix**, n**oix**, v**oix**.

299 # Les verbes en -oyer

Dans les verbes en **-oyer**, le son [wa] s'écrit de plusieurs façons. Apprenez à bien écrire toutes ces formes.

▷ PARAGRAPHE 484

j'env**oie**, tu nett**oies**, il ab**oie**, ils empl**oient**
je nett**oie**rai, vous empl**oie**rez, ils ab**oie**ront

Écrire le son [j]

yaourt

crayon

soleil

300 Le son [j] s'écrit y   yeux   voyage

On trouve **y** au début et à l'intérieur des mots.

DÉBUT : **y**aourt, **y**éti, **y**eux, **y**oga, **y**o-**y**o.
INTÉRIEUR : attra**y**ant, bru**y**ant, cra**y**on, emplo**y**eur, ennu**y**eux,
   essa**y**age, fra**y**eur, jo**y**eux, mo**y**en, netto**y**age, pa**y**ant, ra**y**on,
   vo**y**age.

> **ATTENTION**
>
> Le nom **hyène** commence par h.

301 Le son [j] s'écrit i   iode   papier

On trouve **i** au début et à l'intérieur des mots.

DÉBUT : **i**ode, **i**ota.
INTÉRIEUR : all**i**ance, antér**i**eur, bijout**i**er, commerc**i**al,
   conf**i**ance, extér**i**eur, glac**i**al, intér**i**eur, méf**i**ance, pap**i**er,
   soc**i**été, spéc**i**al, supér**i**eur, v**i**eille, v**i**eux.

> **ATTENTION**
>
> ▶ Les noms **hier**, **hiéroglyphe** commencent par h.
> ▶ Dans le nom **cahier**, on écrit hi.

302 Le son [j] s'écrit ill
coquillage   famille

On trouve **ill** à l'intérieur des mots seulement.

INTÉRIEUR : coquill**age**, feuill**age**, grill**age**, outill**age**, pill**age** ;
  brouill**on**, carill**on**, échantill**on**, oreill**ons**, réveill**on**.
DEVANT e FINAL : ab**eille**, bat**aille**, b**ille**, chen**ille**, fam**ille**,
  f**euille**, f**ille**, gros**eille**, or**eille**, t**aille**.

Dans **mille**, les lettres **ill** se prononcent [il].

303 Le son [j] s'écrit il
bétail   réveil   fauteuil

On trouve **il** à la fin des mots seulement.

FIN : **ail**, b**ail**, bét**ail**, soupir**ail** ; appar**eil**, rév**eil**, ort**eil**, sol**eil**,
  par**eil** ; chevr**euil**, faut**euil**, s**euil**, acc**ueil**, cerc**ueil**, org**ueil**,
  rec**ueil**.

304 Les graphies du son [j]

	DÉBUT	INTÉRIEUR	DEVANT e FINAL	FIN
y	yaourt	noyer		
hy	hyène			
i	iode	bijoutier		
hi	hier	cahier		
ill		bouillon	oreille	
il				soleil

À la découverte des mots

305 Les verbes en -ailler et -eiller

La graphie **ill** apparaît dans la conjugaison des verbes en **-ailler** et **-eiller**.

-ailler: trav**ailler**
-eiller: cons**eiller**, rév**eiller**

ATTENTION

Il ne faut pas oublier d'écrire le i de la terminaison de l'imparfait, même si, dans ces verbes, on ne l'entend pas.

nous trava**illi**ons   vous réve**illi**ez

306 il et ill dans les mots de la même famille

Dans les mots de la même famille, on écrit **il** dans les noms et **ill** dans les verbes.

accu**eil**, accu**eill**ir   rév**eil**, rév**eill**er   trav**ail**, trav**aill**er

307 Le genre des mots en -il et -ille

À la fin des mots, on écrit **il** dans les mots masculins et **ill** dans les mots féminins devant un **e** final.

un écureu**il**   une b**ille**   un ort**eil**   une abe**ille**
un fauteu**il**   une f**ille**   par**eil**   par**eille**

Écrire le son [p]

pain

lapin

grappe

308 Le son [p] s'écrit p
page   ampoule   ketchup

Le son [p] peut s'écrire **p** en toutes positions dans les mots.

DÉBUT : **p**age, **p**ain, **p**ile, **p**oule, **p**reuve, **p**rovince, **p**ublicité.
INTÉRIEUR : am**p**oule, a**p**ogée, é**p**ée, é**p**i, la**p**in, o**p**éra.
DEVANT e FINAL : antilo**p**e, ca**p**e, cou**p**e, princi**p**e, ty**p**e.
FIN : ca**p**, ce**p**, cli**p**, handica**p**, ketchu**p**, scal**p**.

309 Le son [p] s'écrit pp
appareil   enveloppe

On écrit **pp** à l'intérieur des mots seulement.

INTÉRIEUR : a**pp**areil, a**pp**orter, a**pp**renti, a**pp**rocher, a**pp**ui,
hi**pp**ique, hi**pp**opotame, na**pp**eron, su**pp**lice.
DEVANT e FINAL : envelo**pp**e, fra**pp**e, gra**pp**e, na**pp**e, tra**pp**e.

310 Les graphies du son [p]

	DÉBUT	INTÉRIEUR	DEVANT e FINAL	FIN
p	poule	lapin	soupe	cap
pp		appui	nappe	

251

À la découverte des mots

311 Quand écrit-on un seul p?

On écrit un seul **p** après **é**, **am**, **im** et **om**.

mépris   ampoule   imperméable   pompier

On écrit généralement **p** dans les mots commençant par la voyelle **o**.

opéra   opérer   opinion   optimiste

EXCEPTIONS

opposer, opposition, opposant...
opprimer, oppression, oppresseur...
opportunité, opportun, opportuniste...

312 Quand écrit-on pp?

La plupart des verbes commençant par [ap] prennent **deux p**.

appartenir   applaudir   apprendre
appeler   apporter   approcher

EXCEPTIONS

apaiser, apercevoir, apeurer, s'apitoyer, aplanir, aplatir.

Écrire le son [t]

trésor

atelier

pilote

but

313 Le son [t] s'écrit t
terrain atelier pilote août

On trouve la graphie **t** en toutes positions dans les mots.

DÉBUT : **t**abac, **t**able, **t**echnique, **t**errain, **t**résor, **t**resse.
INTÉRIEUR : a**t**elier, é**t**anche, i**t**inéraire, o**t**age, o**t**ite.
DEVANT e FINAL : aroma**t**e, crava**t**e, dispu**t**e, no**t**e, pilo**t**e.
FIN : aoû**t**, bu**t**, correc**t**, direc**t**, es**t**, grani**t**, mazou**t**, oues**t**, rap**t**.

314 Le son [t] s'écrit tt
attaque lettre carotte

La graphie **tt** se trouve à l'intérieur et à la fin (rare)
des mots.

INTÉRIEUR : a**tt**achant, a**tt**aque, a**tt**ente, a**tt**irer, a**tt**itude,
    a**tt**ribut, confe**tt**i, fla**tt**erie, flo**tt**er, le**tt**re, lu**tt**eur, ne**tt**oyage,
    pi**tt**oresque, qui**tt**er, so**tt**ise.
DEVANT e FINAL :
-atte : cha**tt**e, na**tt**e ;
-otte : bisco**tt**e, caro**tt**e, (je, il) flo**tt**e ;
-ette : assie**tt**e, bague**tt**e, gale**tt**e, omele**tt**e, toile**tt**e.
FIN : wa**tt**.

315 Le son [t] s'écrit th
thermomètre   orthographe

La graphie **th** peut se trouver au début, à l'intérieur des mots, plus rarement à la fin.

DÉBUT : **th**éâtre, **th**ermomètre, **th**orax, **th**ym.
INTÉRIEUR : ari**th**métique, ma**th**ématique, my**th**ologie, or**th**ographe, sympa**th**ie.
FIN : lu**th**, zéni**th**.

316 Les graphies du son [t]

	DÉBUT	INTÉRIEUR	DEVANT e FINAL	FIN
t	table	atelier	pilote	but
tt		lettre	carotte	watt
th	théâtre	orthographe	homéopathe	luth

À la découverte des mots

317 Quand écrit-on tt?

On trouve **tt** le plus souvent **entre deux voyelles** ou **devant r**.

a**tt**acher	a**tt**rait	na**tt**e
a**tt**irer	a**tt**ribut	ne**tt**e
a**tt**raction	a**tt**roupement	so**tt**ise

318 Comment trouver une lettre muette ?

Le **t** ne s'entend pas dans certains mots. Pour ne pas l'oublier, pensez à un mot de la même famille ou bien au féminin du mot.

cha**tt**e → cha**t**   respe**ct**able → respe**ct**

319 Les lettres **th** dans les mots d'origine grecque

Dans les mots d'origine grecque, [t] s'écrit souvent **th**.

théâtre   a**th**lète   ma**th**ématique

Tentation

Ton
tas de riz
Tenta le rat
Le ra**t** **t**enté
Le riz **t**âta

C. Nadaud, dans J. Charpentreau,
Mon premier livre de devinettes,
© Éd. ouvrières/Éd. de l'Atelier, 1986

Écrire le son [k]

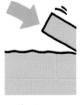

cadeau   *piquant*   *brique*   *lac*

320 Le son [k] s'écrit c
cadeau   vacarme   lac

Le son [k] peut s'écrire **c** en toutes positions dans les mots.

DÉBUT : **c**abine, **c**adeau, **c**olère, **c**ombat, **c**ube, **c**ulotte.
INTÉRIEUR : a**c**acia, a**c**ajou, é**c**orce, sa**c**oche, va**c**arme.
FIN : ave**c**, cho**c**, la**c**, pi**c**, plasti**c**, trafi**c**.

321 Le son [k] s'écrit qu
question   paquet

On trouve la graphie **qu** au début et à l'intérieur des mots.

DÉBUT : **qu**ai, **qu**and, **qu**estion, **qu**i, **qu**oi, **qu**otidien.
INTÉRIEUR : atta**qu**er, bri**qu**et, pa**qu**et, pi**qu**ant, remar**qu**able.
DEVANT e FINAL : bibliothè**qu**e, bri**qu**e, dis**qu**e, plasti**qu**e.

> **ATTENTION**
>
> La lettre **q** n'est pas suivie de **u** dans **cinq**, **coq**.

322 Le son [k] s'écrit cc
occasion   acclamer

On ne trouve la graphie **cc** qu'à l'intérieur des mots.

INTÉRIEUR : a**cc**abler, a**cc**lamation, a**cc**ord, o**cc**asion.

323 Le son [k] s'écrit k
kangourou   moka   look

On trouve la graphie **k** en toutes positions dans les mots.

DÉBUT : **k**aki, **k**angourou, **k**épi, **k**ermesse, **k**ilo, **k**imono,
   kiosque.
INTÉRIEUR : ka**k**i, mo**k**a.
FIN : anora**k**, loo**k**.

324 Le son [k] s'écrit ch
chorale   orchestre

On trouve la graphie **ch** au début et à l'intérieur des mots.

DÉBUT : **ch**aos, **ch**lore, **ch**oléra, **ch**orale, **ch**rome, **ch**ronomètre,
   chrysalide.
INTÉRIEUR : é**ch**o, or**ch**estre, or**ch**idée, psy**ch**ologue.

325 Le son [k] s'écrit ck   cocker   bifteck

On trouve la graphie **ck** à l'intérieur et à la fin des mots.

INTÉRIEUR : co**ck**er, co**ck**tail, jo**ck**ey, ti**ck**et.
FIN : bifte**ck**, sto**ck**.

257

326 Le son [k] s'écrit cqu   grecque

On trouve la graphie **cqu** uniquement à l'intérieur des mots.

INTÉRIEUR : a**cqu**isition, a**cqu**ittement, gre**cqu**e.

327 Les graphies du son [k]

	DÉBUT	INTÉRIEUR	DEVANT e FINAL	FIN
c	cadeau	écorce		choc
q, qu	quai	paquet	disque	coq
cc		accord		
k	kilo	moka		anorak
ch	chorale	écho		
ck		jockey		bifteck
cqu		acquitter	grecque	

À la découverte des mots

328 Comment écrire le son [k] devant e et i?

Quand on entend le son [k] **devant i**, **e**, **é**, **è**, **ê**, il faut écrire **qu** ou, plus rarement, **k**, **ck**, **ch**, **cqu**.

qui	perro**qu**et	(ils) pi**qu**èrent	**k**ilo	or**ch**idée
que	**qu**ébécois	**qu**ête	jo**ck**ey	gre**cqu**e

On ne peut pas écrire **c**, sinon on prononcerait [s].

cerf **ci**gale

329 La prononciation de cc

Les lettres **cc** se prononcent [k] devant **a**, **o**, **u**, **l**, **r**.

sa**cca**de   a**cco**rd   o**ccu**lte   a**ccl**amer   a**ccr**ocher

Les lettres **cc** se prononcent [k + s] devant **i**, **e**, **é**, **è**.

co**cci**nelle	a**cce**nt	a**ccè**s
va**cci**n	a**ccé**lérateur	su**ccè**s

330 Les lettres k et ch

On trouve la lettre **k** dans un petit nombre de mots, souvent d'origine étrangère.

kangourou *(australien)*   **k**aya**k** *(esquimau)*   **k**ung-fu *(chinois)*

La graphie **ch** transcrit le son [k] dans les mots qui viennent du grec.

chorale   or**ch**estre

Une baleine
à bicyclette

Une baleine à bicyclette
rencontre un yak dans un kayak.

Elle fait sonner sa sonnette.
C'est pour que le yak la remarque.

Elle sonne faux, ta sonnette,
dit le yak à l'accent canaque.

La baleine, la pauvre bête,
reçoit ces mots comme une claque.

Une baleine à bicyclette
qu'un yak accuse de faire des couacs !

Elle sonne juste, ma sonnette,
dit la baleine du tac au tac.

Car ma sonnette a le son net
d'une jolie cloche de Pâques.

Ne te fâche pas, baleinette,
répond le yak qui a le trac.

Claude Roy, *Nouvelles Enfantasques*, © Gallimard

Écrire le son [g]

gare

figure

bague

31 Le son [g] s'écrit g
garage   règle   gag

> On trouve **g** en toutes positions dans les mots.

DÉBUT : **g**adget, **g**arage, **g**are, **g**lace, **g**oal, **g**oût, **g**ras, **g**rotte.
INTÉRIEUR : a**g**randissement, ba**g**arre, fi**g**ure, ra**g**oût, rè**g**le.
FIN : ga**g**, gro**g**.

32 Le son [g] s'écrit gu
guitare   baguette   langue

> On trouve **gu** au début et à l'intérieur des mots.

DÉBUT : **gu**é, **gu**êpe, **gu**ère, **gu**érison, **gu**erre, **gu**eule, **gu**ide,
 guignol, **gu**itare.
INTÉRIEUR : ai**gu**ille, ba**gu**ette, fi**gu**ier.
DEVANT e FINAL : ba**gu**e, catalo**gu**e, di**gu**e, lan**gu**e, va**gu**e.

33 Le son [g] s'écrit gg   jogging

> Le son [g] s'écrit très rarement **gg**, et uniquement
> à l'intérieur des mots.

INTÉRIEUR : a**gg**lomération, a**gg**lutiné, a**gg**ravation, jo**gg**ing.

334) Les graphies du son [g]

	DÉBUT	INTÉRIEUR	DEVANT e FINAL	FIN
g	glace	figure		gag
gu	guitare	aiguille	langue	
gg		jogging		

À la découverte des mots

335) Comment écrire le son [g] devant e et i?

Quand on entend le son [g] devant **e**, **é**, **ê**, **i** et **y**, il faut écrire **gu**.

guetter   **gu**érir   **gu**êpe   **gu**irlande   **Gu**y

On ne peut pas écrire **g**, sinon on prononcerait [ʒ].

geste   **gi**rafe

336) L'emploi du tréma sur ë et ï

● Le tréma (les deux points placés sur une lettre) indique que l'on doit prononcer la voyelle qui précède.
● Pour prononcer [gy] quand **gu** est suivi de **e** ou de **i**, il faut mettre un tréma sur le **e** ou le **i**.

ai**gu** → ai**guë**   ambi**gu** → ambi**guë** → ambi**guï**té

Écrire le son [f]

fantôme

gaufre

œuf

37 Le son [f] s'écrit f
fantôme   gifle   girafe   chef

On trouve **f** en toutes positions dans les mots.

DÉBUT : fantassin, fantôme, farine, femme, filtre, fin.
INTÉRIEUR : africain, défaite, gaufre, gifle, infâme, plafond.
DEVANT e FINAL : agrafe, carafe, girafe.
FIN : bœuf, chef, massif, neuf, œuf, relief, soif.

38 Le son [f] s'écrit ff
affection   griffe   bluff

On ne trouve jamais **ff** au début d'un mot.

INTÉRIEUR : affaire, affreux, chiffre, effort, souffle, suffisant.
DEVANT e FINAL : coiffe, étoffe, griffe, touffe, truffe.
FIN (rare) : bluff.

39 Le son [f] s'écrit ph
pharmacie   géographie

On trouve **ph** au début et à l'intérieur des mots, ainsi que
devant un **e** muet final.

DÉBUT : **ph**armacie, **ph**rase, **ph**ysique.
INTÉRIEUR : géogra**ph**ie, magnéto**ph**one, saxo**ph**one, télé**ph**one.
DEVANT e FINAL : catastro**ph**e, orthogra**ph**e, triom**ph**e.

340 Les graphies du son [f]

	DÉBUT	INTÉRIEUR	DEVANT e FINAL	FIN
f	fantôme	plafond	girafe	soif
ff		coffre	touffe	bluff
ph	phrase	saxophone	catastrophe	

À la découverte des mots

341 Former des adjectifs avec le suffixe -if/-ive

Le suffixe **-if** permet de former de nombreux adjectifs de qualité. Au féminin, le **f** se transforme en **v** : **-ive**.

finir (v.) → définit**if** (adj. masc.) → définit**ive** (adj. fém.)
fuite (n.) → fugit**if** (adj. masc.) → fugit**ive** (adj. fém.)
position (n.) → posit**if** (adj. masc.) → posit**ive** (adj. fém.)

342 Les lettres ph dans les mots grecs

La graphie **ph** se trouve dans des mots d'origine grecque.

orthogra**ph**e : ortho (droit, juste)
graphe (écrire)

Écrire les sons [s] et [ks]

statue

chanson

cactus

saxophone

boxe

43 Le son [s] s'écrit s
soleil   chanson   as

On trouve **s** en toutes positions dans les mots.

DÉBUT : **s**alade, **s**irop, **s**oleil, **s**tatue, **s**ûreté.
INTÉRIEUR : chan**s**on, ob**s**tacle.
DEVANT e FINAL : bour**s**e, cour**s**e, dépen**s**e, répon**s**e, tor**s**e.
FIN : a**s**, bu**s**, cactu**s**, maï**s**, sen**s**.

44 Le son [s] s'écrit c
cette   concert   pouce

Le son [s] ne s'écrit jamais **c** à la fin d'un mot.

DÉBUT : **c**eci, **c**éder, **c**ette, **c**igare, **c**ycle.
INTÉRIEUR : an**c**être, con**c**ert, mer**c**i, so**c**ial.
DEVANT e FINAL : auda**c**e, capri**c**e, dou**c**e, féro**c**e, pou**c**e, sau**c**e.

ATTENTION

Le son [s] ne s'écrit jamais **c** devant **a**, **o**, **u**.

345 Le son [s] s'écrit ç   ça   leçon   déçu

On n'écrit jamais **ç** à la fin d'un mot.

DÉBUT (rare) : **ç**a.
INTÉRIEUR : dé**ç**u, fa**ç**ade, le**ç**on, ma**ç**on, re**ç**u.

346 Le son [s] s'écrit x   soixante   dix

Le son [s] s'écrit **x** dans quelques mots.

di**x**   si**x**   soi**x**ante

347 Le son [s] s'écrit ss
poisson   écrevisse

On ne trouve jamais **ss** en début de mot.

INTÉRIEUR : boi**ss**on, e**ss**ai, moi**ss**on, poi**ss**on, ti**ss**u.
FIN (rare) : stre**ss**.

On trouve **ss**e ou **c**e devant un **e** final.

SSE : creva**ss**e, impa**ss**e, écrevi**ss**e, sauci**ss**e, bo**ss**e, bro**ss**e,
   adre**ss**e, gentille**ss**e, brou**ss**e, secou**ss**e, ru**ss**e, fau**ss**e.
CE : effica**c**e, ra**c**e, bénéfi**c**e, capri**c**e, atro**c**e, féro**c**e, Grè**c**e, niè**c**e,
   dou**c**e, pou**c**e, astu**c**e, pu**c**e, sau**c**e.

348 Le son [s] s'écrit sc   science   piscine

On trouve **sc** au début et à l'intérieur des mots devant les
voyelles **e**, **é**, **è**, **i**, **y**.

DÉBUT : **sc**énario, **sc**ène, **sc**eptre, **sc**ie, **sc**ience, **sc**ientifique.
INTÉRIEUR : adole**sc**ent, con**sc**ient, di**sc**ipline, pi**sc**ine.

49 Le son [s] s'écrit t(ie)   démocratie

Le son [s] peut s'écrire **t** dans des mots terminés par **-tie**.

acroba**tie**	démocra**tie**	minu**tie**
aristocra**tie**	idio**tie**	péripé**tie**

50 Le son [ks] s'écrit cc, x, xc
vaccin galaxie excellent

Les consonnes **cc, x, xc** se trouvent presque toujours à
l'intérieur des mots. Elles correspondent au son composé [ks].

cc : a**cc**ès, su**cc**ès, va**cc**in.
x : bo**x**e, expr**x**ès, gala**x**ie, inde**x**, saxo**x**phone, se**x**e, ve**x**ant.
xc : e**xc**ellent, e**xc**ès, e**xc**itation.

51 Les graphies du son [s]

	DÉBUT	INTÉRIEUR	DEVANT e FINAL	FIN
s	soleil	chanson	réponse	cactus
c	cendre	concert	pouce	
ç	ça	maçon		
ss		boisson	adresse	stress
sc	scène	piscine		
t(ie)		démocratie		

352 Les graphies du son [ks]

	DÉBUT	INTÉRIEUR	DEVANT e FINAL	FIN
cc		accès		
x		galaxie	axe	index
xc		excellent		

À la découverte des mots

353 Comment expliquer la prononciation de mots comme parasol?

Si l'on écrit **s** entre deux voyelles, on entend le son [z]. Mais dans **certains mots** composés d'un **radical** et d'un **préfixe**, **s** entre deux voyelles se prononce [s].   ▷ PARAGRAPHES 358 ET 457

contre**s**ens (préfixe : *contre* + radical : *sens*)
para**s**ol (préfixe : *para* + radical : *sol*)

354 Qu'est-ce que la cédille?

La cédille est un signe que l'on place uniquement sous la lettre **c**, devant **a**, **o**, **u**, pour représenter le son [s].

ça   le**ç**on   dé**ç**u
je pla**ç**ais   nous pla**ç**ons

55 Les mots en -sse ou -ce

Vous pouvez vous aider des mots de la même famille que vous savez écrire pour choisir entre **-sse** et **-ce**.

pa**s** → impa**sse**   gre**c** → Grè**ce**

56 Les mots en -tie

Pour ne pas vous tromper, pensez aux mots de la même famille.

acroba**te** → acroba**tie**
aristocra**te** → aristocra**tie**
démocra**te** → démocra**tie**

Poème en x pour le lynx

Dans les Rocheuses vit le lynx
à l'œil brillant comme un silex
couleur de porcelaine de Saxe
énigmatique plus qu'un sphinx

parfois grondant en son larynx
il miaule et quoique loin de Sfax
fauche la chèvre qui fait « bêex »
au berger qui joue du syrinx

Pour fêter ça il boit sans toux
de la blanquette de Limoux
dans les Rocheuses c'est du luxe

puis ronronnant et les yeux fixes
regarde à sa télé Tom Mix
dans un western couleur « de Luxe »

Jacques Roubaud, *Les animaux
de tout le monde*, © Seghers

Écrire le son [z]

zoo

musée

gaz

357 Le son [z] s'écrit z
zèbre   horizon   onze   gaz

On trouve la graphie **z** en toutes positions dans les mots.

DÉBUT : **z**èbre, **z**éro, **z**one, **z**oo.
INTÉRIEUR : a**z**ur, ba**z**ar, bi**z**arre, di**z**aine, ga**z**elle, ga**z**on,
   hori**z**on, ri**z**ière.
DEVANT e FINAL : bron**z**e, dou**z**e, ga**z**e, on**z**e, quator**z**e, quin**z**e,
   sei**z**e, trei**z**e.
FIN : ga**z**.

358 Le son [z] s'écrit s   paysage   ruse

Le son [z] s'écrit **s** uniquement entre deux voyelles.

INTÉRIEUR : cou**s**in, mu**s**ée, pay**s**age, poi**s**on, sai**s**on, vi**s**age.
DEVANT e FINAL : bi**s**e, ru**s**e.

359 Le son [z] s'écrit x   dixième

Le son [z] s'écrit **x** dans les adjectifs numéraux.

INTÉRIEUR : deu**x**ième, di**x**ième, si**x**ième, di**x**-huit, di**x**-neuf.

360 Le son [z] s'écrit zz   jazz

> Il est très rare de trouver le son [z] écrit **zz**.

INTÉRIEUR: gri**zz**li.
FIN: ja**zz**.

361 Les graphies du son [z]

	DÉBUT	INTÉRIEUR	DEVANT e FINAL	FIN
z	zéro	lézard	onze	gaz
s		paysage	chanteuse	
x		dixième		dix (ans)
zz		grizzli		jazz

À la découverte des mots

362 Comment former le féminin des adjectifs en -eur et en -eux?

> La finale **-euse** permet de former le féminin des noms et des adjectifs en **-eur** et **-eux**.

chant**eur** → chant**euse**
vend**eur** → vend**euse**

moqu**eur** → moqu**euse**
audaci**eux** → audaci**euse**

63 Comment prononcer s entre deux voyelles?

La lettre **s** se prononce [z] entre deux voyelles, sauf dans certains noms composés.

ro**s**e
vi**s**age
mais para**s**ol (**s** se prononce [s])

64 Comment prononcer x en fin de mot?

Devant une voyelle ou un **h** muet, **x** en fin de mot
se prononce [z] en faisant la liaison avec le mot suivant.

di**x** ans
si**x** hommes

La complainte du Z

Un Z, à genoux, se mit à pleurer.

« Quoi, s'écria-t-il, encore rien pour moi ?
J'ai une femme, plusieurs enfants, et pas de
travail ! Je suis toujours au chômage ! »
Alice se sentit très émue par le sort du Z.

Elle chercha ce qu'elle pourrait dire pour
le consoler, mais elle ne trouva rien.
Cependant, le Z continuait d'une voix
changée :
« Il n'y a pas asse**z** d'asse**z**
Pas asse**z** de vous voye**z**
De vous mange**z**, de vous buve**z**
Pas asse**z** de **z**èbres, de **z**ébus
De **z**o**z**os, de **z**a**z**ous, de **z**éthus
De Z il n'y en a pas asse**z**
De Z il y en a **z**éro. »
Alice trouva le poème du Z joli, mais
un peu compliqué.

Roland Topor, *Alice au pays des lettres*,
© Éd. du Seuil, 1991

Écrire le son [ʒ]

jeu

bijou

neige

65 Le son [ʒ] s'écrit j   jambon   bijou

On ne rencontre jamais **j** à la fin des mots.

DÉBUT : jadis, jaloux, jambon, japonais, jeu, jeune, jockey, joie, juste.
INTÉRIEUR : adjectif, adjoint, bijou, conjonction, injure, objet, sujet.

66 Le son [ʒ] s'écrit g
gendarme   aubergine

On trouve **g** devant les voyelles **e**, **é**, **è**, **ê** et **i**.

DÉBUT : géant, gendarme, gentil, gibier, gigot.
INTÉRIEUR : angine, aubergine, indigène, origine, oxygène, sans-gêne.
DEVANT e FINAL : bagage, collège, dépannage, garage, manège, marge, mariage, ménage, neige, piège, siège.

67 Le son [ʒ] s'écrit ge   geai   pigeon

On trouve **ge** devant les voyelles **a** et **o**.

DÉBUT : geai, geôle.
INTÉRIEUR : bougeoir, bourgeon, orangeade, pigeon, plongeon.

368 Les graphies du son [ʒ]

	DÉBUT	INTÉRIEUR	DEVANT e FINAL	FIN
j	jouet	objet		
g	girafe	origine	manège	
ge	geai	plongeon		

À la découverte des mots

369 Quand peut-on écrire j, g ou ge?

On peut écrire **j devant toutes les voyelles**. Mais on n'écrit **ji** que dans quelques mots d'origine étrangère.

Japon   jeudi   joyeux   justice   moujik (paysan russe)

On peut aussi écrire **g devant** les voyelles **e** (é, è, ê) et **i** (y).

danger   gilet

On peut aussi écrire **ge devant** les voyelles **a** et **o**.

orangeade   pigeon

370 Les verbes en -ger

Les verbes terminés par **-ger** présentent de nombreuses formes comprenant la graphie **ge**.   ▷ PARAGRAPHE 480

nager : je nageais, je nageai, nous nageons...

Le plus beau vers
de la langue française

« Le **ge**ai **gé**latineux **gei**gnait dans le **ja**smin »
Voici, mes zinfints
Sans en avoir l'air
Le plus beau vers
De la langue française.

Ai, eu, ai, in
Le **ge**ai **gé**latineux **gei**gnait dans le **ja**smin...

Le poite aurait pu dire
Tout à son aise :
« Le **ge**ai volumineux picorait des pois fins »
Eh bien ! non, mes zinfints.
Le poite qui a du **gé**nie
Jusque dans son délire
D'une main moite
A écrit :

« C'était l'heure divine où, sous le ciel gamin,
LE **GE**AI **GÉ**LATINEUX **GE**IGNAIT DANS
LE **JA**SMIN. »

René de Obaldia, *Innocentines*, © Grasset

Écrire le son [R]

rail

souris

tambour

371 Le son [R] s'écrit r
récolte   parole   heure   car

On trouve **r** en toutes positions dans les mots.

DÉBUT : racine, radio, rail, récit, récolte, rivage, roue, rue.
INTÉRIEUR : carotte, direct, féroce, intéresser, parole, souris.
DEVANT e FINAL : avare, bordure, empire, heure.
FIN : bar, car, nénuphar, cher, hiver, ver, désir, plaisir, tir, éclair,
   impair, castor, trésor, futur, mur, sur, four, tambour.

372 Le son [R] s'écrit rr   torrent   bagarre

On ne trouve **rr** qu'à l'intérieur des mots.

INTÉRIEUR : arranger, arrière, arrosoir, correct, débarrasser,
   derrière, erreur, fourrure, horrible, terrible, torrent, verrou.
DEVANT e FINAL : bagarre, bizarre, serre.

373 Le son [R] s'écrit r(d, s, t)
canard   alors   concert

On trouve **r + consonne muette (d, s, t)** à la fin de
nombreux mots.

FIN (rd) : accord, bord, brouillard, canard, lourd, record.
FIN (rs) : alors, concours, discours, divers, velours, vers.
FIN (rt) : art, concert, confort, départ, effort, tort, vert.

ATTENTION

On trouve rh dans **rhinocéros**, **rhume**, **enrhumé**.

74 Les graphies du son $[R]$

	DÉBUT	INTÉRIEUR	DEVANT e FINAL	FIN
r	rue	parole	heure	décor
rr		torrent	bagarre	
r(d, s, t)				départ

À la découverte des mots

75 Comment trouver la lettre muette à la fin des mots?

Pour savoir s'il faut écrire une lettre muette à la fin d'un mot, vous pouvez vous aider des mots de la même famille, ou du féminin des adjectifs.

confortable → confort
lourde → lourd
verte → vert

376 Apprendre les homophones

Certains mots (les homophones) se prononcent de la même manière, mais s'écrivent différemment.

v**ers** *(préposition)*
v**ert** *(adjectif)*
un v**er** *(de terre)*
un v**erre** *(de lait)*
le v**air** *(une pantoufle de vair)*

377 rr dans les verbes

Certains verbes s'écrivent avec **rr** au futur de l'indicatif et au conditionnel présent.

je cou**rr**ai   vous enve**rr**iez   tu pou**rr**ais   ils ve**rr**aient

Écrire le e muet

oie   bougie

78 Qu'appelle-t-on une lettre muette?

Dans certains mots, on ne prononce pas toutes les lettres.
Ces lettres que l'on **n'entend pas** sont des lettres muettes.

▷ PARAGRAPHES 379 À 402

oie, craie, joue (on n'entend pas le **e**)
haut, **h**orloge, **h**uile (on n'entend pas le **h**)
bra**s**, li**t**, pie**d** (on n'entend pas le **s**, le **t**, le **d**)

79 Quand y a-t-il un e muet à l'intérieur des mots?

On trouve un **e** muet à l'intérieur de noms formés sur des
verbes en **-ier, -yer, -uer, -ouer**.

balbut**ier** → balbut**ie**ment
remerc**ier** → remerc**ie**ment

abo**yer** → abo**ie**ment
pa**yer** → pa**ie**ment

étern**uer** → étern**ue**ment
t**uer** → t**ue**rie

dén**ouer** → dén**oue**ment
dév**ouer** → dév**oue**ment

281

380 Quels noms féminins se terminent par un e muet?

La plupart des noms féminins terminés par le son [i] s'écrivent en **-ie**.

boug**ie**	librair**ie**	pharmac**ie**
écur**ie**	modest**ie**	prair**ie**

fourm**i**, breb**is**, sour**is**, nu**it**, perdr**ix**.

La plupart des noms féminins terminés par le son [wa] s'écrivent en **-oie**.

j**oie** **oie** pr**oie** s**oie** v**oie**

f**oi**, l**oi**, f**ois**, cr**oix**, n**oix**, v**oix**.

Les noms féminins terminés par le son [y] s'écrivent en **-ue**.

aven**ue** bienven**ue** étend**ue** r**ue** ten**ue**

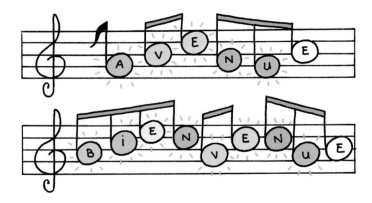

Les noms féminins désignant un contenu se terminent par
-ée, ainsi que dict**ée** et jet**ée**.

cuiller**ée**   port**ée**

Certains noms masculins se terminent aussi par -**ée**.
lyc**ée**   pygm**ée**

Les autres noms féminins qui ne se terminent pas par une
consonne ont souvent un **e** muet final.

AIE : b**aie**, cr**aie**, monn**aie**, pl**aie**, r**aie**.
OUE : j**oue**, m**oue**, r**oue**.
EUE : banli**eue**, li**eue**, qu**eue**.

381 Quelle est la nature des mots qui se terminent par -re ?

On trouve aussi le **e** muet dans les mots qui se terminent par
-re. Ces mots peuvent être des **noms** masculins ou féminins
ou des **adjectifs**.

NOMS MASCULINS : audit**oire**, laborat**oire**, territ**oire** ;
   annivers**aire**, estu**aire**, sal**aire** ; murm**ure** ; folkl**ore** ; emp**ire**,
   nav**ire**, r**ire**, sour**ire** ; ph**are** ; dinos**aure**.
NOMS FÉMININS : baign**oire**, balanç**oire**, hist**oire** ; mol**aire** ;
   capt**ure**, coiff**ure**, mes**ure**, ord**ure**, pel**ure** ; fl**ore** ; tirel**ire** ;
   fanf**are**, g**are**, guit**are**, m**are**.
ADJECTIFS (masculins ou féminins) : illus**oire**, mérit**oire**,
   provis**oire**, respirat**oire** ; aliment**aire**, nuclé**aire**, pol**aire**,
   sol**aire**, volont**aire** ; carniv**ore**, incol**ore**, omniv**ore** ; p**ire** ; r**are**.

382 La place du e muet

	DÉBUT	INTÉRIEUR	FIN
(i)e		remerciement	librairie
(ai)e		paiement	monnaie
(u)e		éternuement	avenue
(ou)e		dévouement	roue
(oi)e		aboiement	joie
(eu)e			queue
(oir)e			laboratoire
(air)e			anniversaire
(ur)e		pureté	coiffure
(or)e			carnivore
(ir)e		tirelire	empire
(ar)e			mare
(aur)e			dinosaure

Écrire le h muet et le h aspiré

habit

hérisson

83 Quand trouve-t-on un h muet au début d'un mot?

On peut trouver un **h** muet devant toutes les voyelles.

habit	**h**eure	**h**orizon	**h**umide
habitude	**h**eureuse	**h**orrible	**h**ypermarché
héroïque	**h**iver	**h**ôtel	**h**ypocrite

84 Dans quels types de mots trouve-t-on un h muet après une consonne?

On trouve un **h** muet après une consonne dans des mots formés de deux éléments.

gentil**h**omme : gentil (adjectif) + homme (nom)

bon**h**eur	in**h**abituel	mal**h**eur
in**h**abité	in**h**umain	mal**h**onnête

On trouve un **h** muet après une consonne dans des mots d'origine grecque.

bibliot**h**èque	r**h**inocéros	sympat**h**ique
épit**h**ète	r**h**ume	t**h**éâtre

385 Qu'est-ce que le h aspiré?

Le **h** aspiré permet de prononcer séparément deux voyelles ou de ne pas faire la liaison avec le mot précédent.

un **h**angar   un **h**érisson   la pré**h**istoire
une maison **h**aute   un **h**éros

386 La place du h muet et du h aspiré

	DÉBUT	INTÉRIEUR	FIN
h muet	hiver	menhir	maharadjah
h aspiré	haricot	préhistoire	

À la découverte des mots

387 Apprendre les homophones

Parfois, seul le **h** permet de faire la différence entre deux mots.

ton (nom ou adjectif possessif)   le t**h**on (le poisson)

Écrire les consonnes muettes

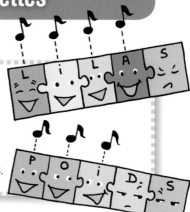

88 Où se trouve le s muet?

Le **s** muet se trouve à la fin des mots.

FIN : bra**s**, lila**s**, matela**s**, repa**s** ; autrefoi**s**, bourgeoi**s**, foi**s**, moi**s**, quelquefoi**s** ; avi**s**, brebi**s**, coli**s**, pui**s**, souri**s** ; anglai**s**, jamai**s**, mai**s**, marai**s** ; do**s**, enclo**s**, héro**s**, repo**s** ; ju**s**, refu**s**.

Le **s** muet peut apparaître après une autre consonne.

cor**ps**
poi**ds**
tem**ps**
volontier**s**

N'oubliez pas le **s** muet à la fin des verbes :
tu chante**s**, tu chantai**s**, nous chanton**s**, nous chanteron**s**...

389 Quel est le genre des noms terminés par un s muet?

La plupart des noms terminés par un **s** muet sont masculins.

un avi**s**   un succè**s**

EXCEPTIONS

la brebi**s**, une foi**s**, la souri**s**.

390 Quel est le pluriel des noms terminés par s?

Les mots terminés par **s** au singulier sont invariables.

la brebi**s** → les brebi**s**   le repa**s** → les repa**s**

391 Comment savoir s'il faut écrire un s muet?

On peut s'aider d'un mot de la même famille.

confu**s**e → confu**s**   repo**s**er → repo**s**

392 Où se trouve le t muet?

On trouve le **t** muet à la fin d'un mot.

APRÈS VOYELLE: acha**t**, clima**t**, pla**t**, résulta**t**; appéti**t**, circui**t**, frui**t**, li**t**, nui**t**; escargo**t**, robo**t**, sabo**t**, trico**t**; artichau**t**, défau**t**, sau**t**, sursau**t**; adroi**t**, détroi**t**, endroi**t**, exploi**t**, toi**t**; débu**t**; bou**t**.

APRÈS **r** : a**rt**, dépa**rt**, éca**rt**, rempa**rt** ; conce**rt**, dése**rt**, desse**rt**, transfe**rt** ; confo**rt**, effo**rt**, suppo**rt**, to**rt**.
APRÈS **c, p** : aspe**ct**, respe**ct**, suspe**ct** ; prom**pt**.

ATTENTION

N'oubliez pas le **t** muet à la fin des verbes :
ils/elles chantaien**t**, il/elle ba**t**, ils/elles viendron**t**...

93 Comment savoir s'il faut écrire un t muet ?

On peut s'aider d'un mot de la même famille ou bien du féminin.

tricoter → trico**t**   toute → tou**t**   complète → comple**t**

94 Où se trouve le x muet ?

On trouve un **x** muet à la fin d'un mot.

FIN : choi**x**, croi**x**, deu**x**, dou**x**, épou**x**, fau**x**, hou**x**, jalou**x**, noi**x**, pai**x**, perdri**x**, pri**x**, tou**x**, voi**x**.

On trouve aussi un **x** muet dans la terminaison de certains verbes.

pouvoir : je peu**x**, tu peu**x**   vouloir : je veu**x**, tu veu**x**

95 Quel est le pluriel des noms terminés par x ?

Les noms terminés par **x** au singulier sont invariables.

la noi**x**, les noi**x**   le pri**x**, les pri**x**

396 Où trouve-t-on le c et le p muets?

Le **c** et le **p** muets se trouvent à l'intérieur et à la fin des mots.

INTÉRIEUR: aspe**c**t, respe**c**t; prom**p**t, (il) rom**p**t.
FIN: ban**c**, blan**c**, flan**c**, fran**c**; beaucou**p**, cham**p**, cou**p**, dra**p**, lou**p**, siro**p**, tro**p**.

397 Comment savoir s'il faut écrire c ou p?

On peut s'aider de mots de la même famille.

champêtre → cham**p**   respe**c**ter → respe**c**t

398 Où trouve-t-on les consonnes muettes b, d, g, l?

On les trouve à la fin des mots.

B: aplom**b**, plom**b**.
D: crapau**d**, ni**d**, nœu**d**, pie**d**, bon**d**; accor**d**, bor**d**, recor**d**, brouillar**d**, canar**d**, épinar**d**, hasar**d**, lézar**d**, lour**d**, sour**d**.
G: étan**g**, lon**g**, poin**g**.
L: fusi**l**, genti**l**, outi**l**.

399 Comment savoir s'il faut écrire b, d, g, l?

On peut s'aider de mots de la même famille ou bien du féminin.

bondir → bon**d**   longue → lon**g**   plombier → plom**b**

00 La place des consonnes muettes

	DÉBUT	INTÉRIEUR	FIN
voyelle + **s**			repa**s**
consonne + **s**			velour**s**
voyelle + **t**			clima**t**
consonne + **t**			respe**ct**
x			noi**x**
d			pie**d**
p			dra**p**
c			ban**c**
g			étan**g**
b			plom**b**
l			outi**l**

À la découverte des mots

01 D'où viennent les lettres muettes?

La plupart des mots français viennent du latin ; les lettres
muettes sont des lettres qui se trouvaient déjà dans le mot
latin. On les a gardées en français, mais on ne les prononce
plus.

Le mot latin *vinum* a donné en français le mot *vin*.
Le mot latin *viginti* a donné en français le mot *vingt*.
Vingt se prononce comme **vin**, mais il a gardé les lettres **g** et **t**
qui existaient en latin.

Le mot latin *cursus* a donné le mot français *cours*.
Le mot latin *curtus* a donné le mot français *court*.
Cours et **court** se prononcent de la même manière, mais on continue à les écrire avec les lettres **s** et **t** qui existaient en latin.

402 Apprendre les homophones

la b**oue**	le b**out**
le c**ou**	le c**oup**
le l**ait**	l**aid** (adj.)
une r**oue**	r**oux** (adj.)

Écrire le début des mots

affiche

$$104$$
$$+\ \ 50$$
$$=\ 154$$

addition

03 Comment choisir entre ad- ou add- ?

On écrit le plus souvent **ad-**.

adieu   **ad**orable   **ad**ulte

EXCEPTION

Le nom **addition** s'écrit avec **dd**.

04 Comment choisir entre af- ou aff- ?

On écrit le plus souvent **aff-**.

affaire   **aff**iche
affection   **aff**irmation

EXCEPTIONS

a**f**in, a**f**ricain, A**f**rique.

ATTENTION

Les mots qui commencent par **eff-** ou **off-** s'écrivent toujours
avec **ff**.

e**ff**icace   o**ff**ense
e**ff**ort   o**ff**icier
e**ff**rayant   o**ff**rir

405 Comment choisir entre ag- ou agg-?

On écrit le plus souvent **ag-**.

agrafe   **ag**randir   **ag**réable   **ag**ressif   **ag**riculture

EXCEPTIONS

agglomération, **agg**lutiner, **agg**raver.

406 Comment choisir entre am- ou amm-?

On écrit presque toujours **am-**.

amarre   **am**ateur   **am**i   **am**ont   **am**our   **am**user

407 Comment choisir entre il- ou ill-?

On écrit le plus souvent **ill-**.

illisible   **ill**uminé   **ill**usion   **ill**ustrer

EXCEPTIONS

il, **î**le.

408 Comment choisir entre ir- ou irr-?

On écrit le plus souvent **irr-**.

irréalisable   **irr**emplaçable   **irr**espirable   **irr**igation
irréductible   **irr**éparable   **irr**esponsable   **irr**iter

EXCEPTIONS

iranien, **ir**is, **ir**onie.

Écrire la fin des mots

épouvantail

magicien

09 Comment choisir entre -ail ou -aille?

On écrit **-ail** à la fin des noms masculins.

un épouvant**ail**
un gouvern**ail**
un trav**ail**

On écrit toujours **-aille** à la fin des noms féminins.

une m**aille** (de tricot)
la p**aille**

10 Comment choisir entre -ciel ou -tiel?

On écrit **-ciel** après **i** et **an**.

APRÈS **i** : logi**ciel**, superfi**ciel**
APRÈS **an** : circonstan**ciel**

On écrit **-tiel** après **en**.

essen**tiel**

411 Comment choisir entre -cien, -tien ou -ssien ?

On écrit souvent **-cien** dans des noms de métiers.

électri**cien**   magi**cien**   pharma**cien**

On écrit **-tien** quand le mot est formé à partir de noms propres contenant un **t** dans la dernière syllabe.

Cape**t** → capé**tien**
Égyp**te** → égyp**tien**
Haï**ti** → haï**tien**
Tahi**ti** → tahi**tien**

Dans quelques mots, on écrit aussi **-sien** et **-ssien**.

le **sien**   paroi**ssien** (paroisse)   pru**ssien** (Prusse)

412 Comment choisir entre -cière ou -ssière ?

Les noms et les adjectifs féminins s'écrivent **-cière** ou **-ssière**.

-cière : poli**cière**, sor**cière**
-ssière : pâti**ssière**, pou**ssière**

Les noms et adjectifs masculins terminés par **-cier** et **-ssier** forment leur féminin en **-cière** et **-ssière**.

épicier → épi**cière**
caissier → cai**ssière**

113 Comment choisir entre -é ou -ée?

Tous les noms de genre féminin, terminés par [e] et non par
[te] ou [tje], s'écrivent **-ée**.

ann**ée** pens**ée**
matin**ée** rentr**ée**

EXCEPTION

la cl**é**

On trouve souvent la finale **-ée** dans des mots qui désignent
des contenus.

bouche → une bouch**ée** gorge → une gorg**ée**
bras → une brass**ée** pince → une pinc**ée**
cuiller → une cuiller**ée** poing → une poign**ée**
four → une fourn**ée** rang → une rang**ée**

Il existe quelques noms masculins en **-ée**.

un apog**ée** un pygm**ée**
un lyc**ée** un scarab**ée**

114 Comment choisir entre -eil ou -eille?

On écrit **-eil** à la fin des noms masculins.

le sol**eil**

On écrit **-eille** à la fin des noms féminins.

une ab**eille**

415 Comment choisir entre -euil, -euille ou -ueil?

On écrit toujours **-euille** à la fin des noms féminins.

une f**euille**

On écrit le plus souvent **-euil** à la fin des noms masculins.

un faut**euil**

ATTENTION

Les noms masculins formés sur **feuille** s'écrivent **-euille**, sauf **cerfeuil**.

du chèvre**feuille**   un mille-**feuille**   un porte**feuille**

EXCEPTION

un **œil**

Après les consonnes **c** et **g**, on doit écrire **-ueil**.

un acc**ueil**   un cerc**ueil**   un rec**ueil**   l'org**ueil**

ATTENTION

Le verbe **cueillir** et ses composés : je cueille, nous accueillons...

416 Comment choisir entre -eur, -eure, -eurs ou -œur?

On écrit le plus souvent **-eur** à la fin des noms.

le bonh**eur**   la p**eur**
le malh**eur**   la terr**eur**

EXCEPTIONS

le b**eurre**, la dem**eure**, une h**eure**

La finale **-eur** permet de former des noms.

blanc → la blanch**eur**
dessiner → le dessinat**eur**
explorer → l'explorat**eur**

mince → la minc**eur**
profond → la profond**eur**
voyager → le voyag**eur**

Certains mots invariables se terminent par **-eurs**.

aill**eurs**   d'aill**eurs**   plusi**eurs**

Certains noms se terminent par **-œur**.

c**œur**   ranc**œur**
ch**œur**   s**œur**

417 Comment choisir entre -ie ou -i?

Tous les noms féminins terminés par le son [i] s'écrivent **-ie**.

bougi**e**   librairi**e**   modesti**e**   pharmaci**e**
écuri**e**   loteri**e**   nostalgi**e**   plui**e**
jalousi**e**   mairi**e**   orti**e**   prairi**e**

EXCEPTIONS

la fourm**i**, la breb**is**, la sour**is**, la nu**it**, la perdr**ix**.

À la fin des noms masculins, on écrit **-i**, **-is**, **-id** ou **-ix**.

un abr**i**   un tap**is**   un pr**ix**
un part**i**   un n**id**

418 Comment choisir entre -oire ou -oir?

On écrit **-oire** à la fin des noms féminins.

une balançoire   une histoire   une nageoire
une foire   la mémoire

On écrit **-oir** à la fin de la plupart des noms masculins.

un comptoir   un couloir   un espoir   un réservoir

EXCEPTIONS

Certains noms masculins se terminent par **-oire**.

un conservatoire   un laboratoire   un réfectoire
un interrogatoire   un pourboire   un territoire

On écrit **-oire** à la fin des adjectifs, au masculin comme au féminin.

un exercice obligatoire   la sieste obligatoire

EXCEPTION

noir : un pantalon **noir**   une chemise **noire**

419 Comment choisir entre -té ou -tée?

Presque tous les noms terminés par [te] s'écrivent **-té**.

l'Antiquité   la cité   l'originalité   la qualité   la spécialité

EXCEPTIONS

▶ Les noms indiquant un contenu : une pelletée...

▶ Les cinq noms suivants : la dictée, la jetée, la montée, la pâtée, la portée.

Les noms terminés par **-té** sont presque tous féminins.

EXCEPTIONS

un cô**té**, un doig**té**, un é**té**, un trai**té**.

La finale **-té** permet de former des noms désignant des qualités ou des défauts à partir d'adjectifs.

ADJECTIFS	NOMS	ADJECTIFS	NOMS
beau	beau**té**	méchant	méchance**té**
clair	clar**té**	rapide	rapidi**té**
généreux	générosi**té**	timide	timidi**té**

420 Comment choisir entre -tié ou -tier?

Les noms de genre féminin s'écrivent **-tié**.

l'ami**tié**   une moi**tié**

Les noms de genre masculin s'écrivent **-tier**.

un bijou**tier**   un chan**tier**   un coco**tier**   un quar**tier**
un boî**tier**   un charcu**tier**   un po**tier**   un sen**tier**

421 Comment choisir entre -tion ou -(s)sion?

Après les consonnes **c** et **p**, on écrit toujours **-tion**.

a**ction**   se**ction**   inscri**ption**

> Après la voyelle **a**, on trouve le plus souvent **-tion**.

aliment**ation**   éduc**ation**   explic**ation**

EXCEPTIONS
p**assion**, comp**assion**.

> Après la consonne **l**, on écrit toujours **-sion**.

expul**sion**

422 Comment choisir entre -ule ou -ul?

> Presque tous les noms, masculins ou féminins, terminés
> par le son [yl] s'écrivent **-ule**.

NOMS MASCULINS : crépus**cule**, glob**ule**, scrup**ule**, véhi**cule**.
NOMS FÉMININS : bas**cule**, cell**ule**, libell**ule**, pil**ule**, rot**ule**.

EXCEPTIONS
- ▶ Les trois mots **calcul**, **consul** et **recul** s'écrivent **-ul**.
- ▶ Une **bulle** et le **tulle** s'écrivent **-ulle**.
- ▶ Un **pull**, mot d'origine anglaise, s'écrit avec deux **l**.

423 Comment choisir entre -ur ou -ure?

> Presque tous les noms, masculins ou féminins, terminés par
> le son [yʀ] s'écrivent **ure** (ou, rarement, **ûre**).

NOMS MASCULINS : merc**ure**, murm**ure**.
NOMS FÉMININS : avent**ure**, brûl**ure**, nourrit**ure**, piq**ûre**.

EXCEPTIONS
az**ur**, fém**ur**, fut**ur**, m**ur**.

Mots et formes invariables

24 Liste des mots les plus courants

afin
ailleurs
ainsi
alors, dès lors, **lors**, lorsque
après, auprès, exprès, **près**,
  presque
arrière, derrière
assez
au-dessous, dessous, **sous**
au-dessus, dessus, par-dessus,
  sus
aujourd'hui
auparavant, **avant**, devant,
  davantage, dorénavant
aussi
aussitôt, bientôt, plutôt,
  sitôt, tantôt, **tôt**
autant, pourtant, **tant**,
  tant pis
autrefois, **fois**, parfois,
  quelquefois, toutefois
avec
beaucoup
cependant, **pendant**
certes
chez
comme, comment
d'abord
dans, dedans
debout
dehors, **hors**
déjà

demain
depuis, **puis**, puisque
dès, dès que
désormais, jamais, **mais**
donc
durant
entre
envers, par devers, à travers,
  vers
environ
gré, malgré
guère, naguère
hier
hormis
ici
jadis
jusque
loin
longtemps
mieux, tant mieux
moins, néanmoins
parmi
partout
plus, plusieurs
quand
sans
selon
surtout
tandis que
toujours
trop
volontiers

Vocabulaire

La langue française comprend un grand nombre de mots (noms, adjectifs, verbes...) : leur ensemble forme le vocabulaire français.

Utiliser un dictionnaire

ENCHANTÉ !

- Le dictionnaire vous permet de connaître les **définitions** précises des mots.

- Il donne de nombreux **renseignements sur les mots** (nature, genre, sens, synonymes, contraires, homonymes) et sur leur histoire.

- Pour bien l'utiliser, il faut connaître l'**alphabet** et les **abréviations** les plus courantes.

425 Qu'est-ce que l'alphabet ?

C'est l'ensemble des **lettres** de la langue.
Parmi les **26** lettres de l'alphabet, on distingue :
– 6 **voyelles** : a, e, i, o, u, y ;
– 20 **consonnes** : b, c, d, f, g, h, j, k, l, m, n, p, q, r, s, t, v, w, x, z.

426 À quoi sert l'alphabet ?

Connaître l'alphabet permet de chercher un mot dans un dictionnaire car les mots y sont classés par ordre alphabétique.

427 Quelles formes peut avoir une lettre ?

On peut écrire les lettres en **minuscules**.

a, b, c, d, e, f, g, h, i, j, k, l, m, n, o, p, q, r, s, t, u, v, w, x, y, z.

On peut aussi les écrire en **majuscules**.

A, B, C, D, E, F, G, H, I, J, K, L, M, N, O, P, Q, R, S, T, U, V, W, X, Y, Z.

On peut aussi employer d'autres écritures.

a, b, c, d, e, f, g, h, i, j, k, l, m, n, o, p, q, r, s, t, u, v, w, x, y, z.

a, b, c, d, e, f, g, h, i, j, k, l, m, n, o, p, q, r, s, t, u, v, w, x, y, z.

𝒜, ℬ, 𝒞, 𝒟, ℰ, ℱ, 𝒢, ℋ, ℐ, 𝒥, 𝒦, ℒ, ℳ, 𝒩, 𝒪, 𝒫, 𝒬, ℛ, 𝒮, 𝒯, 𝒰, 𝒱, 𝒲, 𝒳, 𝒴, 𝒵.

428 Qu'est-ce qu'un dictionnaire ?

C'est un recueil de mots classés par ordre alphabétique. Chaque mot est suivi d'une définition ou de sa traduction dans une autre langue.

▸ Dans un dictionnaire de langue

orang-outan [ɔrɑ̃utɑ̃] **n. m.** ◆ Grand singe d'Asie, à longs poils d'un brun roux et aux bras très longs. *Les orangs-outans vivent dans les arbres.*

● On écrit aussi *orang-outang*. Ce mot vient d'un mot malais qui veut dire « homme des bois ».

■ LE ROBERT JUNIOR

▸ Dans un dictionnaire encyclopédique

AYMÉ (Marcel), *Joigny 1902 - Paris 1967*, écrivain français. Il est l'auteur de nouvelles *(le Passe-Muraille)* et de romans où la fantaisie et la satire se mêlent au fantastique *(la Jument verte)*, de pièces de théâtre *(Clérambard)* et de contes (**Contes du chat perché).*

■ LE PETIT LAROUSSE ILLUSTRÉ

▸ Dans un dictionnaire bilingue

calepin [kalpɛ̃], *s.m.* note-book, memorandum-book ; *F :* **mettez ça sur votre c. !** let this be a lesson to you !

■ HARRAP'S NEW STANDARD
DICTIONNAIRE FRANÇAIS-ANGLAIS

29 Comment chercher les mots dans le dictionnaire?

Pour trouver un mot dans un dictionnaire, il faut chercher d'abord la **première lettre du mot**.

Antenne: le son [ã] peut s'écrire **an** ou **en**. On commence par chercher à la lettre **a**..., puis **an**..., enfin **ant**...

Si vous ne trouvez pas le mot que vous cherchez, c'est que vous lui attribuez une mauvaise orthographe.

Horaire: pensez aux mots de la même famille (une *heure*, une *horloge*). Le mot commence par **ho**.

30 Comment trouver rapidement un mot?

Il est important de connaître l'alphabet dans les deux sens.

▶ **Un petit jeu**
Choisissez une lettre et indiquez le plus vite possible:
– la lettre qui la **précède** (celle qui vient **avant**);
– la lettre qui lui **succède** (celle qui vient **après**).
T: S, U ou encore: **G**: F, H

● La plupart des dictionnaires sont divisés en quatre parties:
– le **1er quart** contient A, B, C, D;
– le **2e quart** contient E, F, G, H, I, J, K;
– le **3e quart** contient L, M, N, O, P, Q;
– le **4e quart** contient R, S, T, U, V, W, X, Y, Z.
● Si vous cherchez un mot commençant par **M**, il est inutile d'ouvrir votre dictionnaire au début et de le feuilleter de **A** à **M**. Ouvrez-le plutôt vers le milieu.

431 Que nous apprend un dictionnaire?

Une entrée de dictionnaire nous donne trois informations : la **nature** (ou **classe grammaticale**), le **genre** et le **sens** du mot.

continent n. m. ✦ Grande étendue de terre comprise entre deux océans. *L'Europe, l'Asie, l'Afrique, l'Amérique, l'Océanie et l'Antarctique sont les six continents.*　　　　■ Le Robert Junior

La lettre **n.** indique que le mot *continent* est un **nom**.
La lettre **m.** indique qu'il s'agit d'un nom **masculin**.
Le dictionnaire donne ensuite le **sens** du mot, puis des **exemples**.

432 Quelles sont les différentes abréviations du dictionnaire?

Certaines abréviations (n., v., etc.) nous renseignent sur la nature du mot.

n. : nom	art. : article
v. : verbe	pron. : pronom
adj. : adjectif	prép. : préposition
adv. : adverbe	conj. : conjonction

Les abréviations **m.** et **f.** donnent le genre du mot.

m. : masculin
f. : féminin

Des numéros indiquent les différents sens du mot.

pomme n. f. **1.** Fruit du pommier, rond et contenant des pépins. *Julie croque une pomme.* — Familier. *Tomber dans les pommes,* s'évanouir. **2.** *La pomme de pin,* c'est le fruit du pin. **3.** *Une pomme d'arrosoir,* c'est le bout percé de trous qui s'adapte au bec d'un arrosoir. **4.** *La pomme d'Adam,* c'est la petite bosse que les hommes ont à l'avant du cou.

■ LE ROBERT JUNIOR

Le sens **1** est le **sens propre** du mot. Les autres sens (2, 3, 4) sont souvent des **sens figurés**.

▷ PARAGRAPHES 437 ET 438

L'abréviation **syn.** (synonyme) désigne les mots de **sens voisins**.

▷ PARAGRAPHES 439 À 444

drôle adj. **1** Qui fait rire. *Mon cousin nous raconte souvent des histoires drôles. C'est un garçon très drôle* (**SYN.** amusant, comique). **2** Qui étonne, surprend. *C'est drôle, je ne retrouve pas le livre que je viens de poser sur la table* (**SYN.** bizarre, étrange, curieux).

■ DICTIONNAIRE LAROUSSE
SUPER MAJOR CM1-6ᵉ

L'abréviation **contr.** désigne les mots de sens **contraires**.

▷ PARAGRAPHES 445 À 448

gratuit, gratuite adj. **1.** Que l'on a sans payer. *La parfumeuse m'a donné des échantillons de parfum gratuits.* ❑ contr. **payant.** **2.** Qui est fait sans preuves. *Cette accusation est purement gratuite.* ❑ contr. **fondé.**

■ LE ROBERT JUNIOR

Les **homonymes** (parfois **hom.**) sont les mots qui se prononcent de la même manière.

▷ PARAGRAPHES 449 À 452

seau n. m. **1.** Récipient plus haut que large, muni d'une anse. *Un seau d'eau. La serpillière est dans un seau en plastique.* — Au pl. *Des seaux.* **2.** *Il pleut à seaux,* très fort. → à **verse.** ◯ homonymes : saut, sceau, sot.

■ LE ROBERT JUNIOR

433 Qu'est-ce que l'étymologie ?

L'**étymologie** est l'origine des mots. Les mots français viennent le plus souvent du latin et du grec.

Le mot *temps* vient du mot latin *tempus*.
Le mot *vingt* vient du mot latin *viginti*.

434 Pourquoi l'étymologie est-elle importante ?

L'étymologie renseigne sur l'**orthographe** des mots. Ainsi, les mots qui viennent du grec contiennent souvent les groupes de consonnes **ph**, **th**, **ch** et la lettre **y**.

pharmacie   **th**éâtre   **ch**ronomètre   l**y**cée

Elle permet aussi de trouver le **sens** d'un mot.

Chronomètre vient du grec *chronos* (le temps) et *metron* (la mesure). C'est donc un instrument qui sert à mesurer le temps.

Reconnaître les différents sens d'un mot

MOI AUSSI, JE PEUX VOLER !

- Le dictionnaire donne très souvent **plusieurs significations** pour un mot.

- La plupart des mots sont **polysémiques** : ils peuvent avoir plusieurs sens.

- Le **sens propre** d'un mot est son sens le plus habituel. Le **sens figuré** est un sens imagé du sens propre.

35 Un mot peut-il avoir plusieurs sens ?

Oui ! Le plus souvent, un même mot a plusieurs sens.
On dit qu'il est **polysémique**.

un chemin **droit** = une route rectiligne
le côté **droit** = par opposition au côté gauche

36 Comment déterminer le sens d'un mot ?

Le **contexte**, c'est-à-dire les mots ou les phrases qui se trouvent autour d'un mot, peut vous aider à comprendre le sens de celui-ci.

Le surveillant, on l'appelle le Bouillon, quand il n'est pas là, bien sûr. On l'appelle comme ça, parce qu'il dit tout le temps : « Regardez-moi dans les **yeux** », et dans le bouillon il y a des **yeux**. Moi non plus je n'avais pas compris tout de suite, c'est des grands qui me l'ont expliqué.

■ LE PETIT NICOLAS

Regardez-moi dans les yeux : le verbe *regarder* indique que le mot *yeux* désigne l'organe de la vue.

dans le bouillon il y a des yeux : le complément circonstanciel *dans le bouillon* indique que le mot *yeux* désigne les petits ronds de graisse qui se forment dans la soupe.

437 Qu'est-ce que le sens propre d'un mot ?

Les différents sens d'un mot polysémique ont toujours un point commun : c'est le sens **propre**, le **premier** sens du mot.

montagne (sens propre) : importante élévation de terrain. *Les Pyrénées sont des montagnes.*

438 Qu'est-ce que le sens figuré d'un mot ?

Le sens **figuré** d'un mot est dérivé de son sens propre.

montagne (sens figuré) : importante quantité d'objets. *Il y a une montagne de jouets par terre.*

Ce sens figuré est obtenu par comparaison avec le sens propre : il y a tellement de jouets par terre qu'ils ressemblent à une montagne, qu'ils ont la hauteur d'une montagne.

Employer des synonymes

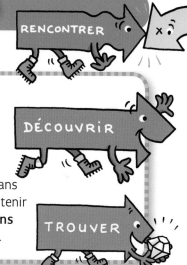

RENCONTRER

DÉCOUVRIR

TROUVER

- Certains mots ont presque le même sens : ce sont des **synonymes**.
- Les synonymes ont plus ou moins le même sens, mais on ne peut pas les utiliser dans toutes les situations : il faut tenir compte des **nuances de sens** et des **registres de langue**.

39 Qu'est-ce qu'un synonyme ?

On appelle synonymes des **mots de même nature** qui ont le **même sens** ou des **sens très voisins.**

▶ Noms
une maison = une villa = un pavillon = une résidence
un rêve = un songe = une illusion

▶ Adjectifs qualificatifs
beau = joli = mignon
hardi = intrépide = téméraire

▶ Verbes
trouver = découvrir = rencontrer
écarter = éloigner = isoler

▶ Adverbes
aussi = également

440 Des synonymes ont-ils toujours le même sens?

Non! On ne peut pas toujours remplacer un mot par son synonyme.

Un chat **saute** ou **bondit** sur sa balle.
Un enfant **saute** à la corde (il ne bondit pas).

441 Un mot a-t-il toujours le même synonyme?

Non! Un mot peut avoir **plusieurs synonymes**. Selon le contexte, il ne pourra être remplacé que par l'un de ses synonymes.

donner un cadeau = offrir un cadeau
donner une punition = infliger une punition

une fourrure **douce** = une fourrure agréable au toucher
une personne **douce** = une personne gentille
de l'eau **douce** = de l'eau non salée

442 Quels sont les registres de langue?

● Certains mots ont exactement le même sens, mais ils appartiennent à des registres de langue **différents** (soutenu, courant, familier).
● On emploie les différents registres de langue selon la situation où l'on se trouve (à l'écrit ou à l'oral, avec quelqu'un que l'on connaît bien ou peu ou pas du tout).

▸ **Registre soutenu**
se divertir

▶ **Registre courant**
s'amuser

▶ **Registre familier**
s'éclater

43 Quels sont les synonymes du verbe faire?

Le verbe **faire** est très souvent employé.
Connaître quelques-uns de ses synonymes permet de
s'exprimer avec plus de précision.

faire un mètre de haut	→	**mesurer** un mètre de haut
faire cinquante kilos	→	**peser** cinquante kilos
faire trente litres	→	**contenir** trente litres
faire cent euros	→	**coûter** cent euros
faire des photos	→	**prendre** des photos
faire un sport	→	**pratiquer** un sport
faire un château	→	**construire** un château
faire un gâteau	→	**préparer** un gâteau
faire un tableau	→	**peindre** un tableau
faire un dessin	→	**dessiner**
faire un livre	→	**écrire** un livre
faire un travail	→	**effectuer, exécuter** un travail
faire son devoir	→	**accomplir** son devoir
faire un métier	→	**exercer** un métier
faire des études	→	**étudier**
faire une erreur	→	**commettre** une erreur
faire des dégâts	→	**occasionner** des dégâts
faire de la peine	→	**peiner, affliger**
faire le bonheur de quelqu'un	→	**rendre heureux**

444 Quels sont les synonymes du verbe mettre?

Le verbe **mettre** a lui aussi de très nombreux sens.
Voici quelques-uns de ses synonymes.

mettre un vase sur la table	→ **placer** un vase sur la table
mettre le vase ailleurs	→ **déplacer** le vase
mettre ses jouets dans un placard	→ **ranger** ses jouets dans un placard
mettre de l'eau dans une bouteille	→ **verser** de l'eau dans une bouteille
mettre une chaise près de la table	→ **approcher** une chaise de la table
mettre un pull	→ **enfiler** un pull
se mettre en colère	→ **se fâcher**
se mettre à	→ **commencer à**
se mettre à rire	→ **éclater** de rire

Complainte de l'homme exigeant

Au milieu de la nuit
il **demandait** le soleil
il **voulait** le soleil
il **réclamait** le soleil.
Au milieu au plein milieu
de la nuit (voyez-vous ça ?)
le soleil ! (il criait)
le soleil ! (il **exigeait**)
le soleil ! le soleil !

Jean Tardieu, *Monsieur Monsieur*,
dans *Le Fleuve caché*, © Gallimard

Employer des antonymes

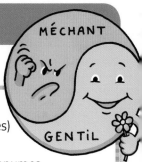

MÉCHANT

GENTIL

> **À RETENIR**
>
> ■ Les **antonymes** sont des mots (adjectifs, noms, verbes, adverbes) qui **s'opposent par le sens**.
>
> ■ Un mot peut avoir plusieurs antonymes.

445 Qu'est-ce qu'un antonyme ?

Lorsque deux mots de même nature ont des **sens contraires**, on dit qu'ils sont antonymes.

▸ **Noms**

un ami ≠ un ennemi

▸ **Adjectifs qualificatifs**

ancien ≠ moderne   gentil ≠ méchant
beau ≠ laid   propre ≠ sale
courageux ≠ lâche   vrai ≠ faux

▸ **Verbes**

accepter ≠ refuser   monter ≠ descendre

▸ **Adverbes**

lentement ≠ rapidement

446 Comment trouver des antonymes ?

Les **dictionnaires** donnent un ou plusieurs antonymes à la fin de chaque entrée. Presque tous les adjectifs qualificatifs ont des antonymes.

47 Un mot peut-il avoir plusieurs antonymes?

Oui! Un mot peut avoir plusieurs sens: il peut donc avoir un antonyme différent pour chacun de ses sens.

doux = sucré ≠ **amer**
doux = satiné ≠ **rugueux**
doux = gentil ≠ **méchant**
doux = faible ≠ **fort**

doucement = lentement ≠ **rapidement**
doucement = légèrement ≠ **violemment**

48 Comment se forment les antonymes?

Les antonymes peuvent avoir des formes complètement différentes *(grand ≠ petit)*, mais ils peuvent aussi être formés à partir d'un **mot commun** et des préfixes **in-** et **dé-**.

> PARAGRAPHES 457 ET 458

soumis ≠ **in**soumis
monter ≠ **dé**monter

Employer des homonymes

■ Les **homonymes** sont des mots qui se prononcent ou s'écrivent de la même manière ; mais ils ont des sens différents, qu'il faut connaître.

BANQUIER

NOUS VENONS OUVRIR UN CONTE.

449 Qu'est-ce qu'un homonyme ?

Lorsque des mots ont la **même forme**, écrite ou orale, mais des **sens différents**, on dit qu'ils sont homonymes.

un **comte** et une comtesse   un **compte** en banque
le **conte** du *Petit Poucet*

> Les mots *comte, conte* et *compte* **se prononcent** de la même manière, mais ont des sens différents.

un **compte** en banque   il **compte** son argent.

> Le mot *compte* se prononce et **s'écrit** de la même manière, mais a des sens différents.

450 Qu'est-ce qu'un homophone ?

Les homophones sont des homonymes qui se prononcent de la même façon, mais ont une **orthographe différente**.

une **chaîne** de vélo   les feuilles du **chêne**

51 Comment trouver l'orthographe d'un homonyme?

C'est le **contexte** qui permet de comprendre le sens d'un homonyme, et donc de l'écrire correctement. On peut aussi s'aider de **synonymes**.

J'écoute un **chant** mélodieux.

Contexte: Peut-on écouter un *champ*? Non.
Synonyme: J'écoute une *chanson* mélodieuse.

Elle traversa un **champ**.

Contexte: Peut-on traverser un *chant*? Non.
Synonyme: Elle traversa un *pré*.

52 Quelques homonymes

a

air	→	au grand air
aire	→	l'aire du carré (= sa surface)
ère	→	l'ère tertiaire
amande	→	manger une amande
amende	→	payer une amende
ancre	→	l'ancre du bateau
encre	→	une tache d'encre
aussi tôt	→	Je ne t'attendais pas aussi tôt.
aussitôt	→	Aussitôt après, l'orage éclata.
autel	→	l'autel de la cathédrale
hôtel	→	l'hôtel de la plage
auteur	→	l'auteur de cette poésie
hauteur	→	le saut en hauteur

b

bal	→	le bal du village
balle	→	une balle en tissu
balade	→	une balade en montagne
ballade	→	chanter une ballade
balai	→	donner un coup de balai
ballet	→	danser un ballet
bar	→	le comptoir du bar
barre	→	une barre de fer
bien tôt	→	L'école a fermé bien tôt aujourd'hui. (= très tôt)
bientôt	→	Le match va bientôt commencer.
boue	→	la boue du chemin
bout	→	un bout de pain
but	→	marquer un but
butte	→	monter sur une butte

c

camp	→	le camp romain
quand	→	quand il fera jour
quant	→	quant à toi
qu'en	→	il ne viendra qu'en avril
cane	→	la cane et ses canetons
canne	→	la canne du vieillard
canot	→	un canot de sauvetage
canaux	→	les canaux hollandais
cap	→	franchir un nouveau cap
cape	→	la cape de Zorro

car	→	Je me couvre, car il fait froid.
quart	→	un quart d'heure
cent	→	cent mètres
sang	→	une goutte de sang
sans	→	sans peur
cep	→	le cep de la vigne
cèpe	→	cueillir des cèpes (= champignons)
cerf	→	chasser le cerf
serf	→	Le serf obéissait au seigneur.
chaîne	→	une chaîne stéréo
chêne	→	les grands chênes de la forêt
chair	→	la chair de poule
cher	→	cher oncle
chère	→	chère cousine
chaud	→	Il fait chaud.
show	→	un show télévisé
cœur	→	les battements du cœur
chœur	→	les chœurs de l'opéra
coin	→	rester dans son coin
coing	→	de la confiture de coings
col	→	un col de montagne
	→	un col de chemise
colle	→	un tube de colle
comte	→	le comte et la comtesse
compte	→	un compte en banque
	→	Il compte sur ses doigts.
conte	→	un conte de fées
coq	→	la poule et le coq
coque	→	La coque du navire ne prend pas l'eau.

cor → sonner du cor
corps → un corps musclé

cou → un foulard autour du cou
coud → Le couturier coud.
coup → éviter un coup
coût → le coût d'une maison

cour → la cour de récréation
cours → le cours de musique
court → le chemin le plus court

crin → un crin de cheval
crains → Je crains la chaleur.

d

danse → La valse est une danse.
dense → un brouillard très dense

dent → perdre une dent
dans → dans le brouillard

do → la note *do* en musique
dos → un mal de dos

e

elle → elle et lui
aile → l'aile de l'oiseau

étain → un plat en étain
éteint → un feu éteint

être → un être humain
→ le verbe *être*
hêtre → une forêt de hêtres

eux → Je pense à eux.
œufs → une douzaine d'œufs

f

faim	→	avoir très faim
fin	→	la fin du film
	→	un tissu fin
fausse	→	une fausse note
fosse	→	la fosse aux lions
fête	→	la fête de la musique
faite	→	une rédaction bien faite
fil	→	un fil de laine
file	→	une file d'attente
flan	→	un flan aux œufs et à la vanille
flanc	→	le flanc de la colline
foi	→	la foi des croyants
foie	→	un foie de veau
fois	→	une fois de plus

g

gaz	→	le gaz de la cuisinière
gaze	→	de la gaze pour un pansement
goal	→	le goal de l'équipe
gaule	→	la gaule du pêcheur (= longue perche)
Gaule	→	la Gaule
golf	→	jouer au golf
golfe	→	le golfe de Gascogne
grasse	→	30 % de matière grasse
grâce	→	la grâce d'une danseuse
guère	→	Il n'a guère de succès.
guerre	→	la guerre et la paix

h

hockey	→	le hockey sur glace
hoquet	→	avoir le hoquet
O.K.	→	C'est O.K.!
hutte	→	une hutte de trappeur
ut	→	*ut* en musique *(= do)*

j

j'ai	→	j'ai aperçu
geai	→	le chant du geai
jet	→	un jet d'eau

l

lac	→	les bords du lac
laque	→	la laque des meubles
laid	→	un dessin très laid
lait	→	le lait de vache

m

ma	→	ma tante
m'a	→	il m'a plu
mas	→	un mas provençal
mai	→	le 1er mai
mais	→	Mais que fais-tu?
mets	→	un mets délicieux
maître	→	le maître d'escrime
mètre	→	un mètre de tissu
mettre	→	mettre la charrue avant les bœufs
mal	→	mal au ventre
malle	→	une vieille malle
mâle	→	le mâle et la femelle

mère	→	la mère et l'enfant
maire	→	le maire du village
mer	→	le bord de mer
mi	→	la note *mi* en musique
mie	→	de la mie de pain
mis	→	Où l'as-tu mis ?
moi	→	toi et moi
mois	→	le mois de juillet
mon	→	mon frère
mont	→	un mont dans le Jura
mot	→	apprendre de nouveaux mots
maux	→	des maux de tête
mur	→	un mur élevé
mûr	→	un fruit mûr
mûre	→	cueillir des mûres

n

ni	→	ni queue, ni tête
nid	→	un nid d'aigle
n'y	→	Je n'y peux rien.

o

or	→	un bracelet en or
hors	→	Le joueur est hors jeu.
os	→	les os du crâne
eau	→	une eau pure
haut	→	là-haut
au	→	aller au bal
ou	→	la mer ou la montagne
où	→	Où allez-vous ?
août	→	au mois d'août
houx	→	une branche de houx

oui	→	Il a dit « oui ».
ouïe	→	avoir l'ouïe fine

p

pain	→	une tranche de pain
pin	→	une pomme de pin
peint	→	des murs peints
	→	Il peint un tableau.
pan	→	un pan de chemise
paon	→	les belles plumes du paon
par	→	Passe par ici.
part	→	une part de gâteau
	→	Elle part demain.
parti	→	un parti politique
partie	→	une partie de cartes
pâte	→	une pâte à tarte
patte	→	la patte du chat
peau	→	une peau de renard
pot	→	un pot de fleurs
père	→	un bon père de famille
pair	→	*Deux* est un nombre pair.
paire	→	une paire de chaussures
pie	→	La pie jacasse.
pis	→	le pis de la vache
π [pi]	→	Le nombre π est proche de 3,14.
piton	→	un piton rocheux
python	→	le serpent python
plaine	→	une plaine fertile
pleine	→	une journée pleine de surprises

plutôt	→	plutôt froid que chaud
plus tôt	→	Le soleil se couche plus tôt en hiver.
poids	→	un poids lourd
pois	→	écosser des petits pois
poil	→	le poil du chien
poêle	→	une poêle à frire
	→	un poêle à mazout
poing	→	un coup de poing
point	→	le point, le point-virgule, les deux-points
porc	→	une grillade de porc
port	→	un petit port de pêche
pou	→	vexé comme un pou
pouls	→	prendre le pouls d'un malade
poux	→	une lotion contre les poux
puits	→	tirer l'eau du puits
puis	→	ajouter l'eau, puis la farine

q

quel que	→	Quel que soit le jour de son arrivée, nous irons la chercher.
quelle que	→	Quelle que soit votre décision, je la respecterai.
quelque	→	Cette ville fut construite il y a quelque deux cents ans. (= environ)
quelques	→	Prête-moi quelques livres.

r

ras	→	un animal à poils ras
rat	→	un rat et une souris
raz	→	un raz-de-marée

reine	→	la reine et le roi
renne	→	les rennes du Père Noël
rêne	→	tenir les rênes de la diligence
roc	→	solide comme un roc
rock	→	danser le rock
roue	→	les roues d'une voiture
roux	→	des enfants roux, blonds, bruns

s

sain	→	sain et sauf
sein	→	le sein de la mère
saint	→	un saint homme
sale	→	une chemise sale
salle	→	une salle à manger
saut	→	le saut en hauteur
seau	→	un seau d'eau
sot	→	Tu n'es qu'un sot !
sceau	→	le sceau du roi (= sa signature)
selle	→	la selle du cheval
celle	→	Cette maison est celle que je préfère.
sel	→	le sel et le poivre
serre	→	des plantes de serre
serres	→	les serres de l'aigle
sert	→	il me sert un verre de limonade
si	→	Si tu veux !
six	→	six euros
scie	→	une scie à bois
s'y	→	s'y baigner
ci	→	celui-ci
signe	→	un signe de reconnaissance
cygne	→	les cygnes et les canards

si tôt	→	Il est si tôt que le soleil n'est pas encore levé.
sitôt	→	Sitôt son travail terminé, il allait jouer sur la plage.
soi	→	ne penser qu'à soi
soie	→	un foulard en soie
soit	→	quoi qu'il en soit
sol	→	le carrelage du sol
	→	la note *sol* en musique
sole	→	une sole au beurre blanc
sou	→	sans le sou
sous	→	sous la table
saoul, soûl	→	être saoul (= être ivre)
statue	→	une statue en marbre
statut	→	Il a un statut élevé. (= une belle situation)
sur	→	sur la table
sûr	→	Il est sûr de lui.

t

ta	→	ta sœur
t'a	→	Il t'a écrit.
tas	→	un tas de feuilles
tache	→	une tache d'encre
tâche	→	confier une tâche difficile à quelqu'un
tant	→	tant pis
temps	→	le beau temps
taon	→	la piqûre du taon (= grosse mouche)
t'en	→	Tu t'en vas.
tante	→	l'oncle et la tante
tente	→	une tente de camping

teint	→	un tissu teint en jaune
thym	→	du thym et du laurier
toi	→	toi et moi
toit	→	un toit d'ardoises
tribu	→	une tribu indienne
tribut	→	payer un lourd tribut
trop	→	un vêtement trop petit
trot	→	le trot du cheval

V

vain	→	attendre en vain
vingt	→	vingt siècles
vin	→	du vin rouge
vaine	→	une tentative vaine (= sans résultat)
veine	→	le sang des veines
ver	→	un ver de terre
verre	→	un verre d'orangeade
vers	→	le vers d'un poème
	→	vers la gare
vert	→	un maillot vert
vair	→	la pantoufle de vair de Cendrillon (= fourrure)
voie	→	une route à trois voies
voit	→	Il voit très bien.
voix	→	la voix du chanteur
vos	→	vos yeux
veau	→	une vache et son veau

Employer des paronymes

53 Qu'est-ce qu'un paronyme ?

Lorsque deux mots **se prononcent presque de la même façon** mais possèdent des sens différents, on dit qu'ils sont paronymes. Ces mots se confondent facilement et il faut les connaître pour les employer correctement.

54 Quelques paronymes

affluence	→	l'affluence des touristes en été
influence	→	avoir de l'influence sur quelqu'un
altitude	→	L'altitude du Mont-Blanc est de 4 808 m.
attitude	→	Juliette a une attitude rêveuse.
apporter	→	Nos invités apporteront le dessert.
emporter	→	Tu peux emporter ce livre chez toi.
bise	→	Une bise glaciale souffle en hiver.
brise	→	La brise marine est douce et agréable.

désinfecter	→	Il faut désinfecter cette plaie.
désaffecter	→	Ce hangar ne sert plus ; il a été désaffecté.
effraction	→	Le voleur est entré dans une maison par effraction : on a retrouvé deux vitres brisées.
infraction	→	une infraction au code de la route
émigrer	→	En hiver, les hirondelles émigrent vers l'Afrique.
immigrer	→	Il a quitté l'Australie pour la France : il a immigré en France.
éruption	→	l'éruption des volcans
irruption	→	l'irruption des élèves dans la cour
évasion	→	L'évasion de ce prisonnier a échoué.
invasion	→	l'invasion de la Gaule par les Romains
excès	→	L'automobiliste a commis un excès de vitesse.
accès	→	L'accès du parc est interdit aux animaux.
gourmand	→	Le gourmand aime la bonne cuisine et en mange souvent.
gourmet	→	Le gourmet apprécie et savoure les mets particulièrement raffinés.
infecter	→	Cette blessure est infectée : elle doit être nettoyée.
infester	→	Cette région est infestée de mouches.
justice	→	La justice veut que le coupable soit puni.
justesse	→	Ils ont eu leur train de justesse : les portes se fermaient quand ils sont arrivés.
location	→	une voiture de location
locution	→	*Parce que* est une locution conjonctive.
passager	→	Cet orage est passager : il ne durera pas.
passant	→	une rue passante, très fréquentée

portion → un morceau de nourriture ou de territoire
potion → un remède, un médicament qui se boit

préposition → *À, de, pour, sans* sont des prépositions.
proposition → Il y a des propositions indépendantes, des propositions principales et des propositions subordonnées.

vé
néneux → un champignon vénéneux
venimeux → un serpent venimeux

Identifier les familles de mots

- Les mots peuvent se regrouper en **familles de mots**.
- Une famille de mots comprend tous les mots formés à partir d'un même radical.

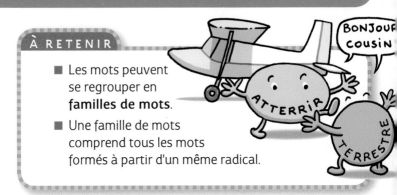

BONJOUR COUSIN

ATTERRIR

TERRESTRE

455 Qu'est-ce qu'une famille de mots?

Tous les mots formés à partir d'un même mot constituent la **famille** de ce mot.

La famille du mot *terre*
at**terr**ir, en**terr**er, **terr**ain, **terr**asse, **terr**estre, **terr**itoire...

456 Qu'est-ce qu'un radical?

Le **radical** est le mot ou la partie du mot qui se retrouve dans tous les mots de la même famille.

Le radical du mot *terre* est **terr-** : en**terr**er, **terr**ain...

Reconnaître les préfixes et les suffixes

À RETENIR

- Les préfixes et les suffixes, ajoutés au radical, servent à **former des mots**.
- Ils permettent de former des mots nouveaux à partir d'un radical commun.
- Les préfixes modifient le sens du radical qu'ils précèdent. Les suffixes modifient le sens et très souvent la nature du radical qu'ils suivent.

157 Qu'est-ce qu'un préfixe et un suffixe?

Ce sont des éléments de quelques lettres que l'on ajoute au radical d'un mot.
Les **préfixes** sont placés **avant le radical**, les **suffixes après** le radical.
Ils permettent de former de nouveaux mots et de constituer des familles de mots.

parasol = préfixe **para-** + radical **-sol**
craint**if** = radical **craint-** + suffixe **-if**
fleur**iste** = radical **fleur-** + suffixe **-iste**
défavor**able** = préfixe **dé-** + radical **-favor-** + suffixe **-able**
imbatt**able** = préfixe **im-** + radical **-batt-** + suffixe **-able**

458 Quel est le sens des préfixes?

Tous les préfixes n'ont pas un sens précis. Mais certains permettent de **modifier le sens du radical**. Connaître le sens de ces préfixes peut aider à comprendre le sens d'un mot.

PRÉFIXE	SENS	EXEMPLES
Parfois, la consonne change sous l'influence du radical : **ad-** devient *ac-*, *af-*, *ag-* ou *al-*, **dé-** devient *dés-*, **in-** devient *il-*, *im-* ou *ir-*.		
ad-	indiquent que l'action est en train de se réaliser	**ad**joindre
ac-		**ac**courir
af-		**af**faiblir
ag-		**ag**glomérer, **ag**graver
al-		**al**longer
archi-	indique le superlatif	**archi**plein
dé-	indiquent le contraire	**dé**faire
dés-		**dés**ordre, **dés**obéissant
extra-	signifie *qui sort de, extérieur à*	**extra**ordinaire, **extra**terrestre
in-	indiquent le contraire	**in**correct, **in**oubliable
il-		**il**lisible, **il**légal
im-		**im**battable, **im**pair, **im**patient, **im**possible
ir-		**ir**responsable, **ir**réel
mal-	indique le contraire	**mal**heureux, **mal**chance
para-	indique l'action de protéger (contre)	**para**pluie, **para**sol
pré-	indique que l'action s'est passée avant	**pré**histoire, **pré**venir
re-	indique que l'action se produit à nouveau	**re**commencer, **re**lire

59 Quel est le rôle des suffixes ?

Un suffixe **modifie la nature et le sens d'un mot** : il sert
à créer de nouveaux mots, ayant un sens différent et
appartenant à une autre catégorie grammaticale.

▷ PARAGRAPHES 36 ET 37

mang**er** : verbe qui signifie *se nourrir*
mange**able** : adjectif qui signifie *qui peut être mangé*

Les suffixes peuvent former des adjectifs qualificatifs, des
noms, des verbes ou des adverbes de manière.

▶ **Des adjectifs qualificatifs**
vérit**able**
illis**ible**
poss**ible**

▶ **Des noms**
gliss**ade**
orange**ade**
feuill**age**
Paris**ien**

▶ **Des verbes**
mang**er**
noirc**ir**
chat**ouiller**
vol**eter**

▶ **Des adverbes de manière**
facile**ment**
courageuse**ment**

460 Quel est le sens des suffixes?

Certains suffixes ont un sens précis. Le connaître peut aider à deviner le sens d'un mot.

SUFFIXES DES ADJECTIFS	SENS	EXEMPLES
-able	marquent la possibilité	lav**able**
-ible		lis**ible**
-ard	indique un aspect désagréable	vant**ard**, chauff**ard**
-âtre	indique la ressemblance, tout en marquant un aspect désagréable	verd**âtre**, roug**eâtre**
-elet	sert à former des diminutifs	aigr**elet**
-elette		maigr**elette**
-eux	indique une qualité ou un défaut	courag**eux**
-euse		orgueill**euse**
-if	indique un défaut ou une qualité	craint**if**, plaint**if**, définit**if**, impérat**if**
-ive		tard**ive**
-ot	sert à former des diminutifs	pâl**ot**
-otte		vieill**otte**
-u	indique une qualité ou un défaut	feuill**u**, poil**u**

SUFFIXE DES ADVERBES	SENS	EXEMPLES
-ment	d'une façon...	courageuse**ment** lente**ment**

SUFFIXES DES NOMS	SENS	EXEMPLES
-ade	indique une action ou un ensemble d'objets	fusill**ade**, colonn**ade**
-age	indique un ensemble d'objets, une action ou son résultat	feuill**age**, dérap**age**, plaqu**age**
-aie	indique une plantation	châtaigner**aie**, chên**aie**, fut**aie**
-ail	indique des noms d'instruments	épouvant**ail**, évent**ail**
-ais **-ois**	servent à former les noms d'habitants	Lyonn**ais** Lill**ois**
-aison **-ison**	indiquent une action ou son résultat	inclin**aison** guér**ison**, trah**ison**,
-ance	indique une action ou son résultat	insist**ance**, puiss**ance**
-ée	indique le contenu, la durée	pinc**ée**, poign**ée**, journ**ée**
-et	sert à former des diminutifs	garçonn**et**, jou**et**
-ette		suc**ette**
-eur -euse	désigne celui ou celle qui agit	imprim**eur** maquill**euse**
-ie	indique une qualité ou une région	modest**ie**, Normand**ie**
-ure	indique une action ou un résultat	brûl**ure**, mors**ure**

461 Qu'est-ce qu'une nominalisation ?

À partir de verbes, on peut former des noms servant
à exprimer une action ou son résultat.
On appelle ces mots des **nominalisations**.

-tion	diminuer	→	diminution
-ation	augmenter	→	augmentation
	admirer	→	admiration
-ction	détruire	→	destruction
	construire	→	construction

Ces noms sont souvent utilisés dans les titres de journaux.

Construction du nouveau théâtre : la **satisfaction** des
habitants
Réduction des impôts, **augmentation** des salaires

Reconnaître les racines grecques et latines

- Les racines **suivies d'un tiret** apparaissent généralement **au début des mots** :
archéo- → **archéo**logie.

- Celles qui sont **précédées d'un tiret** se trouvent plutôt **à la fin des mots** :
-cratie → démo**cratie**.

62 Quelques racines utiles à connaître

RACINE	LANGUE	SENS	MOTS
aéro-	grec	air	aérodrome, aéronaute
-agogie	grec	guide	pédagogie
-agogue			démagogue
agri-	latin	champ	agriculture
anthropo-	grec	être humain	anthropologue, anthropophage
aqu-	latin	eau	aquatique, aqueduc
archéo-	grec	ancien	archéologie, archéologue
-archie	grec	comman-dement	anarchie
-arque			monarque

345

RACINE	LANGUE	SENS	MOTS
auto-	grec	lui-même, soi-même	automobile, autonome
biblio-	grec	livre	bibliothèque
carni-	latin	viande	carnivore
-chrome	grec	couleur, nuance	polychrome, monochrome
chrono-	grec	temps	chronomètre
cinéma-	grec	mouvement	cinéma(tographe)
-cratie	grec	puissance, pouvoir	démocratie
crypto-	grec	caché	cryptogame
-cyclo-	grec	cercle	bicyclette, cyclique
démo-	grec	peuple	démocratie
-drome	grec	champ	aérodrome, hippodrome
-èdre	grec	face	polyèdre, tétraèdre
équi-	latin	égal	équilatéral
géo-	grec	terre	géographie, géologue
-gone	grec	angle	polygone, hexagone
-gramme-	grec	lettre	grammaire, télégramme, anagramme
-graph-	grec	écrire	orthographe, graphologue
gyné-	grec	femme	gynécologue
hémo-	grec	sang	hémophile, hématome
hétéro-	grec	autre	hétérogène, hétérosexuel
hippo-	grec	cheval	hippodrome, hippopotame

RACINE	LANGUE	SENS	MOTS
homo-	grec	semblable	homologue, homosexuel
hydro-	grec	liquide, eau	hydravion, hydraulique
hypno-	grec	sommeil	hypnose, hypnotiser
-iatre	grec	qui soigne	pédiatre, psychiatre
iso-	grec	égal	isocèle, isotherme
-latér(e)	latin	côté	équilatéral, quadrilatère
-litho-	grec	pierre	lithographie, néolithique
-logo-	grec	discours, parole	dialogue, monologue
macro-	grec	grand	macro(photographie), macroscopique
méga-	grec	grand	mégalithique
métro-	grec	mesure	métronome
-mètre			kilomètre, millimètre
micro-	grec	petit	microscope, micro(phone)
-mobile	latin	qui se déplace	automobile
mono-	grec	un seul	monarchie
multi-	latin	plusieurs, nombreux	multicolore
mytho-	grec	légende, récit	mythologie
-naut-	grec	pilote, marin	nautique, cosmonaute
néo-	grec	nouveau	néolithique, néologie
-nome	grec	loi, règle	agronome
-nomie			astronomie

RACINE	LANGUE	SENS	MOTS
omni-	latin	tout	omnivore, omnisports
-onyme	grec	nom	synonyme, homonyme, antonyme
ornitho-	grec	oiseau	ornithologue
ortho-	grec	droit, exact	orthographe, orthophonie
patho- -pathie	grec	souffrance	pathologie sympathie
patr-	latin	père	patriarche, patronyme, patrie
péd-	grec	enfant	pédagogie, pédiatre
pédi-	latin	pied	pédicure, pédestre
phago- -phage	grec	manger	phagocyter anthropophage
-philo-	grec	qui aime	philosophie, philanthrope, hémophile
-phobe	grec	qui craint	xénophobe
-phone-	grec	son, voix	phonétique, téléphone, magnétophone
photo-	grec	lumière	photographie, photocopie
phyllo- -phylle	grec	feuille	phylloxera chlorophylle
phyto-	grec	plante	phytothérapie
pisci-	latin	poisson, qui nage	piscine, pisciculture

RACINE	LANGUE	SENS	MOTS
pneum(a)-	grec	souffle, poumon	pneu(matique), pneumonie
poli- -pole	grec	cité, ville	politique métropole
poly-	grec	plusieurs	polygone, polyculture
-potam	grec	fleuve	hippopotame
psych-	grec	âme, esprit	psychiatre, psychologue
ptéro- -ptère	grec	aile	ptérodactyle hélicoptère
pyro-	grec	feu	pyrogravure, pyromane
rhino-	grec	nez	rhinocéros
-scope	grec	examiner, regarder	microscope, télescope
thalasso-	grec	mer	thalassothérapie
-thé- théo-	grec	dieu	athée, monothéiste théologie
-thèque	grec	lieu de rangement	bibliothèque
-thérap-	grec	soigner	thérapeutique, phytothérapie
-vore-	latin	manger	vorace, omnivore, carnivore
zoo-	grec	animal	zoologie

463 Quelques préfixes utiles à connaître

PRÉFIXE	LANGUE	SENS	MOTS
a-	grec	marque la privation	anormal
an-			analphabète
anté-	latin	avant, devant	antérieur, antécédent
anti-	grec	contre	antigel, antivol
dia-	grec	à travers	diagonale, diapositive
ex-	latin	hors de	expulser, extérieur
extra-	latin	au-delà	extraordinaire, extraterrestre
hyper-	grec	sur, plus	hypermarché, hypertension
hypo-	grec	sous	hypothèse, hypotension
inter-	latin	entre	international, internaute
para-	grec	contre	parapluie, parasol
per-	latin	à travers	perforer, perméable
péri-	grec	autour	périphérique, périscope
pré-	latin	avant	préfixe, préhistoire
pro-	latin	pour, à la place de	pronom
r(é)-	latin	répétition, retour	recommencer, renvoyer
super-	latin	sur, au-dessus	supermarché
syn-	grec	avec	synonyme, sympathie
télé-	grec	au loin	téléphone, télescope
trans-	latin	à travers	transparent, transporter

64 Quelques préfixes servant à l'expression des quantités

FRANÇAIS	LATIN		GREC	
demi	**semi-**	semi-automatique	**hémi-**	hémisphère
un	**uni-**	unique	**mono-**	monologue
deux	**bi-**	bicyclette	**di-**	diptère
trois	**tri-**	tricolore	**tri-**	triathlon
quatre	**quadri-**	quadrilatère	**tétra-**	tétraèdre
cinq	**quinqu-**	quinquennal	**penta-**	pentagone
dix	**déci-**	décimètre	**déca-**	décathlon
cent	**centi-**	centimètre	**hecto-**	hectolitre
mille	**mill-**	millimètre	**kilo-**	kilomètre

65 Comment retrouver le sens d'un mot à partir d'un préfixe, d'un radical et d'un suffixe?

▸ **Un monologue**

Le tableau ci-dessus des quantités en latin et en grec nous indique que le préfixe **mono-** vient du grec et signifie *un seul*.
La liste des racines, p. 345-349, nous donne la deuxième partie du mot: **-logue (-logo)**, grec, discours, parole.
→ Un **monologue** est un discours tenu par une seule personne.

▸ **Orthographe**

La liste des racines nous fournit les indications suivantes:
ortho-, grec, correct, droit; **-graphe**, grec, écrire.
→ L'**orthographe** est la façon correcte d'écrire les mots.
Il est donc inutile de parler de l'*orthographe correcte* d'un mot, puisque le mot *orthographe* contient déjà la notion *correcte*!

Conjugaison

On appelle conjugaison d'un verbe l'ensemble des formes que peut prendre ce verbe.

Analyser un verbe

466 Qu'est-ce qu'un verbe?

> Les verbes permettent de désigner des **actions** *(demander, courir...)* ou des **états** *(être, devenir...).*

Il alla accommoder une biche, que la reine **mangea** à son souper, avec le même appétit que si c'eût été la jeune reine. Elle **était** bien contente de sa cruauté, et elle **se préparait** à dire au roi, à son retour, que les loups enragés avaient mangé sa femme la reine et ses deux enfants.

■ LA BELLE AU BOIS DORMANT

<u>la reine</u>   <u>mangea</u>   *à son souper*
  sujet   verbe d'action

<u>Elle</u>   <u>était</u>   <u>bien contente</u>
sujet verbe d'état   qualité

<u>elle</u>   <u>se préparait</u>   *à dire au roi*
sujet verbe d'action

467 Comment reconnaître un verbe?

> Le verbe est le seul élément de la phrase qui porte les **marques** de la **personne** et du **temps**.

▶ **Les marques de la personne**

1ʳᵉ PERSONNE DU SINGULIER	je chant**e**
1ʳᵉ PERSONNE DU PLURIEL	nous chant**ons**

▶ **Les marques du temps**

PRÉSENT DE L'INDICATIF	je chant**e**
IMPARFAIT DE L'INDICATIF	je chant**ais**

68 De quels éléments se compose le verbe?

Le verbe se compose de deux parties : un **radical** et une **terminaison**.

▶ **Infinitif**

<u>chant</u>   <u>er</u>
radical   terminaison

▶ **Imparfait de l'indicatif**

je   <u>chant</u>   <u>ais</u>
radical   terminaison

Le radical indique le **sens** du verbe. La terminaison indique la **personne** et le **temps** auxquels un verbe est conjugué.

69 Qu'est-ce que la voix active?

Un verbe est à la **voix active** quand le sujet **fait l'action** exprimée par le verbe.

<u>Les Égyptiens</u>   <u>ont construit</u>   <u>ces pyramides</u>.
sujet   verbe   objet

Le sujet fait l'action : le verbe est à la voix active.

470 Qu'est-ce que la voix passive ?

Un verbe est à la **voix passive** quand le sujet **subit l'action** exprimée par le verbe.

<u>Ces pyramides</u> <u>ont été construites</u> <u>par les Égyptiens.</u>
sujet verbe complément du verbe
passif (agent)

Le sujet subit l'action : le verbe est à la voix passive.

471 Qu'est-ce que la voix pronominale ?

Un verbe est à la **voix pronominale** quand le sujet **exerce l'action sur lui-même**.

Hier, on a eu un nouveau professeur de gymnastique.
– **Je m'appelle** Hector Duval, il nous a dit, et vous ?
– Nous pas, a répondu Fabrice, et ça, ça nous a fait drôlement rigoler. ■ LES VACANCES DU PETIT NICOLAS

Je *m'appelle* *Hector Duval.*
sujet verbe à la voix
pronominale

472 Quels sont les modes du verbe ?

Les modes **qui se conjuguent** sont l'**indicatif**, le **subjonctif**, le **conditionnel** et l'**impératif**.

Conversation
(Sur le pas de la porte, avec bonhomie.)
Comment ça **va** sur la terre ?
– Ça **va** ça **va**, ça **va** bien.

Les petits chiens **sont**-ils prospères ?
– Mon Dieu oui merci bien.

Et les nuages ?
– Ça **flotte**.

Et les volcans ?
– Ça **mijote**. ■ Monsieur monsieur

Les verbes *va, sont, flotte* et *mijote* sont au mode indicatif.

– Moi, j'aime mieux téléphoner, j'ai dit. Parce que c'est vrai, écrire, c'est embêtant, mais téléphoner c'est rigolo, et à la maison on ne me laisse jamais téléphoner, sauf quand c'est Mémé qui appelle et qui veut que je **vienne** lui faire des baisers. ■ Le petit Nicolas a des ennuis

Le verbe *vienne* est au mode subjonctif.

Il est venu un jardin cette nuit
qui n'avait plus d'adresse
Un peu triste il tenait poliment
ses racines à la main
Pourriez-vous me donner
un jardin où j'**aurais**
le droit d'être jardin ? ■ À la lisière du temps

Les verbes *Pourriez* et *aurais* sont au mode conditionnel.

Retenez-vous de rire
dans le petit matin !

N'**écoutez** pas les arbres
qui gardent les chemins !

Ne **dites** votre nom
à la terre endormie
qu'après minuit sonné !

À la neige, à la pluie
ne **tendez** pas la main ! ■ Monsieur monsieur

Retenez, écoutez, dites et *tendez* sont au mode impératif.

Les deux modes **qui ne se conjuguent pas** sont l'**infinitif** et le **participe**. C'est à l'infinitif que l'on trouve les verbes dans le dictionnaire.

Avez-vous essayé quelquefois
de **regarder** une araignée
les yeux dans les yeux ?

■ À LA LISIÈRE DU TEMPS

 Le verbe *regarder* est au mode infinitif.

Odile, **assise** au bord d'une île,
Croque en riant un crocodile
Qui flottait, **dormant** sur le Nil.

■ ODILE ET LE CROCODILE

 Assise est au mode participe passé.
 Dormant est au mode participe présent.

473 Quels sont les temps simples du verbe ?

● Il existe des **temps simples** et des **temps composés**.
● Les temps simples du mode indicatif sont le présent, l'imparfait, le passé simple et le futur.
● Le mode subjonctif comprend deux temps simples seulement : le présent et l'imparfait.

▶ **Présent de l'indicatif**
– Tu **as** un timbre qui me **manque**, a dit Rufus à Clotaire, je te le **change**.
– D'accord, a dit Clotaire. Je te **change** mon timbre contre deux timbres.
– Et pourquoi je te donnerais deux timbres pour ton timbre, je vous **prie** ? a demandé Rufus. Pour un timbre, je te **donne** un timbre.

■ LE PETIT NICOLAS ET LES COPAINS

❯ Imparfait de l'indicatif

C'**était** un beau matin de mai et les oiseaux **chantaient**
délicieusement dans quatre arbres. Les uns **chantaient**
en celte (en irlandais, en scottish-gaélique, en gallois,
cornique ou breton), les autres en langue romane (en oïl,
en oc, en si, en catalan, espagnol ou gallego-portugais).
Aucun ne **chantait** en *chien*. ■ La princesse Hoppy

❯ Passé simple de l'indicatif

Le Roi **pensa** que le vieux se moquait de lui et **voulut**
essayer les lunettes. Oh ! prodige ! Lorsqu'il **eut** les verres
devant les yeux, il lui **sembla** qu'il retrouvait un monde
perdu. Il **vit** un moucheron sur la pointe d'un brin
d'herbe ; il **vit** un pou dans la barbe du vieillard et il **vit**
aussi la première étoile trembler sur le ciel pâlissant.
■ Les lunettes du lion

❯ Futur de l'indicatif

Maman et papa vont avoir beaucoup de peine, je **reviendrai**
plus tard, quand ils **seront** très vieux, comme mémé, et je
serai riche, j'**aurai** un grand avion, une grande auto et un
tapis à moi, où je **pourrai** renverser de l'encre et ils **seront**
drôlement contents de me revoir. ■ Le petit Nicolas

74 Quels sont les temps composés du verbe ?

> Les temps composés de l'indicatif sont le passé composé,
> le plus-que-parfait, le futur antérieur et le passé antérieur.
> On les appelle ainsi parce qu'ils sont constitués de l'auxiliaire
> **avoir** ou **être** et du **participe passé**.

Je **suis monté** dans ma chambre, j'**ai fermé** les persiennes
pour qu'il fasse bien noir et puis je **me suis amusé** à
envoyer le rond de lumière partout : sur les murs, au

plafond, sous les meubles et sous mon lit, où, tout au fond, j'**ai trouvé** une bille que je cherchais depuis longtemps et que je n'aurais jamais retrouvée si je n'**avais** pas **eu** ma chouette lampe de poche. ■ LE PETIT NICOLAS A DES ENNUIS

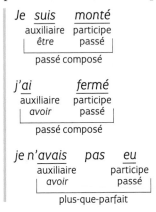

Une partie de ma matinée **s'était passée** à conjuguer un nouveau temps du verbe *être* – car on venait d'inventer un nouveau temps du verbe *être*. ■ CLAIR DE TERRE

Une partie de ma matinée s'était   passée à conjuguer
        auxiliaire participe
         être passé
        plus-que-parfait

475 Qu'est-ce que le premier groupe?

● Le **premier groupe** rassemble les verbes dont l'**infinitif** est en **-er**. Ce groupe est le plus important. Il comprend plus de 10 000 verbes.

● Quand on a besoin de créer un verbe nouveau, c'est sur le modèle de ce groupe qu'on le bâtit : *téléviser, informatiser, faxer...*

chanter laver   nager
jouer   manger rouler

76 Qu'est-ce que le deuxième groupe ?

Le **deuxième groupe** rassemble les verbes dont l'**infinitif** est en **-ir** et le **participe présent** en **-issant**. Ce groupe est beaucoup plus réduit que le premier (300 verbes environ).

finir (finissant)   jaillir (jaillissant)
désobéir (désobéissant)   haïr (haïssant)

77 Qu'est-ce que le troisième groupe ?

Le **troisième groupe** rassemble tous les autres verbes (environ 300). Ces verbes sont appelés **verbes irréguliers**, car la forme de leur radical change en cours de conjugaison.

▸ **Verbes en** -oir

apercevoir   pouvoir   valoir
devoir   recevoir   voir
pleuvoir   savoir   vouloir

▸ **Verbes en** -oire
boire   croire

▸ **Verbes en** -re

craindre   dire   sourire
entendre   écrire   mettre
prendre   lire   suivre

▸ **Verbes en** -ir **(participe présent en** -ant**)**
dormir (dormant)   sortir (sortant)
sentir (sentant)   tenir (tenant)

Le verbe **aller**, malgré son infinitif en **-er**, fait partie du 3ᵉ groupe.

478 Qu'est-ce qu'un auxiliaire?

On appelle **auxiliaires** les verbes **être** et **avoir** quand ils servent à conjuguer un verbe aux temps composés.

j'<u>ai</u>   <u>aimé</u>
auxiliaire   participe
          passé

j'<u>avais</u>   <u>aimé</u>
auxiliaire   participe
          passé

je <u>suis</u>   <u>parti</u>
 auxiliaire   participe
          passé

j'<u>étais</u>   <u>parti</u>
auxiliaire   participe
          passé

Écrire les verbes

▷ TABLEAUX 505 À 522

79 Comment écrire les verbes en -cer?

Les verbes du premier groupe comme **placer** prennent une **cédille** sous le **c** devant les voyelles **a** et **o**.   ▷ PARAGRAPHE 354

je place
je pla**ç**ais   nous pla**ç**ons

▶ Verbes du type *placer*

annoncer	commencer	glacer
avancer	divorcer	grincer
balancer	effacer	lancer
bercer	enfoncer	prononcer

▷ TABLEAU 512

80 Comment écrire les verbes en -ger?

Les verbes du premier groupe comme **manger** prennent un **e** après le **g** devant les voyelles **a** et **o**.   ▷ PARAGRAPHE 370

je man**g**e
tu man**ge**ais   nous man**ge**ons

▶ **Verbes du type _manger_**

allonger	encourager	loger	prolonger
arranger	engager	mélanger	ranger
changer	exiger	nager	rédiger
charger	figer	neiger	ronger
corriger	interroger	partager	venger
diriger	juger	plonger	voyager

▷ TABLEAU 513

481 Comment écrire les verbes en é + consonne + er?

Le **é** des verbes comme **céder** se change en **è** (accent grave) au singulier et à la 3ᵉ personne du pluriel, au **présent** de l'**indicatif** et du **subjonctif**.

PRÉSENT DE L'INDICATIF
je cède
tu cèdes
il cède
nous cédons
vous cédez
ils cèdent

PRÉSENT DU SUBJONCTIF
que je cède
que tu cèdes
qu'il cède
que nous cédions
que vous cédiez
qu'ils cèdent

▶ **Verbes du type _céder_**

accélérer	ébrécher	opérer	protéger
célébrer	espérer	pécher	régler
compléter	lécher	pénétrer	répéter
digérer	libérer	préférer	sécher

82 Comment écrire les verbes en e + consonne + er?

Les verbes du premier groupe comme **semer** changent le **e** du radical en **è** (accent grave) quand la consonne est suivie d'un **e** muet.

PRÉSENT DE L'INDICATIF
je s**è**me
tu s**è**mes
il s**è**me
nous semons
vous semez
ils s**è**ment

FUTUR DE L'INDICATIF
je s**è**merai
tu s**è**meras
il s**è**mera
nous s**è**merons
vous s**è**merez
ils s**è**meront

▶ **Verbes du type** *semer*

ach**e**ver	cr**e**ver	enl**e**ver	p**e**ser
am**e**ner	emm**e**ner	l**e**ver	prom**e**ner

83 Comment écrire les verbes en -eter et -eler?

Les verbes du premier groupe comme **jeter** et **appeler** doublent leur consonne **t** ou **l** devant un **e** muet.

PRÉSENT DE L'INDICATIF
je je**tt**e
tu je**tt**es
il je**tt**e
nous jetons
vous jetez
ils je**tt**ent

PRÉSENT DE L'INDICATIF
j'appe**ll**e
tu appe**ll**es
il appe**ll**e
nous appelons
vous appelez
ils appe**ll**ent

▶ **Verbes du type** *jeter* **et** *appeler*

atteler	chanceler	ensorceler	voleter

Les verbes du premier groupe comme **acheter** et **peler**
s'écrivent avec **è** quand la consonne est suivie d'un **e** muet.

PRÉSENT DE L'INDICATIF
j'achète
tu achètes
il achète
nous achetons
vous achetez
ils achètent

PRÉSENT DE L'INDICATIF
je pèle
tu pèles
il pèle
nous pelons
vous pelez
ils pèlent

▶ **Verbes du type** *acheter* **et** *peler*

déceler   geler   haleter   harceler

484 Comment écrire les verbes en -uyer et -oyer?

Les verbes du premier groupe comme **nettoyer** et **essuyer**
changent le **y** du radical en **i** devant un **e** muet. ▷ PARAGRAPHE 379

PRÉSENT DE L'INDICATIF
j'essuie
tu essuies
il essuie
nous essuyons
vous essuyez
ils essuient

FUTUR DE L'INDICATIF
j'essuierai
tu essuieras
il essuiera
nous essuierons
vous essuierez
ils essuieront

▶ **Verbes du type** *essuyer* **et** *nettoyer*

| aboyer | employer | noyer |
| appuyer | ennuyer | tutoyer |

Les verbes **envoyer** et **renvoyer** forment leur futur
et leur conditionnel en **-err-**.

FUTUR DE L'INDICATIF	CONDITIONNEL PRÉSENT
j'enverrai	j'enverrais
tu enverras	tu enverrais
il enverra	il enverrait
nous enverrons	nous enverrions
vous enverrez	vous enverriez
ils enverront	ils enverraient

35 Comment écrire les verbes en -dre?

Au singulier du présent de l'indicatif, les verbes du troisième groupe comme **entendre** et **répondre** se terminent par **ds**, **ds**, **d**. Ils conservent le **d** de l'infinitif.

j'entends	je réponds
tu entends	tu réponds
il entend	il répond

▶ **Verbes du type *entendre* et *répondre***

apprendre	perdre
confondre	pondre
correspondre	tendre
descendre	tordre
mordre	vendre

▷ TABLEAU 519

Au singulier du présent de l'indicatif, les verbes comme **craindre** et **peindre** ne conservent pas le **d** de l'infinitif. Mais ils le gardent au futur et au conditionnel.

PRÉSENT DE L'INDICATIF	FUTUR DE L'INDICATIF	CONDITIONNEL PRÉSENT
je crains	je craindrai	je craindrais
tu crains	tu craindras	tu craindrais
il craint	il craindra	il craindrait

PRÉSENT DE L'INDICATIF	FUTUR DE L'INDICATIF	CONDITIONNEL PRÉSENT
je peins	je peindrai	je peindrais
tu peins	tu peindras	tu peindrais
il peint	il peindra	il peindrait

▸ **Verbes du type *craindre* et *peindre***

atteindre	éteindre	joindre	rejoindre
contraindre	étreindre	plaindre	teindre

486 Comment écrire les verbes en -ttre?

Aux trois premières personnes du singulier du présent de l'indicatif, les verbes du troisième groupe comme **battre** et **mettre** s'écrivent avec **un seul t**.

je bats	je mets
tu bats	tu mets
il bat	il met

Aux autres personnes du présent et à tous les autres temps, ces verbes s'écrivent avec **deux t**.

PRÉSENT DE L'INDICATIF		IMPARFAIT DE L'INDICATIF	FUTUR DE L'INDICATIF
nous battons	nous mettons	je battais	je mettrai
vous battez	vous mettez	tu battais	tu mettras
ils battent	ils mettent	il battait	il mettra

▸ **Verbes du type *battre* et *mettre***

admettre	commettre	promettre	soumettre
combattre	permettre	rabattre	transmettre

37 Comment écrire les verbes en -aître?

Les verbes du troisième groupe comme **connaître** prennent un accent circonflexe sur le **i** du radical s'il est suivi d'un **t**.

PRÉSENT DE L'INDICATIF	FUTUR DE L'INDICATIF
je connais	je connaîtrai
tu connais	tu connaîtras
il connaît	il connaîtra

▸ **Verbes du type** *connaître*

apparaître	naître	paraître
disparaître	paître	reconnaître

Reconnaître les terminaisons

488 Comment écrire les terminaisons de l'imparfait et du passé simple ?

À la première personne du singulier de l'imparfait et du passé simple, les terminaisons des verbes du premier groupe **se prononcent de la même façon**, mais **s'écrivent différemment**.

PASSÉ SIMPLE	IMPARFAIT
j'arriv**ai**	j'arriv**ais**

▶ **Un conseil !**
Pour savoir si le verbe est à l'imparfait ou au passé simple, conjuguez-le à une personne différente.

	PASSÉ SIMPLE	IMPARFAIT
1re personne	j'arrivai	j'arrivais
3e personne	il arriv**a**	il arriv**ait**

89 Comment écrire les terminaisons du futur et du conditionnel?

Les terminaisons du futur et du conditionnel **se prononcent de la même façon** à la première personne du singulier, mais **s'écrivent différemment**.

	1er GROUPE	2e GROUPE	3e GROUPE
FUTUR	je saute**rai**	je fini**rai**	je dormi**rai**
CONDITIONNEL	je saute**rais**	je fini**rais**	je dormi**rais**

▶ **Un conseil !**

Pour savoir si le verbe est au futur ou au conditionnel, conjuguez-le à une personne différente.

	FUTUR	CONDITIONNEL
1re personne	je sauterai	je sauterais
2e personne	tu saute**ras**	tu saute**rais**

90 Comment écrire la terminaison de l'impératif?

VERBES	TERMINAISON DE LA 2e PERSONNE DU SINGULIER	EXEMPLES
1er groupe	**e**	marche! chante! joue! nettoie!
2e groupe	**s**	finis! atterris! applaudis!
3e groupe	**s**	dors! tiens! cours! fuis! couds!
	Exceptions: cueillir, aller, savoir	cueille! va! sache!

Employer les temps

UN OEUF A ÉTÉ PONDU. — PASSÉ

UN OISEAU EST DANS LE NID. — PRÉSENT

L'OISEAU S'ENVOLERA. — FUTUR

491 À quoi servent les temps du verbe?

● Les temps du verbe permettent d'indiquer si les événements ont lieu **avant, pendant ou après le moment où on les raconte**.

● Le verbe permet aussi de **situer dans le temps** les actions, les pensées **les unes par rapport aux autres**. Ces actions ou pensées peuvent se dérouler au même instant (elles sont simultanées) ou avoir lieu les unes après les autres (elles sont successives).

Le lendemain, le Grand Méchant Cochon **vint** rôder dans les parages et **découvrit** la maison en briques que les petits loups venaient de se construire.

Les trois petits loups jouaient gentiment au croquet dans le jardin. Quand ils **aperçurent** le Grand Méchant Cochon, ils **coururent** s'enfermer dans la maison.

■ LES TROIS PETITS LOUPS ET LE GRAND MÉCHANT COCHON

92 Quand emploie-t-on le présent ?

Lorsqu'un événement se déroule **au moment où** l'on parle, on le situe dans le **présent**.

« Dans ma précipitation… mon trouble… j'ai oublié… d'éteindre le bec de gaz de ma chambre !
– Eh bien, mon garçon, répondit froidement Mr Fogg, il **brûle** à votre compte ! »

■ LE TOUR DU MONDE EN QUATRE-VINGTS JOURS

il brûle à votre compte

TEMPS

| passé | présent : moment où l'on parle | futur |

93 Quand emploie-t-on le passé ?

Lorsqu'un événement s'est déroulé **avant** le moment où l'on parle, on le situe dans le **passé**.

Et d'ailleurs il m'est arrivé si rarement de tuer un ours, que le lecteur m'excusera de m'étendre longuement peut-être sur cet exploit. Notre rencontre **fut** inattendue de part et d'autre. Je ne **chassais** pas l'ours, et je n'ai aucune raison de supposer que l'ours me **cherchait**. La vérité est que nous **cueillions** des mûres, chacun de notre côté, et que nous nous **rencontrâmes** par hasard, ce qui arrive souvent.

■ COMMENT J'AI TUÉ UN OURS

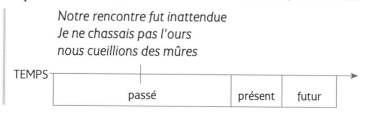

*Notre rencontre fut inattendue
Je ne chassais pas l'ours
nous cueillions des mûres*

TEMPS

| passé | présent | futur |

494 Quand emploie-t-on le futur?

Lorsque l'on pense qu'un événement se déroulera **après** le moment où l'on parle, on le situe dans le **futur**.

– Plus tard, m'a dit Marie-Edwige, je **serai** une grande danseuse, j'**aurai** une robe blanche avec un tutu, tu sais ? et des tas de bijoux dans les cheveux, et je **danserai** dans des théâtres partout dans le monde, à Paris, en Amérique, à Arcachon, et dans les théâtres, il y **aura** plein de rois et de présidents, et tout le monde **sera** avec des uniformes et des costumes noirs, et il y **aura** des dames avec des robes de satin, tu sais ? Mais moi je **serai** la plus belle de toutes et tout le monde **sera** debout en train de faire bravo.

■ HISTOIRES INÉDITES DU PETIT NICOLAS

je serai
j'aurai
je danserai
il y aura
tout le monde sera

TEMPS			
passé	présent	futur	

495 Seul le verbe peut-il situer des actions dans le temps?

Non ! Les **compléments circonstanciels de temps** et les **adverbes** comme *hier, aujourd'hui, demain...* indiquent aussi à quel moment a lieu un événement.

De temps en temps, je m'arrêtais, me regardais, levais la tête le plus haut possible et beuglais :
– Je suis une vache !

■ MÉMOIRES D'UNE VACHE

Enfin, **au repas du soir**, le canard fut admis à manger à table entre les deux petites et s'y comporta aussi bien qu'une personne. ■ LES CONTES ROUGES DU CHAT PERCHÉ

96 Qu'exprime le présent de l'indicatif?

> Le **présent** peut exprimer une action qui se déroule **au moment où l'on parle** (sous les yeux de celui qui parle).

C'est un poème qui **appelle**
mais j'**entends** mal ce qu'il me **dit**

Nous ne **sommes** pas seuls sur la ligne
La voix du poème **est** lointaine

Raccrochez je vous **rappelle**
donnez-moi votre numéro

Je vous **appelle** d'une cabine
dit le poème qui **s'éloigne** ■ À LA LISIÈRE DU TEMPS

> Le présent peut aussi évoquer une action qui ne se déroule pas sous les yeux de celui qui parle mais qui est **habituelle**, qui se répète de façon régulière.

C'est papa qui m'a emmené à l'école aujourd'hui, après le déjeuner. Moi, j'aime bien quand papa m'**accompagne**, parce qu'il me **donne** souvent des sous pour acheter des choses. ■ LES RÉCRÉS DU PETIT NICOLAS

> On peut enfin utiliser le présent pour parler de **faits considérés comme vrais** quel que soit le moment où l'on se situe dans le temps.

▸ **Les vérités scientifiques**

Les têtards, ce sont des petites bêtes qui **grandissent** et qui **deviennent** des grenouilles ; c'est à l'école qu'on nous a appris ça. ■LES RÉCRÉS DU PETIT NICOLAS

> Tous les têtards grandissent et deviennent des grenouilles : c'est une vérité scientifique.

▸ **Les maximes et les proverbes**

Rien ne **sert** de courir ; il **faut** partir à point. ■LE LIÈVRE ET LA TORTUE

Qui **va** à la chasse **perd** sa place.

Qui **veut** voyager loin **ménage** sa monture.

497 Qu'exprime le passé composé ?

> Lorsque l'on constate les résultats d'un événement qui s'est déroulé **juste avant** que l'on prenne la parole, on utilise toujours le **passé composé**, jamais le passé simple.

L'escargot de Sophie prit le départ. Il était petit, mais il avait de la suite dans les idées. Allongée dans l'herbe au bord de l'allée, Sophie le regarda avancer, bon pied bon œil. Au bout d'une demi-heure, le petit escargot atteignit le poteau d'arrivée. Sophie sauta de joie.
– C'est mon escargot qui **a gagné** ! ■L'ESCARGOT DE SOPHIE

> Sophie constate que son escargot vient de gagner la course.

Et puis la cloche a sonné et nous **sommes allés** nous mettre en rang. ■HISTOIRES INÉDITES DU PETIT NICOLAS

> Nicolas constate qu'ils sont allés se mettre en rang lorsque la cloche a sonné.

> Lorsque l'on **raconte une histoire**, si on évoque un événement passé, on peut utiliser le passé composé.

Le chef nous **a montré** comment il fallait faire pour mettre un ver au bout de l'hameçon. « Et surtout, il nous a dit, faites bien attention de ne pas vous faire de mal avec les hameçons ! » On **a** tous **essayé** de faire comme le chef, mais ce n'est pas facile, et le chef nous **a aidés**, surtout Paulin qui avait peur des vers et qui **a demandé** s'ils mordaient. Dès qu'il **a eu** un ver à son hameçon, Paulin, vite, vite, il **a jeté** la ligne à l'eau, pour éloigner le ver le plus possible.　　　　■LES VACANCES DU PETIT NICOLAS

98 Qu'exprime le passé simple ?

> On emploie le **passé simple** lorsqu'on écrit un **conte**, ou lorsqu'on raconte des **événements historiques**.

La poule brune **tendit** le cou et **becqueta** la potion. Une pleine becquée de potion.
L'effet **fut** électrique.
– *Ouiche !* **caqueta** la poule, en bondissant droit dans le ciel comme une fusée.　　　　■LA POTION MAGIQUE DE GEORGES BOUILLON

99 Comment employer le passé simple et l'imparfait ?

> L'imparfait et le passé simple servent tous les deux à exprimer des événements situés dans le passé. L'imparfait présente des actions qui donnent l'impression de **se prolonger**. Il peut aussi **dresser un décor** qui sert de fond aux actions exprimées par le passé simple.

Le bruit des sabots **décrut** dans le lointain. Ils **laissaient**
derrière eux, ces sabots, une scène de désolation :
les devoirs **étaient** éparpillés sur le sol ; les canards
pleuraient de grosses larmes ; la princesse **restait** muette
de saisissement ; le chien **aboyait** courageusement sous la
table.

■ La princesse Hoppy

Le verbe *décrut* est au passé simple.
Les verbes *laissaient, étaient, pleuraient, restait, aboyait*
sont à l'imparfait et permettent de décrire la scène.

500 Comment employer le plus-que-parfait avec les autres temps du passé ?

Le **plus-que-parfait** sert à exprimer des faits qui se sont
produits dans le passé **avant** ceux qui sont évoqués par
l'imparfait, le passé simple ou le passé composé.

Après déjeuner, nous sommes sortis dans la cour, et
Eudes et moi nous avons joué aux billes. J'en **avais** déjà
gagné trois quand les copains **sont revenus** de chez eux.

■ Histoires inédites du petit Nicolas

501 Comment exprimer le futur ?

On emploie la tournure **aller + infinitif** lorsqu'on veut dire
qu'un événement est **sur le point de** se produire, ou que l'on
va immédiatement se mettre à faire quelque chose.

– Petits loups poltrons, tremblotants du menton, laissez-moi entrer, voyons !

– Non, non et non, répondirent les petits loups. Par les poils de notre barbiche-barbichette-et-barbichou, tu n'entreras pas chez nous, pas pour toutes les feuilles de thé de notre plus belle théière de Chine !

– Puisque c'est ça, je **vais souffler**, **pouffer**, **pousser mille bouffées**, et je démolirai votre maison !
dit le cochon. ■ Les trois petits loups et le grand méchant cochon

> Lorsque l'on veut parler de ses projets ou faire des prévisions, on utilise soit la tournure **aller + infinitif**, soit le **futur**.

C'était un cadeau de Mémé. Un cadeau terrible et vous ne devinerez jamais ce que c'était : une montre-bracelet ! Ma mémé et ma montre sont drôlement chouettes, et les copains **vont faire** une drôle de tête.

■ Les récrés du petit Nicolas

Devenez deux statues, mais conservez toute votre raison sous la pierre qui vous **enveloppera**. Vous **demeurerez** à la porte du palais de votre sœur, et je ne vous impose point d'autre peine que d'être témoins de son bonheur. Vous ne **pourrez** revenir dans votre premier état qu'au moment où vous **reconnaîtrez** vos fautes.

■ La Belle et la Bête

Employer les modes

502 Quand utilise-t-on le subjonctif?

On est obligé d'utiliser le **subjonctif après** les **verbes** qui expriment ce que quelqu'un **ressent, veut** ou **pense** à propos d'une action : *il faut que, il est possible que, aimer que, exiger que, avoir envie que, rêver que, souhaiter que, vouloir que...*

– Supposons que tu **veuilles** élever des vaches. As-tu pensé à ce que coûte un grand troupeau ?
– Je ne tiens pas à avoir un grand troupeau de vaches, déclara Sophie.
– Combien en auras-tu ? demanda Marc.
– Une seule. Je l'appellerai Fleur. ■ L'ESCARGOT DE SOPHIE

> *Supposons que tu <u>veuilles</u> élever des vaches.*
>   subjonctif présent

On est obligé d'employer le subjonctif **après** les **conjonctions** de subordination de **temps** (*avant que, jusqu'à ce que, en attendant que*), de **concession** (*bien que, quoique*), de **but** (*afin que, pour que*), de **condition** (*à condition que*).

▶ Le temps

– Ce matin pourtant, le toast de mon petit déjeuner
était grignoté sur les bords ! continua Grand-mère,
impitoyable. Et pire, il avait un sale goût de rat ! Si vous
ne faites pas attention, les fonctionnaires de la santé
publique ordonneront la fermeture de votre hôtel
avant que quelqu'un n'**attrape** la fièvre typhoïde !

■ SACRÉES SORCIÈRES

avant que quelqu'un n'attrape la fièvre typhoïde
subjonctif présent

▶ La concession

Bien qu'il s'y **appliquât** de tout son cœur, le pauvre bœuf
n'arrivait pas à pleurer. ■ LES CONTES ROUGES DU CHAT PERCHÉ

Bien qu'il s'y appliquât de tout son cœur
subjonctif imparfait

▶ Le but

Je connais un truc que j'ai vu dans un film, où des bandits
envoyaient des messages, et pour qu'on ne **reconnaisse**
pas leur écriture, ils écrivaient les messages avec des lettres
découpées dans des journaux et collées sur des feuilles
de papier, et personne ne les découvrait jusqu'à la fin du
film ! ■ LE PETIT NICOLAS A DES ENNUIS

pour qu'on ne reconnaisse pas leur écriture
subjonctif présent

▶ La condition

Blanche-Neige nous sourit avec gentillesse :
« Votre ballon a cassé quelques-uns de mes jouets ; je veux
bien vous le rendre quand même, mais à condition que
vous **appreniez** la géographie à mes nains. »

■ L'ACADÉMIE DE M. TACHEDENCRE

à condition que vous appreniez la géographie à mes nains
subjonctif présent

Avec **après que** on doit employer l'**indicatif**.

– Tu sais bien que les sirènes, cela n'existe pas.

– Je te demande pardon, dit le prince, mais moi, j'en connais une. Tous les matins, je me baigne avec elle.

Le roi ne répondit pas, mais après qu'il **eut pris** le café il s'en alla trouver l'aumônier de la Cour :

– Dites-moi, Père, est-ce vrai que ça existe, les sirènes ?

■ LE GENTIL PETIT DIABLE

après qu'il eut pris le café
passé antérieur de l'indicatif

On peut rencontrer le subjonctif dans des propositions **indépendantes** exprimant le **souhait**, l'**ordre**, la **prière**.

▶ **Le souhait**

Passepartout causait toujours : « Surtout, dit-il, que je **prenne** bien garde de ne pas manquer le bateau !

– Vous avez le temps, répondit Fix, il n'est encore que midi ! »

■ LE TOUR DU MONDE EN QUATRE-VINGTS JOURS

▶ **L'ordre, la nécessité**

« J'ai manqué le départ du *Carnatic*, et il faut que je **sois** le 14, au plus tard, à Yokohama, pour prendre le paquebot de San Francisco.

– Je le regrette, répondit le pilote, mais c'est impossible. »

■ LE TOUR DU MONDE EN QUATRE-VINGTS JOURS

Le subjonctif est aussi utilisé dans des propositions indépendantes pour exprimer une **supposition**, par exemple dans des énoncés de mathématiques.

Soient trois rois parmi nous quatre : le premier roi, le deuxième roi, le troisième roi. Le premier roi est n'importe quel roi, le deuxième roi est n'importe quel roi, le troisième roi est n'importe quel roi. ■ LA PRINCESSE HOPPY

03 Comment utiliser le conditionnel dans une proposition subordonnée ?

Le **conditionnel** marque une action qui ne se réalisera que si une **condition** est **d'abord remplie**. Cette condition est introduite par la conjonction **si** et exprimée par un verbe à l'**imparfait** de l'indicatif.

Maman a eu l'air très étonnée, et puis elle a pris mon album et elle l'a mis sur le buffet. Alors, moi j'ai dit que puisque c'était comme ça, je ne mangerais pas les escalopes, et maman m'a dit que <u>si je ne mangeais pas les escalopes</u>, je **n'aurais** pas de dessert. Alors, j'ai mangé mon escalope mais c'est pas juste. Et puis je me suis dépêché pour aller à l'école, parce que cet après-midi c'est gymnastique, et c'est très chouette.

■ HISTOIRES INÉDITES DU PETIT NICOLAS

04 Qu'exprime le conditionnel quand il ne dépend pas d'une condition ?

Le conditionnel présent permet d'exprimer des actions que l'on **imagine**, que l'on **souhaite** ou auxquelles on **rêve**.

Elle pensa que [le brontosaure] **serait** très facile à domestiquer et **ferait** un délicieux animal familier. J'eus beau lui dire qu'un animal familier haut de sept mètres et long de trente **serait** un peu encombrant, si on voulait le prendre sur les genoux pour le caresser, et que, d'ailleurs, avec les meilleures intentions du monde, il **risquerait** à chaque instant d'écraser notre maison sous son pied, car il avait l'air plutôt distrait... ■ LA CÉLÈBRE GRENOUILLE SAUTEUSE

Les verbes *serait, ferait* et *risquerait* permettent d'exprimer ce qu'« elle » souhaite et ce que, moi, j'imagine.

Le conditionnel présent donne aussi des **informations** que l'on n'a pas pu vérifier, dont **on n'est pas sûr**.

– Quelle est votre date de naissance ?
– Le lundi 31 octobre 1693.
– Mais c'est impossible ! Cela vous **ferait** cent quatre-vingts ans d'âge. Comment expliquez-vous cela ?
– Je ne l'explique pas du tout. ▪ LA CÉLÈBRE GRENOUILLE SAUTEUSE

Enfin, le conditionnel présent permet de formuler **avec politesse** une demande, un conseil ou un reproche.

▸ **Une demande**
– Je ne crains rien des tigres, mais j'ai horreur des courants d'air. Vous n'**auriez** pas un paravent ?
« Horreur des courants d'air... ce n'est pas de chance, pour une plante, avait remarqué le petit prince. Cette fleur est bien compliquée... » ▪ LE PETIT PRINCE

▸ **Un conseil**
– Eh bien, a dit Rufus, je crois que pour la rédaction, tu **ferais** mieux de te trouver autre chose, parce que comme détective, tu es minable.
– Ouais, si tous les détectives sont comme ça, je me fais bandit tout de suite ! a dit Clotaire.

▪ HISTOIRES INÉDITES DU PETIT NICOLAS

Lire les tableaux de conjugaison

Verbe sentir

je sens,
tu ne sens pas ?
il ne sent pas bon,
nous savons,
vous vous savonnez,
ils sentent bon.

Pef, *L'ivre de français*, © Gallimard

505 Avoir

INFINITIF

PRÉSENT

avoir

PARTICIPE

PRÉSENT

ayant

PASSÉ

eu, eue, eus, eues

INDICATIF

Temps simples

PRÉSENT

j'	ai
tu	as
il/elle	a
nous	avons
vous	avez
ils/elles	ont

FUTUR SIMPLE

j'	aurai
tu	auras
il/elle	aura
nous	aurons
vous	aurez
ils/elles	auront

IMPARFAIT

j'	avais
tu	avais
il/elle	avait
nous	avions
vous	aviez
ils/elles	avaient

PASSÉ SIMPLE

j'	eus
tu	eus
il/elle	eut
nous	eûmes
vous	eûtes
ils/elles	eurent

Temps composés

PASSÉ COMPOSÉ

j'	ai	eu
tu	as	eu
il/elle	a	eu
nous	avons	eu
vous	avez	eu
ils/elles	ont	eu

PLUS-QUE-PARFAIT

j'	avais	eu
tu	avais	eu
il/elle	avait	eu
nous	avions	eu
vous	aviez	eu
ils/elles	avaient	eu

SUBJONCTIF

PRÉSENT

que j'	aie
que tu	aies
qu'il/qu'elle	ait
que nous	ayons
que vous	ayez
qu'ils/qu'elles	aient

CONDITIONNEL

PRÉSENT

j'	aurais
tu	aurais
il/elle	aurait
nous	aurions
vous	auriez
ils/elles	auraient

IMPÉRATIF

PRÉSENT

aie
ayons
ayez

06 Être

INFINITIF

PRÉSENT

être

PARTICIPE

PRÉSENT

étant

PASSÉ

été

INDICATIF

Temps simples

PRÉSENT

je	suis
tu	es
il/elle	est
nous	sommes
vous	êtes
ils/elles	sont

FUTUR SIMPLE

je	serai
tu	seras
il/elle	sera
nous	serons
vous	serez
ils/elles	seront

IMPARFAIT

j'	étais
tu	étais
il/elle	était
nous	étions
vous	étiez
ils/elles	étaient

PASSÉ SIMPLE

je	fus
tu	fus
il/elle	fut
nous	fûmes
vous	fûtes
ils/elles	furent

Temps composés

PASSÉ COMPOSÉ

j'	ai	été
tu	as	été
il/elle	a	été
nous	avons	été
vous	avez	été
ils/elles	ont	été

PLUS-QUE-PARFAIT

j'	avais	été
tu	avais	été
il/elle	avait	été
nous	avions	été
vous	aviez	été
ils/elles	avaient	été

SUBJONCTIF

PRÉSENT

que je	sois
que tu	sois
qu'il/qu'elle	soit
que nous	soyons
que vous	soyez
qu'ils/qu'elles	soient

CONDITIONNEL

PRÉSENT

je	serais
tu	serais
il/elle	serait
nous	serions
vous	seriez
ils/elles	seraient

IMPÉRATIF

PRÉSENT

sois

soyons

soyez

507 Aimer — 1er GROUPE

VOIX ACTIVE ◆ FORME AFFIRMATIVE

INFINITIF	PARTICIPE	
PRÉSENT	PRÉSENT	PASSÉ
aimer	aimant	aimé, aimée, aimés, aimées

INDICATIF

Temps simples

PRÉSENT		FUTUR SIMPLE	
j'	aime	j'	aimerai
tu	aimes	tu	aimeras
il/elle	aime	il/elle	aimera
nous	aimons	nous	aimerons
vous	aimez	vous	aimerez
ils/elles	aiment	ils/elles	aimeront

IMPARFAIT		PASSÉ SIMPLE	
j'	aimais	j'	aimai
tu	aimais	tu	aimas
il/elle	aimait	il/elle	aima
nous	aimions	nous	aimâmes
vous	aimiez	vous	aimâtes
ils/elles	aimaient	ils/elles	aimèrent

Temps composés

PASSÉ COMPOSÉ			PLUS-QUE-PARFAIT		
j'	ai	aimé	j'	avais	aimé
tu	as	aimé	tu	avais	aimé
il/elle	a	aimé	il/elle	avait	aimé
nous	avons	aimé	nous	avions	aimé
vous	avez	aimé	vous	aviez	aimé
ils/elles	ont	aimé	ils/elles	avaient	aimé

SUBJONCTIF

PRÉSENT	
que j'	aime
que tu	aimes
qu'il/qu'elle	aime
que nous	aimions
que vous	aimiez
qu'ils/qu'elles	aiment

CONDITIONNEL

PRÉSENT	
j'	aimerais
tu	aimerais
il/elle	aimerait
nous	aimerions
vous	aimeriez
ils/elles	aimeraient

IMPÉRATIF

PRÉSENT

aime
aimons
aimez

508 Aimer

1er GROUPE

VOIX ACTIVE ◆ FORME NÉGATIVE

INFINITIF	PARTICIPE	
PRÉSENT	PRÉSENT	PASSÉ
ne pas aimer	n'aimant pas	n'ayant pas aimé

INDICATIF

Temps simples

PRÉSENT		FUTUR SIMPLE	
je	n'aime pas	je	n'aimerai pas
tu	n'aimes pas	tu	n'aimeras pas
il/elle	n'aime pas	il/elle	n'aimera pas
nous	n'aimons pas	nous	n'aimerons pas
vous	n'aimez pas	vous	n'aimerez pas
ils/elles	n'aiment pas	ils/elles	n'aimeront pas

IMPARFAIT		PASSÉ SIMPLE	
je	n'aimais pas	je	n'aimai pas
tu	n'aimais pas	tu	n'aimas pas
il/elle	n'aimait pas	il/elle	n'aima pas
nous	n'aimions pas	nous	n'aimâmes pas
vous	n'aimiez pas	vous	n'aimâtes pas
ils/elles	n'aimaient pas	ils/elles	n'aimèrent pas

Temps composés

PASSÉ COMPOSÉ			PLUS-QUE-PARFAIT		
je	n'ai pas	aimé	je	n'avais pas	aimé
tu	n'as pas	aimé	tu	n'avais pas	aimé
il/elle	n'a pas	aimé	il/elle	n'avait pas	aimé
nous	n'avons pas	aimé	nous	n'avions pas	aimé
vous	n'avez pas	aimé	vous	n'aviez pas	aimé
ils/elles	n'ont pas	aimé	ils/elles	n'avaient pas	aimé

SUBJONCTIF

PRÉSENT	
que je	n'aime pas
que tu	n'aimes pas
qu'il/qu'elle	n'aime pas
que nous	n'aimions pas
que vous	n'aimiez pas
qu'ils/qu'elles	n'aiment pas

CONDITIONNEL

PRÉSENT	
je	n'aimerais pas
tu	n'aimerais pas
il/elle	n'aimerait pas
nous	n'aimerions pas
vous	n'aimeriez pas
ils/elles	n'aimeraient pas

IMPÉRATIF

PRÉSENT

n'aime pas
n'aimons pas
n'aimez pas

509 Aimer — 1ᵉʳ GROUPE

VOIX ACTIVE ◆ FORME INTERROGATIVE

INDICATIF

Temps simples

PRÉSENT

aimé-je?
aimes-tu?
aime-t-il/elle?
aimons-nous?
aimez-vous?
aiment-ils/elles?

FUTUR SIMPLE

aimerai-je?
aimeras-tu?
aimera-t-il/elle?
aimerons-nous?
aimerez-vous?
aimeront-ils/elles?

IMPARFAIT

aimais-je?
aimais-tu?
aimait-il/elle?
aimions-nous?
aimiez-vous?
aimaient-ils/elles?

PASSÉ SIMPLE

aimai-je?
aimas-tu?
aima-t-il/elle?
aimâmes-nous?
aimâtes-vous?
aimèrent-ils/elles?

Temps composés

PASSÉ COMPOSÉ

ai-je aimé?
as-tu aimé?
a-t-il/elle aimé?
avons-nous aimé?
avez-vous aimé?
ont-ils/elles aimé?

PLUS-QUE-PARFAIT

avais-je aimé?
avais-tu aimé?
avait-il/elle aimé?
avions-nous aimé?
aviez-vous aimé?
avaient-ils/elles aimé?

CONDITIONNEL

PRÉSENT

aimerais-je?
aimerais-tu?
aimerait-il/elle?
aimerions-nous?
aimeriez-vous?
aimeraient-ils/elles?

510 Aimer

1er GROUPE

VOIX PASSIVE

INFINITIF

PRÉSENT

être aimé

PARTICIPE

PRÉSENT

étant aimé

PASSÉ

ayant été aimé, aimée, aimés, aimées

INDICATIF

Temps simples

PRÉSENT

je	suis	aimé(e)
tu	es	aimé(e)
il/elle	est	aimé(e)
nous	sommes	aimé(e)s
vous	êtes	aimé(e)s
ils/elles	sont	aimé(e)s

FUTUR SIMPLE

je	serai	aimé(e)
tu	seras	aimé(e)
il/elle	sera	aimé(e)
nous	serons	aimé(e)s
vous	serez	aimé(e)s
ils/elles	seront	aimé(e)s

IMPARFAIT

j'	étais	aimé(e)
tu	étais	aimé(e)
il/elle	était	aimé(e)
nous	étions	aimé(e)s
vous	étiez	aimé(e)s
ils/elles	étaient	aimé(e)s

PASSÉ SIMPLE

je	fus	aimé(e)
tu	fus	aimé(e)
il/elle	fut	aimé(e)
nous	fûmes	aimé(e)s
vous	fûtes	aimé(e)s
ils/elles	furent	aimé(e)s

Temps composés

PASSÉ COMPOSÉ

j'	ai	été aimé(e)
tu	as	été aimé(e)
il/elle	a	été aimé(e)
nous	avons	été aimé(e)s
vous	avez	été aimé(e)s
ils/elles	ont	été aimé(e)s

PLUS-QUE-PARFAIT

j'	avais	été aimé(e)
tu	avais	été aimé(e)
il/elle	avait	été aimé(e)
nous	avions	été aimé(e)s
vous	aviez	été aimé(e)s
ils/elles	avaient	été aimé(e)s

SUBJONCTIF

PRÉSENT

que je	sois	aimé(e)
que tu	sois	aimé(e)
qu'il/qu'elle	soit	aimé(e)
que nous	soyons	aimé(e)s
que vous	soyez	aimé(e)s
qu'ils/qu'elles	soient	aimé(e)s

CONDITIONNEL

PRÉSENT

je	serais	aimé(e)
tu	serais	aimé(e)
il/elle	serait	aimé(e)
nous	serions	aimé(e)s
vous	seriez	aimé(e)s
ils/elles	seraient	aimé(e)s

IMPÉRATIF

PRÉSENT

sois aimé(e)
soyons aimé(e)s
soyez aimé(e)s

511 S'amuser

1er GROUPE

VOIX PRONOMINALE

INFINITIF

PRÉSENT

s'amuser

PARTICIPE

PRÉSENT

s'amusant

PASSÉ

s'étant amusé(e)(s)

INDICATIF

Temps simples

PRÉSENT

je m'	amuse
tu t'	amuses
il/elle s'	amuse
nous nous	amusons
vous vous	amusez
ils/elles s'	amusent

FUTUR SIMPLE

je m'	amuserai
tu t'	amuseras
il/elle s'	amusera
nous nous	amuserons
vous vous	amuserez
ils/elles s'	amuseront

IMPARFAIT

je m'	amusais
tu t'	amusais
il/elle s'	amusait
nous nous	amusions
vous vous	amusiez
ils/elles s'	amusaient

PASSÉ SIMPLE

je m'	amusai
tu t'	amusas
il/elle s'	amusa
nous nous	amusâmes
vous vous	amusâtes
ils/elles s'	amusèrent

Temps composés

PASSÉ COMPOSÉ

je me	suis	amusé(e)
tu t'	es	amusé(e)
il/elle s'	est	amusé(e)
nous nous	sommes	amusé(e)s
vous vous	êtes	amusé(e)s
ils/elles se	sont	amusé(e)s

PLUS-QUE-PARFAIT

je m'	étais	amusé(e)
tu t'	étais	amusé(e)
il/elle s'	était	amusé(e)
nous nous	étions	amusé(e)s
vous vous	étiez	amusé(e)s
ils/elles	s'étaient	amusé(e)s

SUBJONCTIF

PRÉSENT

que je m'	amuse
que tu t'	amuses
qu'il/qu'elle s'	amuse
que nous nous	amusions
que vous vous	amusiez
qu'ils/qu'elles s'	amusent

CONDITIONNEL

PRÉSENT

je m'	amuserais
tu t'	amuserais
il/elle s'	amuserait
nous nous	amuserions
vous vous	amuseriez
ils/elles s'	amuseraient

IMPÉRATIF

PRÉSENT

amuse-toi
amusons-nous
amusez-vous

12 Placer — 1ᵉʳ GROUPE

INFINITIF

PRÉSENT

placer

PARTICIPE

PRÉSENT

plaçant

PASSÉ

placé, placée, placés, placées

INDICATIF

Temps simples

PRÉSENT

je	place
tu	places
il/elle	place
nous	plaçons
vous	placez
ils/elles	placent

FUTUR SIMPLE

je	placerai
tu	placeras
il/elle	placera
nous	placerons
vous	placerez
ils/elles	placeront

IMPARFAIT

je	plaçais
tu	plaçais
il/elle	plaçait
nous	placions
vous	placiez
ils/elles	plaçaient

PASSÉ SIMPLE

je	plaçai
tu	plaças
il/elle	plaça
nous	plaçâmes
vous	plaçâtes
ils/elles	placèrent

Temps composés

PASSÉ COMPOSÉ

j'	ai	placé
tu	as	placé
il/elle	a	placé
nous	avons	placé
vous	avez	placé
ils/elles	ont	placé

PLUS-QUE-PARFAIT

j'	avais	placé
tu	avais	placé
il/elle	avait	placé
nous	avions	placé
vous	aviez	placé
ils/elles	avaient	placé

SUBJONCTIF

PRÉSENT

que je	place
que tu	places
qu'il/qu'elle	place
que nous	placions
que vous	placiez
qu'ils/qu'elles	placent

CONDITIONNEL

PRÉSENT

je	placerais
tu	placerais
il/elle	placerait
nous	placerions
vous	placeriez
ils/elles	placeraient

IMPÉRATIF

PRÉSENT

place
plaçons
placez

513 Manger

INFINITIF

PRÉSENT

manger

PARTICIPE

PRÉSENT

mangeant

PASSÉ

mangé, mangée, mangés, mangées

INDICATIF

Temps simples

PRÉSENT

je	mange
tu	manges
il/elle	mange
nous	mangeons
vous	mangez
ils/elles	mangent

FUTUR SIMPLE

je	mangerai
tu	mangeras
il/elle	mangera
nous	mangerons
vous	mangerez
ils/elles	mangeront

IMPARFAIT

je	mangeais
tu	mangeais
il/elle	mangeait
nous	mangions
vous	mangiez
ils/elles	mangeaient

PASSÉ SIMPLE

je	mangeai
tu	mangeas
il/elle	mangea
nous	mangeâmes
vous	mangeâtes
ils/elles	mangèrent

Temps composés

PASSÉ COMPOSÉ

j'	ai	mangé
tu	as	mangé
il/elle	a	mangé
nous	avons	mangé
vous	avez	mangé
ils/elles	ont	mangé

PLUS-QUE-PARFAIT

j'	avais	mangé
tu	avais	mangé
il/elle	avait	mangé
nous	avions	mangé
vous	aviez	mangé
ils/elles	avaient	mangé

SUBJONCTIF

PRÉSENT

que je	mange
que tu	manges
qu'il/qu'elle	mange
que nous	mangions
que vous	mangiez
qu'ils/qu'elles	mangent

CONDITIONNEL

PRÉSENT

je	mangerais
tu	mangerais
il/elle	mangerait
nous	mangerions
vous	mangeriez
ils/elles	mangeraient

IMPÉRATIF

PRÉSENT

mange
mangeons
mangez

14 Finir

2e GROUPE

INFINITIF

PRÉSENT

finir

PARTICIPE

PRÉSENT

finissant

PASSÉ

fini, finie, finis, finies

INDICATIF

Temps simples

PRÉSENT

je	finis
tu	finis
il/elle	finit
nous	finissons
vous	finissez
ils/elles	finissent

FUTUR SIMPLE

je	finirai
tu	finiras
il/elle	finira
nous	finirons
vous	finirez
ils/elles	finiront

IMPARFAIT

je	finissais
tu	finissais
il/elle	finissait
nous	finissions
vous	finissiez
ils/elles	finissaient

PASSÉ SIMPLE

je	finis
tu	finis
il/elle	finit
nous	finîmes
vous	finîtes
ils/elles	finirent

Temps composés

PASSÉ COMPOSÉ

j'	ai	fini
tu	as	fini
il/elle	a	fini
nous	avons	fini
vous	avez	fini
ils/elles	ont	fini

PLUS-QUE-PARFAIT

j'	avais	fini
tu	avais	fini
il/elle	avait	fini
nous	avions	fini
vous	aviez	fini
ils/elles	avaient	fini

SUBJONCTIF

PRÉSENT

que je	finisse
que tu	finisses
qu'il/qu'elle	finisse
que nous	finissions
que vous	finissiez
qu'ils/qu'elles	finissent

CONDITIONNEL

PRÉSENT

je	finirais
tu	finirais
il/elle	finirait
nous	finirions
vous	finiriez
ils/elles	finiraient

IMPÉRATIF

PRÉSENT

finis
finissons
finissez

515 Vouloir 3ᵉ GROUPE

INFINITIF

PRÉSENT

vouloir

PARTICIPE

PRÉSENT

voulant

PASSÉ

voulu, voulue, voulus, voulues

INDICATIF

Temps simples

PRÉSENT

je	veux
tu	veux
il/elle	veut
nous	voulons
vous	voulez
ils/elles	veulent

FUTUR SIMPLE

je	voudrai
tu	voudras
il/elle	voudra
nous	voudrons
vous	voudrez
ils/elles	voudront

IMPARFAIT

je	voulais
tu	voulais
il/elle	voulait
nous	voulions
vous	vouliez
ils/elles	voulaient

PASSÉ SIMPLE

je	voulus
tu	voulus
il/elle	voulut
nous	voulûmes
vous	voulûtes
ils/elles	voulurent

Temps composés

PASSÉ COMPOSÉ

j'	ai	voulu
tu	as	voulu
il/elle	a	voulu
nous	avons	voulu
vous	avez	voulu
ils/elles	ont	voulu

PLUS-QUE-PARFAIT

j'	avais	voulu
tu	avais	voulu
il/elle	avait	voulu
nous	avions	voulu
vous	aviez	voulu
ils/elles	avaient	voulu

SUBJONCTIF

PRÉSENT

que je	veuille
que tu	veuilles
qu'il/qu'elle	veuille
que nous	voulions
que vous	vouliez
qu'ils/qu'elles	veuillent

CONDITIONNEL

PRÉSENT

je	voudrais
tu	voudrais
il/elle	voudrait
nous	voudrions
vous	voudriez
ils/elles	voudraient

IMPÉRATIF

PRÉSENT

veux (veuille)
voulons
voulez (veuillez)

516 Pouvoir

3e GROUPE

INFINITIF

PRÉSENT

pouvoir

PARTICIPE

PRÉSENT

pouvant

PASSÉ

pu

INDICATIF

Temps simples

PRÉSENT

je	peux
tu	peux
il/elle	peut
nous	pouvons
vous	pouvez
ils/elles	peuvent

FUTUR SIMPLE

je	pourrai
tu	pourras
il/elle	pourra
nous	pourrons
vous	pourrez
ils/elles	pourront

IMPARFAIT

je	pouvais
tu	pouvais
il/elle	pouvait
nous	pouvions
vous	pouviez
ils/elles	pouvaient

PASSÉ SIMPLE

je	pus
tu	pus
il/elle	put
nous	pûmes
vous	pûtes
ils/elles	purent

Temps composés

PASSÉ COMPOSÉ

j'	ai	pu
tu	as	pu
il/elle	a	pu
nous	avons	pu
vous	avez	pu
ils/elles	ont	pu

PLUS-QUE-PARFAIT

j'	avais	pu
tu	avais	pu
il/elle	avait	pu
nous	avions	pu
vous	aviez	pu
ils/elles	avaient	pu

SUBJONCTIF

PRÉSENT

que je	puisse
que tu	puisses
qu'il/qu'elle	puisse
que nous	puissions
que vous	puissiez
qu'ils/qu'elles	puissent

CONDITIONNEL

PRÉSENT

je	pourrais
tu	pourrais
il/elle	pourrait
nous	pourrions
vous	pourriez
ils/elles	pourraient

IMPÉRATIF

PRÉSENT

pas d'impératif

397

517 Voir

INFINITIF

PARTICIPE

PRÉSENT

voir

PRÉSENT

voyant

PASSÉ

vu, vue, vus, vues

INDICATIF

Temps simples

PRÉSENT

je	vois
tu	vois
il/elle	voit
nous	voyons
vous	voyez
ils/elles	voient

FUTUR SIMPLE

je	verrai
tu	verras
il/elle	verra
nous	verrons
vous	verrez
ils/elles	verront

IMPARFAIT

je	voyais
tu	voyais
il/elle	voyait
nous	voyions
vous	voyiez
ils/elles	voyaient

PASSÉ SIMPLE

je	vis
tu	vis
il/elle	vit
nous	vîmes
vous	vîtes
ils/elles	virent

Temps composés

PASSÉ COMPOSÉ

j'	ai	vu
tu	as	vu
il/elle	a	vu
nous	avons	vu
vous	avez	vu
ils/elles	ont	vu

PLUS-QUE-PARFAIT

j'	avais	vu
tu	avais	vu
il/elle	avait	vu
nous	avions	vu
vous	aviez	vu
ils/elles	avaient	vu

SUBJONCTIF

PRÉSENT

que je	voie
que tu	voies
qu'il/qu'elle	voie
que nous	voyions
que vous	voyiez
qu'ils/qu'elles	voient

CONDITIONNEL

PRÉSENT

je	verrais
tu	verrais
il/elle	verrait
nous	verrions
vous	verriez
ils/elles	verraient

IMPÉRATIF

PRÉSENT

vois
voyons
voyez

18 Faire

3ᵉ GROUPE

INFINITIF

PRÉSENT

faire

PARTICIPE

PRÉSENT

faisant

PASSÉ

fait, faite, faits, faites

INDICATIF

Temps simples

PRÉSENT

je	fais
tu	fais
il/elle	fait
nous	faisons
vous	faites
ils/elles	font

FUTUR SIMPLE

je	ferai
tu	feras
il/elle	fera
nous	ferons
vous	ferez
ils/elles	feront

IMPARFAIT

je	faisais
tu	faisais
il/elle	faisait
nous	faisions
vous	faisiez
ils/elles	faisaient

PASSÉ SIMPLE

je	fis
tu	fis
il/elle	fit
nous	fîmes
vous	fîtes
ils/elles	firent

Temps composés

PASSÉ COMPOSÉ

j'	ai	fait
tu	as	fait
il/elle	a	fait
nous	avons	fait
vous	avez	fait
ils/elles	ont	fait

PLUS-QUE-PARFAIT

j'	avais	fait
tu	avais	fait
il/elle	avait	fait
nous	avions	fait
vous	aviez	fait
ils/elles	avaient	fait

SUBJONCTIF

PRÉSENT

que je	fasse
que tu	fasses
qu'il/qu'elle	fasse
que nous	fassions
que vous	fassiez
qu'ils/qu'elles	fassent

CONDITIONNEL

PRÉSENT

je	ferais
tu	ferais
il/elle	ferait
nous	ferions
vous	feriez
ils/elles	feraient

IMPÉRATIF

PRÉSENT

fais

faisons

faites

519 Prendre

INFINITIF

PRÉSENT

prendre

PARTICIPE

PRÉSENT

prenant

PASSÉ

pris, prise, pris, prises

INDICATIF

Temps simples

PRÉSENT

je	prends
tu	prends
il/elle	prend
nous	prenons
vous	prenez
ils/elles	prennent

FUTUR SIMPLE

je	prendrai
tu	prendras
il/elle	prendra
nous	prendrons
vous	prendrez
ils/elles	prendront

IMPARFAIT

je	prenais
tu	prenais
il/elle	prenait
nous	prenions
vous	preniez
ils/elles	prenaient

PASSÉ SIMPLE

je	pris
tu	pris
il/elle	prit
nous	prîmes
vous	prîtes
ils/elles	prirent

Temps composés

PASSÉ COMPOSÉ

j'	ai	pris
tu	as	pris
il/elle	a	pris
nous	avons	pris
vous	avez	pris
ils/elles	ont	pris

PLUS-QUE-PARFAIT

j'	avais	pris
tu	avais	pris
il/elle	avait	pris
nous	avions	pris
vous	aviez	pris
ils/elles	avaient	pris

SUBJONCTIF

PRÉSENT

que je	prenne
que tu	prennes
qu'il/qu'elle	prenne
que nous	prenions
que vous	preniez
qu'ils/qu'elles	prennent

CONDITIONNEL

PRÉSENT

je	prendrais
tu	prendrais
il/elle	prendrait
nous	prendrions
vous	prendriez
ils/elles	prendraient

IMPÉRATIF

PRÉSENT

prends
prenons
prenez

20 Dormir 3ᵉ GROUPE

INFINITIF | PARTICIPE

PRÉSENT	PRÉSENT	PASSÉ
dormir	dormant	dormi

INDICATIF

Temps simples

PRÉSENT		FUTUR SIMPLE	
je	dors	je	dormirai
tu	dors	tu	dormiras
il/elle	dort	il/elle	dormira
nous	dormons	nous	dormirons
vous	dormez	vous	dormirez
ils/elles	dorment	ils/elles	dormiront

IMPARFAIT		PASSÉ SIMPLE	
je	dormais	je	dormis
tu	dormais	tu	dormis
il/elle	dormait	il/elle	dormit
nous	dormions	nous	dormîmes
vous	dormiez	vous	dormîtes
ils/elles	dormaient	ils/elles	dormirent

Temps composés

PASSÉ COMPOSÉ			PLUS-QUE-PARFAIT		
j'	ai	dormi	j'	avais	dormi
tu	as	dormi	tu	avais	dormi
il/elle	a	dormi	il/elle	avait	dormi
nous	avons	dormi	nous	avions	dormi
vous	avez	dormi	vous	aviez	dormi
ils/elles	ont	dormi	ils/elles	avaient	dormi

SUBJONCTIF

PRÉSENT	
que je	dorme
que tu	dormes
qu'il/qu'elle	dorme
que nous	dormions
que vous	dormiez
qu'ils/qu'elles	dorment

CONDITIONNEL

PRÉSENT	
je	dormirais
tu	dormirais
il/elle	dormirait
nous	dormirions
vous	dormiriez
ils/elles	dormiraient

IMPÉRATIF

PRÉSENT

dors
dormons
dormez

521 Venir

INFINITIF

PRÉSENT

venir

PARTICIPE

PRÉSENT

venant

PASSÉ

venu, venue, venus, venues

INDICATIF

Temps simples

PRÉSENT

je	viens
tu	viens
il/elle	vient
nous	venons
vous	venez
ils/elles	viennent

FUTUR SIMPLE

je	viendrai
tu	viendras
il/elle	viendra
nous	viendrons
vous	viendrez
ils/elles	viendront

IMPARFAIT

je	venais
tu	venais
il/elle	venait
nous	venions
vous	veniez
ils/elles	venaient

PASSÉ SIMPLE

je	vins
tu	vins
il/elle	vint
nous	vînmes
vous	vîntes
ils/elles	vinrent

Temps composés

PASSÉ COMPOSÉ

je	suis	venu(e)
tu	es	venu(e)
il/elle	est	venu(e)
nous	sommes	venu(e)s
vous	êtes	venu(e)s
ils/elles	sont	venu(e)s

PLUS-QUE-PARFAIT

j'	étais	venu(e)
tu	étais	venu(e)
il/elle	était	venu(e)
nous	étions	venu(e)s
vous	étiez	venu(e)s
ils/elles	étaient	venu(e)s

SUBJONCTIF

PRÉSENT

que je	vienne
que tu	viennes
qu'il/qu'elle	vienne
que nous	venions
que vous	veniez
qu'ils/qu'elles	viennent

CONDITIONNEL

PRÉSENT

je	viendrais
tu	viendrais
il/elle	viendrait
nous	viendrions
vous	viendriez
ils/elles	viendraient

IMPÉRATIF

PRÉSENT

viens
venons
venez

22 Aller

3e GROUPE

INFINITIF

PRÉSENT

aller

PARTICIPE

PRÉSENT

allant

PASSÉ

allé, allée, allés, allées

INDICATIF

Temps simples

PRÉSENT

je	vais
tu	vas
il/elle	va
nous	allons
vous	allez
ils/elles	vont

FUTUR SIMPLE

j'	irai
tu	iras
il/elle	ira
nous	irons
vous	irez
ils/elles	iront

IMPARFAIT

j'	allais
tu	allais
il/elle	allait
nous	allions
vous	alliez
ils/elles	allaient

PASSÉ SIMPLE

j'	allai
tu	allas
il/elle	alla
nous	allâmes
vous	allâtes
ils/elles	allèrent

Temps composés

PASSÉ COMPOSÉ

je	suis	allé(e)
tu	es	allé(e)
il/elle	est	allé(e)
nous	sommes	allé(e)s
vous	êtes	allé(e)s
ils/elles	sont	allé(e)s

PLUS-QUE-PARFAIT

j'	étais	allé(e)
tu	étais	allé(e)
il/elle	était	allé(e)
nous	étions	allé(e)s
vous	étiez	allé(e)s
ils/elles	étaient	allé(e)s

SUBJONCTIF

PRÉSENT

que j'	aille
que tu	ailles
qu'il/qu'elle	aille
que nous	allions
que vous	alliez
qu'ils/qu'elles	aillent

CONDITIONNEL

PRÉSENT

j'	irais
tu	irais
il/elle	irait
nous	irions
vous	iriez
ils/elles	iraient

IMPÉRATIF

PRÉSENT

va
allons
allez

Table des crédits textes

Les numéros renvoient aux numéros des paragraphes.

Table des illustrations

p. 78, 123	Janet et Allan Ahlberg, *Le Ver, cet inconnu*, coll. «Folio Benjamin», Gallimard Jeunesse, © Gallimard, 1980
p. 150	Antoine de Saint-Exupéry, *Le Petit Prince*, © Gallimard, 1946
p. 199	Jean-Jacques Sempé et René Goscinny, *Le Petit Nicolas et les copains* © Denoël 1963, 2004
p. 385	Pef, *L'Ivre de français*, coll. «Folio Cadet», Gallimard Jeunesse, © Gallimard, 1986

ndex

L'index recense la plupart des mots qui sont expliqués dans le livre.
Les numéros renvoient aux numéros des paragraphes.
La couleur du numéro signale la partie dans laquelle se trouve le
paragraphe (**Grammaire**, Orthographe, **Vocabulaire**, **Conjugaison**).

index

index

COI, **133** à **137**, **140**; COS, **138**, **139**;
CC, **141** à **148**
■ D'UNE PROPOSITION : **163** à **165**

forme négative : ▷ NÉGATIVE

futur : temps simples, **473**; emploi,
494; formes, **501**; terminaison, **489**

genre : donné par le dictionnaire,
431; d'un adjectif qualificatif, **66**, **241**;
d'un nom, **42**, **241**, **297**, **298**; des
noms en -é et -ée, **250**, **251**; des noms
en *s*, **389**

groupe adjectival : **39**

groupe nominal (GN) : définition,
39, **176**, **177**; l'adjectif épithète dans
le GN, **61**; place de l'adjectif qualificatif
dans le GN, **62**; place du déterminant,
70; accord dans le GN, **178**, **179**

groupe verbal (GV) : premier
groupe, deuxième groupe, troisième
groupe, **55**, **475** à **477**

h : ▷ LETTRE MUETTE

homonyme : définition, **449**;
orthographe, **451**; liste, **452**

homophone : définition, **195**,
450; quelques exemples, **226**, **270**,
280, **290**, **296**, **376**, **387**, **402**; liste
d'homophones grammaticaux, **196** à
218

ï : emploi, **261**, **336**

imparfait : temps simples, **473**;
terminaison, **488**; emploi avec le passé
simple, **499**

impératif : définition, **472**;
terminaison, **490**

impérative (phrase) : rôle, **28**;
construction, **29**

indéfini : ▷ ADJECTIF INDÉFINI, PRONOM
INDÉFINI

indicatif : définition, **472**

infinitif : définition, **54**, **472**; emploi,
56; infinitif en -er, **54**, **55**; infinitif en -*ir*,
54, **55**; infinitif en -*oir* et -*re*, **54**, **55**

interrogative (phrase) :
définition, **21**; construction, **22**;
emploi, **20**, **23**; interrogative directe,
21 à **25**; interrogative indirecte, **26**,
27; interrogative partielle, **24**, **25**;
interrogative totale, **24**; place du sujet,
22, **27**; inversion du sujet, **22**; accord
du verbe, **22**

intransitif : ▷ VERBE

invariables (mots) : **98**, **101**,
107, **424**

jeter : orthographe, **483**
juxtaposée : ▷ PROPOSITION

410

index

Achevé d'imprimer par Grafica Editoriale Printing à Bologne
Dépôt légal n° 88677 - mai 2007 - Italie